図解

いちばんやさしい最新科学

三澤信也

彩図社

はじめに

近年の私たちの生活は、とても便利になりました。

朝起きてスマホを手にし、1日の予定を確認して、不自由なく家電製品を使い、必要になれば病院で治療を受けることもできます。遠い宇宙で起こっていることも分かってきました。

しかし当然ながら、以前からこのような生活ができていたわけではありません。およそ30年ほど前は、インターネットはまだ一般に普及しておらず、動画といえばテレビで番組を見るしかありませんでした。旅行の前には地図帳を買って経路を確認していました。

いまのような便利さを実現したのは、科学の進歩です。それらの技術や、それを支える科学的知見をまとめたのが本書です。

インターネットやテレビなどのニュースで細切れに届く情報だけでは、なかなか全体像がつかみにくいものです。そこで、各分野の最新の知見を一冊の本にまとめて、俯瞰しやすくしました。

スマートフォンなどの身近なものから宇宙で行われている実験まで、幅広い分野の話題を、写真や図などをおりまぜて紹介します。

おそらく、「聞いたことはあるけど、詳しくは分からない」というものもあると思います。そういったテーマについて、科学に詳しくない方でも気軽に読んでいただけるよう、やさしく解説しています。

本書を通して、科学の楽しさを感じていただけたらと願っています。

三澤　信也

「いちばんやさしい最新科学」もくじ

1章 宇宙の研究

2章 コンピュータとIT技術

3章 生物と医療の研究

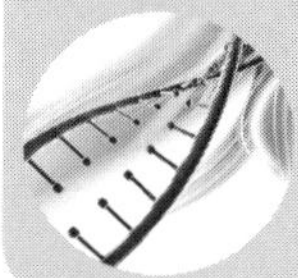

4章

元素と素粒子の研究

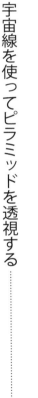

5章 化学の研究

1章

宇宙の研究

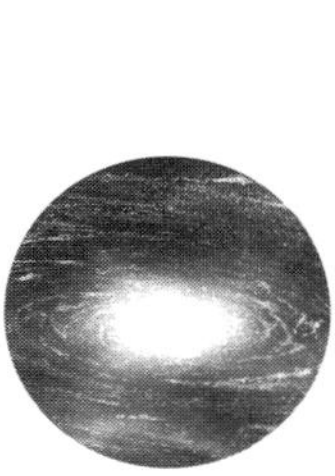

天の川銀河の中心にある超巨大ブラックホールの発見

アインシュタインも実在には懐疑的だった？

宇宙には、底なし沼のようにどんなものも引きずり込んでしまう**「ブラックホール」**が存在することが明らかになっています。

1915年、アインシュタインは一般相対性理論を完成させました。そのことで、ブラックホールの存在が真剣に議論されるようになりました。

アインシュタインは、一般相対性理論からブラックホールの存在を予言しました。ただし、それは「理論的に存在しうる」ということであり、「現実に存在する」こととは別です。実際に、**アインシュタインでさえも現実にはブラックホールは存在しないだろうと考えていた**そうです。

超大質量ブラックホールの想像図。ブラックホールに近い場所にある物質から放射される放射線が光っている。（©NASA/JPL-Caltech）

その理由は、ブラックホールの形成には完全な球形の天体が必要だと考えられていたからです。ものすごく狭いエリアへの大きな質量の集中は、完全な球形の天体が重力に耐えきれずに収縮したときに起こる現象だとされていました。

しかし、現実の宇宙には完全な球体となっている理想的なものは存在しなさそうです。ですので、理論的には存在しうるブラックホールも実際には存在しないだろうと考えられていたのです。

しかし、アインシュタインが亡くなってから10年後の1965年、イギリスのペンローズ博士がこの考え方を覆《くつがえ》しました。

天体が完全な球体でなくても、ブラックホールになり得ることを数学的に証明したのです。この功績により、ペンローズ博士は２０２０年のノーベル物理学賞を受賞しました。

ペンローズ博士は、イギリスのスティーブン・ホーキング博士とともに、この理論を発展させました。ホーキング博士は、筋《きん》萎《い》縮性《しゅくせい》側索硬《そくさくこう》化症《かしょう》（ＡＬＳ）という難病と闘いながら研究を続けたことでも有名です。

２氏は研究の結果、**宇宙のはじまりにも狭いエリアに大質量が集中したものがあった**ことを示したのです。このことは、人類の宇宙に対する理解を深めてくれました。

残念ながら、スティーブン・ホーキング博士は２０１８年に亡くなっています。もし存命だったら、２０２０年のノーベル物理学賞を共同受賞していたかもしれません。

銀河の中心のブラックホールの存在

２０２０年のノーベル物理学賞は、ペンローズ博士とともにドイツのラインハルト・ゲンツェル博士と、アメリカのアンドレア・ゲズ博士が共同受賞しました。

両氏は、太陽系が存在する**天の川銀河の中心にある超巨大ブラックホールの存在を実証**した功績で受賞しました。

どうして、超巨大ブラックホールの存在を知ることができたのでしょう？

左上は、天の川銀河の図です。この中には、２０００億個もの恒星があることが分かっています。

そして、この写真を見るとそれらの恒星が中心部分の周りを回っているように見えます。事実、**天の川銀河にある恒星は回っている**のです。

「これは、天の川銀河の中心に巨大な質量を持ったものが存在するからではないか？」と考えられるようになりました。ちょうど、太陽の周りを惑星が回っている太陽系と同じように考えられるということです。

そこで、天の川銀河の中心部分を観測する試みが始まりました。それを主導したのが、ラインハルト・ゲンツェル博士とアンドレア・ゲズ博士なのです。

天の川銀河の中心部を地球から観測することは、星間《せいかん》ガスや星間塵《じん》にさえぎられるため非常に困難です。地球からは2万7000光

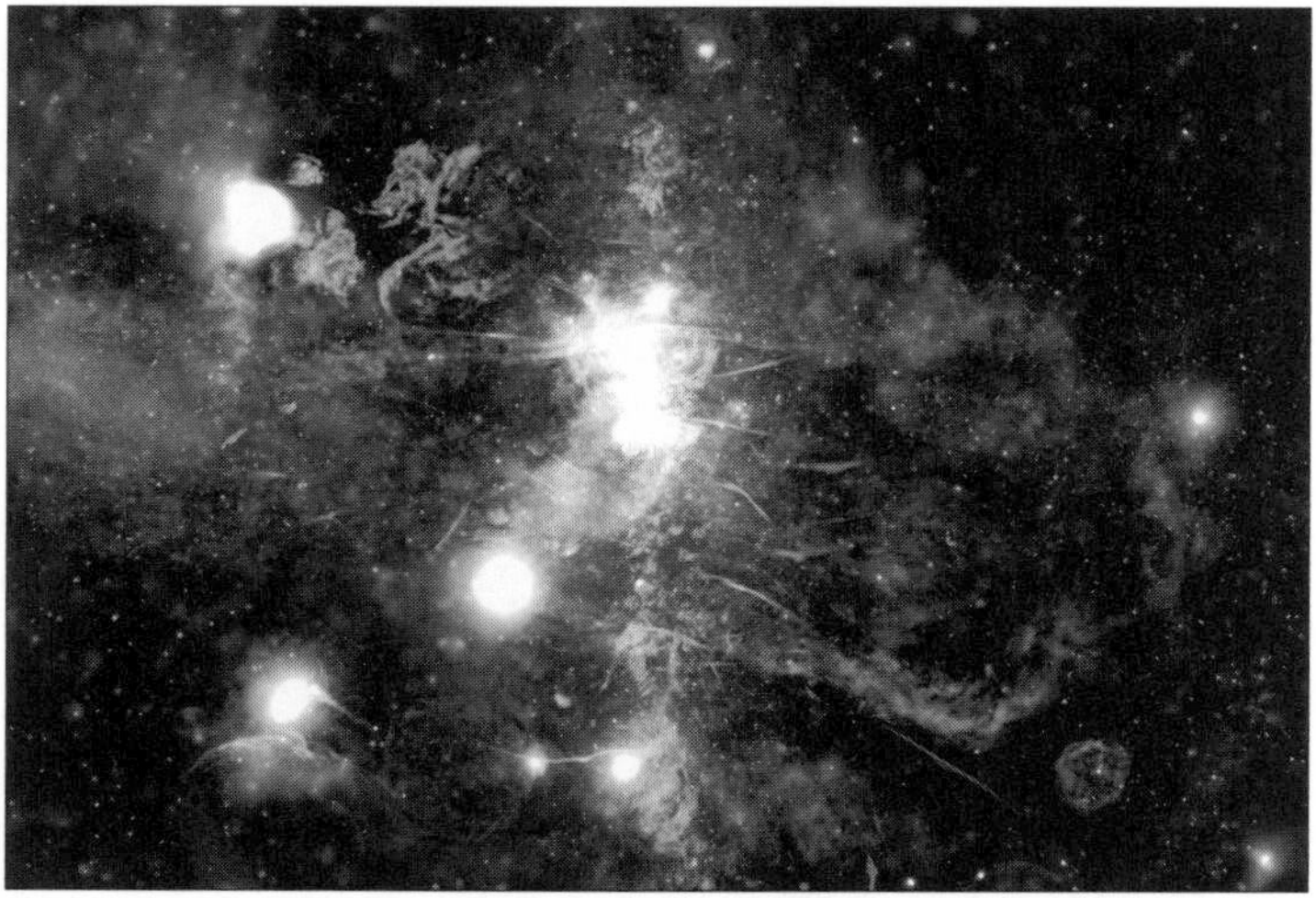

観測結果をつなぎ合わせて得られた天の川銀河の中心の様子（©X-ray: NASA/CXC/UMass/Q.D. Wang; Radio: NRF/SARAO/MeerKAT）

年も離れたところにあることも、観測が困難な理由です。

その観測を、世界最大級の望遠鏡を使うことで実現したのです。その結果、天の川銀河の中心部付近にある恒星の動きが見えてきました。そして、その中には約15年周期で楕円《だえん》軌道を描き、最大速度が秒速５０００キロメートルを上回るものがあることが分かりました。

恒星がこれほど猛烈なスピードで動くためには、中心部に**巨大な質量を持つ何か**があって強力な重力を生み出す必要があることが、理論的に求められます。

そのことから、天の川銀河の中心部には太陽のおよそ４００万倍もの質量を持つ超巨大ブラックホールが存在することが分かったのです。

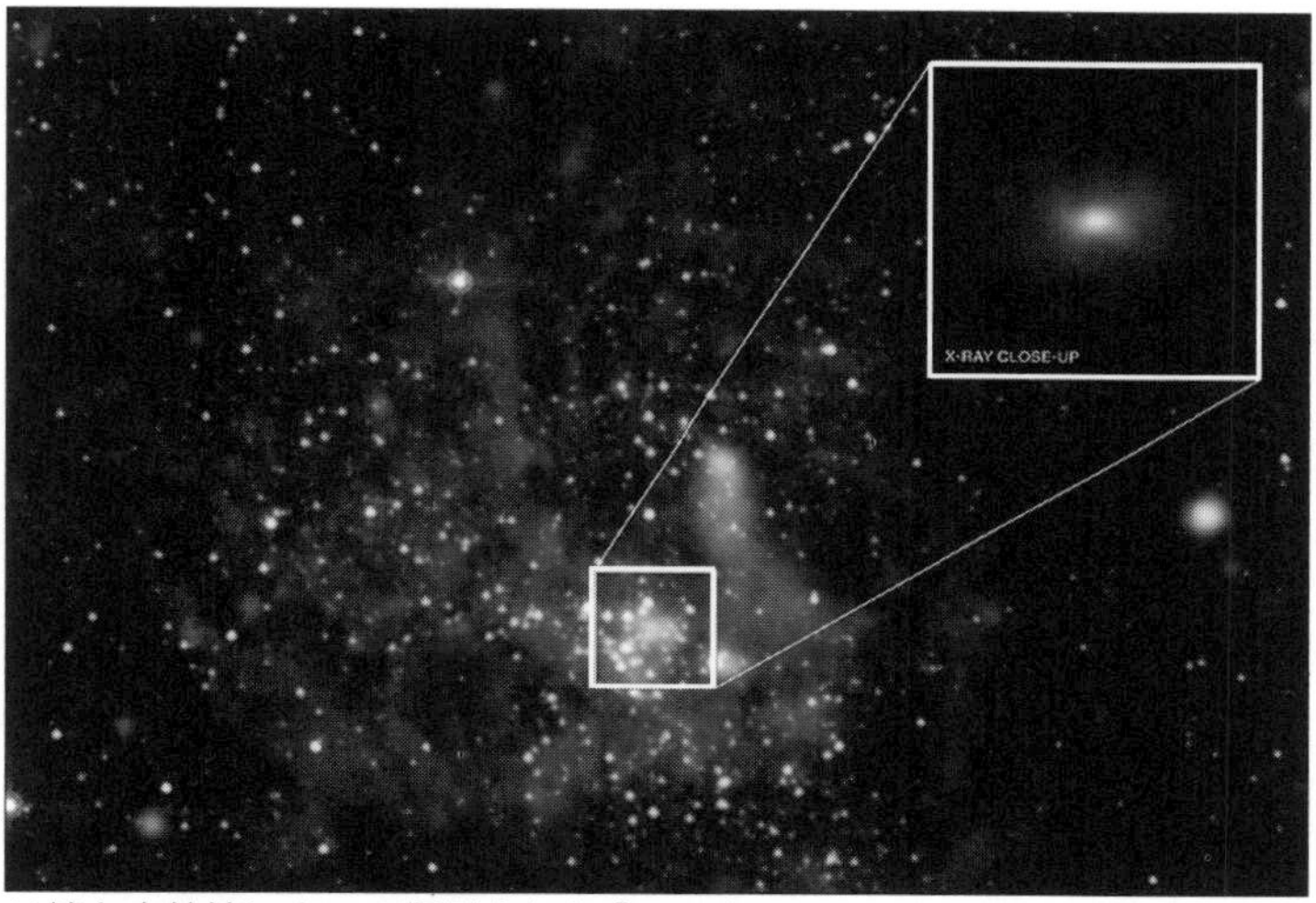

X線と赤外線によって撮影された「いて座A*」(©X-ray - NASA / CXC / Q. Daniel Wang (UMASS) et al., IR - NASA/STScI)

この超巨大ブラックホールは、**「いて座A*（エースター）」**と呼ばれます。

ブラックホール同士の衝突が起こるかも？

超巨大ブラックホールは宇宙にたくさんあると考えられています。そして、2つの超巨大ブラックホール同士の衝突を近いうちに見られるのではないかという予測もあります。これは、0・02光年という至近距離にあると考えられる2つのブラックホールで起こるとされるものです。

人類がいまだ目撃したことのない現象ですが、本当に見られるか楽しみです。

アインシュタインの最後の宿題・重力波の観測

アインシュタイン最後の宿題

２０１５年、アメリカの**LIGO**《ライゴ》が「重力波」の観測に成功したことが話題となりました。

ＬＩＧＯは、重力波を観測する目的で建設された装置で、２００２年から観測を続けていました。その後、装置の改良を行いながら観測を続け、２０１５年に初めて観測に成功したのです。

重力波は、**「アインシュタイン最後の宿題」**と呼ばれていたものでした。

アインシュタインといえば、相対性理論を確立したことで有名です。しかし、相対性理論から導き出される「重力波」という現象だけは、ずっと観測することができなかったのです。そのため「最後の宿題」と呼ばれていたの

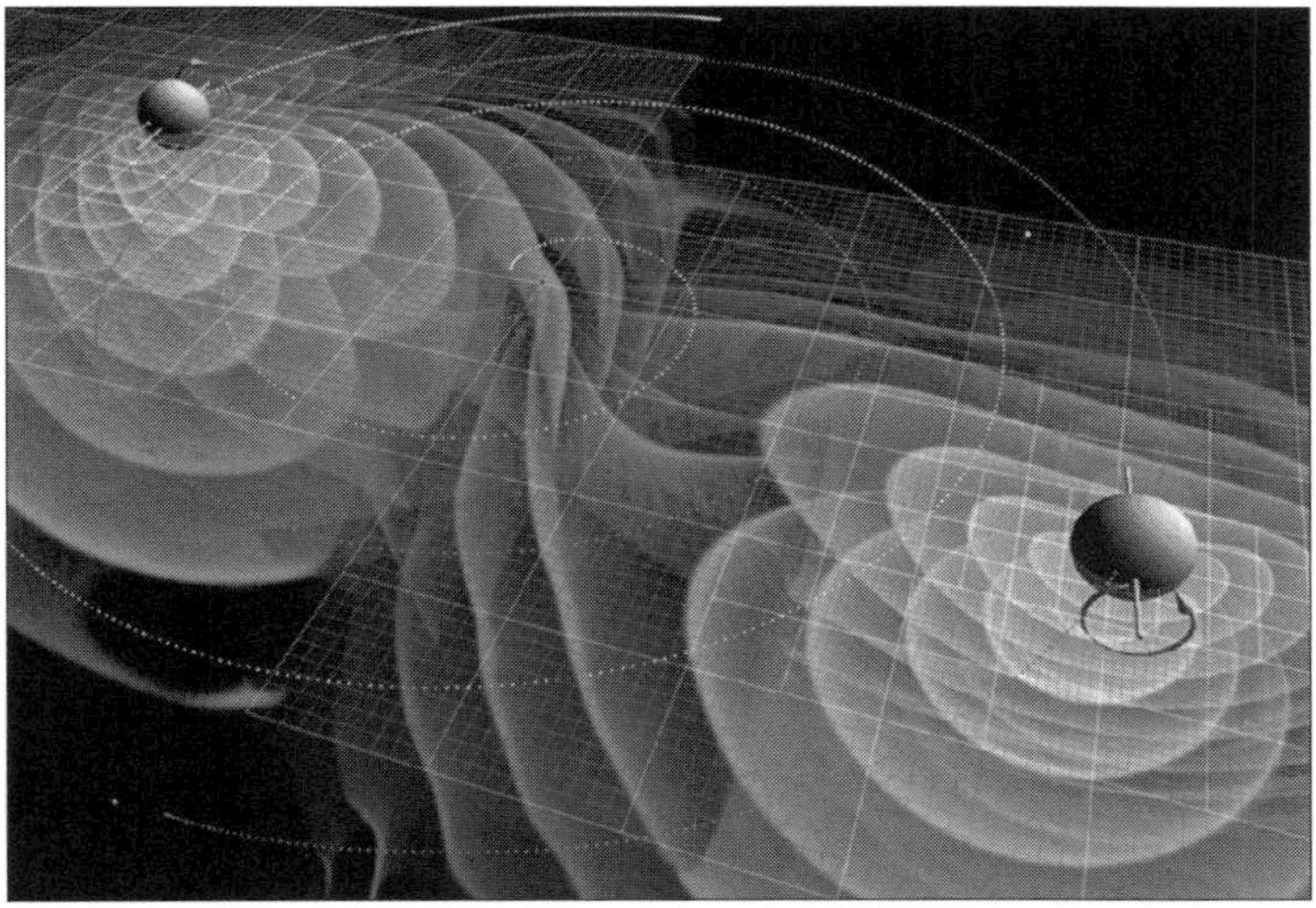

重力波を放出して合体するブラックホールの想像図（©C. Henze/NASA Ames Research Center）

です。

それでは、重力波とはどのようなものなのでしょう？ そして、どのような方法で観測することができたのでしょう？

重力波とは何か？

私たちが普段感じている重力は、地球から及ぼされる重力です。巨大な質量を持つ地球は、とても大きな重力を生み出すのです。

質量を持つ物体は、周りの空間に目に見えない歪みを生じさせます。それはちょうど、平らなゴムシートの上に物を載《の》せることでシートが凹むようなものと理解できます。

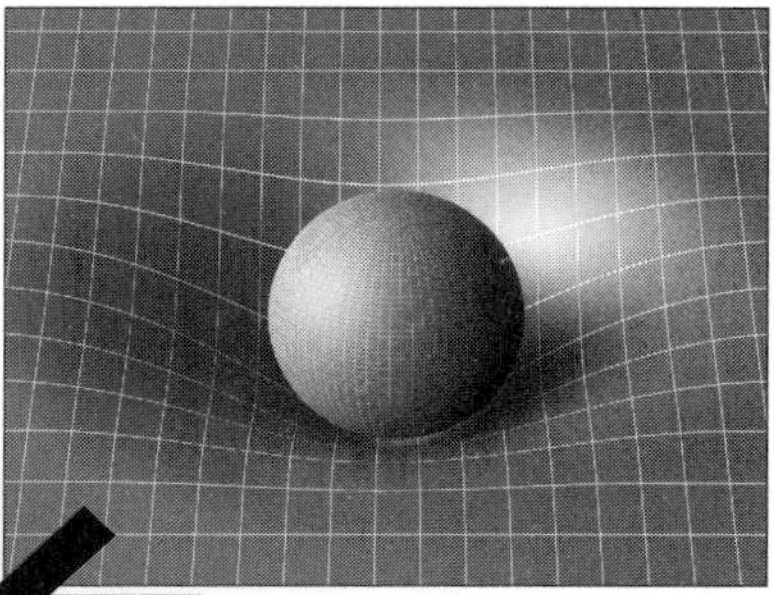

物体があるとその周囲の空間はゆがむ。
２つの物体があると、空間のゆがみによって物体はお互いに近づいていく。

ここへ、もう1つの別のものが置かれると、どうなるでしょう?

シートが凹んでいるため、２つの物体が接近するように移動していくことになります。２つの物体の間に重力が生じる仕組みは、このように考えられています。

さて、ゴムシートに載せられた物体が止まっていれば、ゴムシートは凹んだ状態を保ちます。ところが、もしも物体が動いたらどうなるでしょう。ゴムシートの凹み方が変わることが分かると思います。そして、その変化は周囲へと伝わっていくのです。

これは、池に小石を投げると周囲に波紋が広がっていくのと同じように理解できます。物体が動くことで周りの空間が波打つのです。

このように、**空間の歪みの変化は周囲へと**

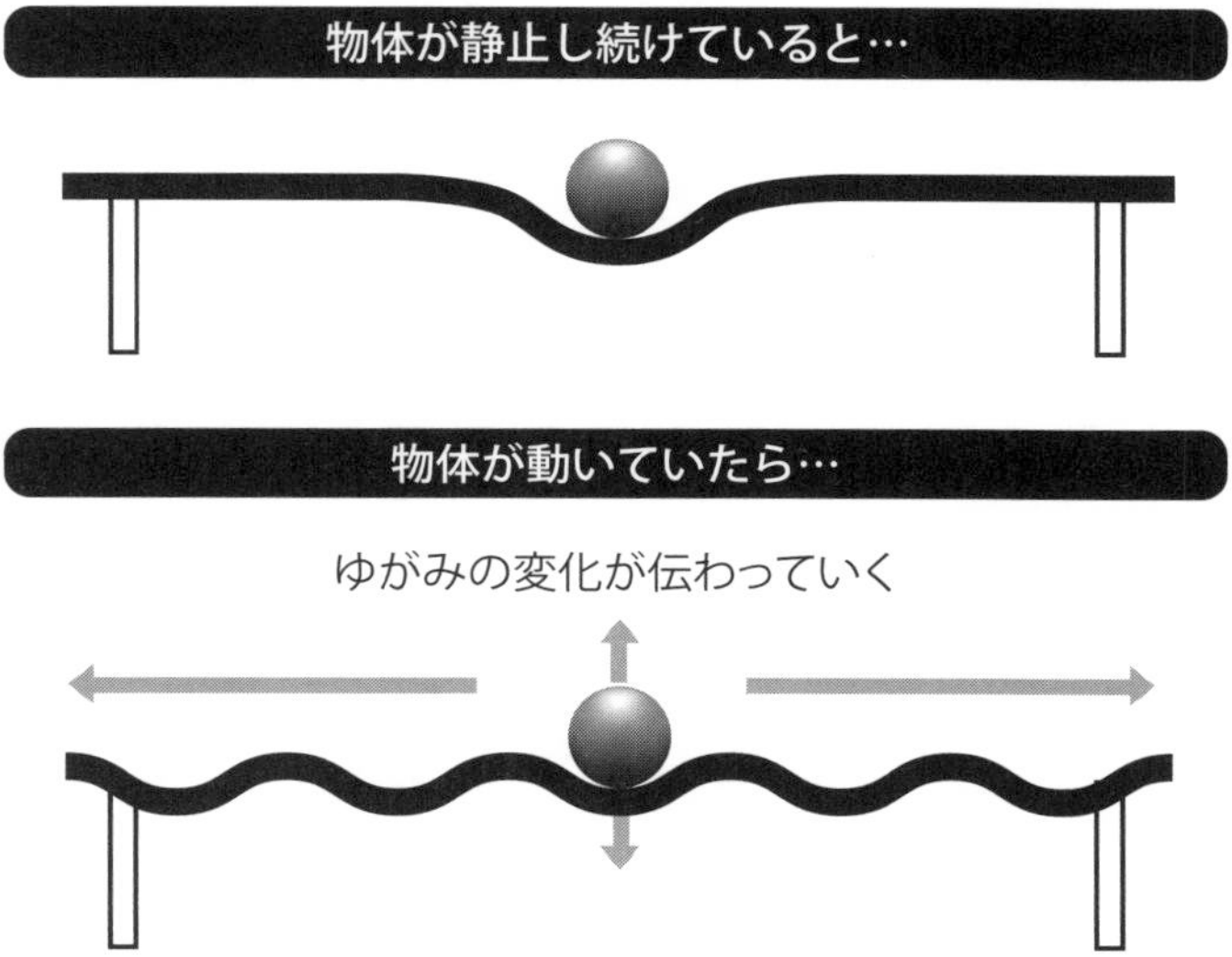
物体が静止し続けていると…
物体が動いていたら…
ゆがみの変化が伝わっていく

伝わっていきます。この現象を「重力波」というのです。

では、ある場所へ重力波が伝わってくると、そこにはどのような変化が起こるでしょう?

重力波は、空間の歪みの変化が伝わる現象です。ですので、重力波がやってきた空間は歪み、その歪みが変化することになります。

つまり、**重力波が伝わってきた空間は伸び縮みする**のです。ある方向の距離が伸びた瞬間、それと直交する方向では距離が縮みます。何とも不思議ですが、このような現象が起こることをアインシュタインは予言したのです。

ところで、物体が動くことで重力波が発生するということでしたが、私たちの周りではたくさんのものが動いています。そのたびに、重力波が発生しています。

ただし、重力波はとても微弱な波です。例えば、10キログラムのダンベルを半径1メートルで1秒に1周するペースで振り回したとしても、観測できる最小単位のエネルギーを放出するためには、５００万年かかることになります。ですので、日常の中で観測可能な重力波が発生することはないのです。

観測できるような大きな重力波は、ブラックホールが誕生する瞬間・ブラックホール同士が合体する瞬間といったビッグイベント時に発生します。

また、宇宙誕生時の急膨張《ぼうちょう》によっても大きな重力波が発生したと考えられています。重力波の観測施設がターゲットとしているのは、こういった現象によって発生する重力波なのです。

重力波の観測は難しい

アインシュタインは、重力波の存在を予言しました。その後、われわれ人類が実際に重力波の観測に成功するまでに、１００年という時間がかかりました。

このことは、重力波の観測がとても難しいことを示しています。どうして、重力波の観測は困難なのでしょう。

理由は、**重力波による空間の伸び縮みがあまりにも小さい**ことにあります。

重力波が伝わってくると、ある2点間の距離が変化します。その変化が、きわめて微小なものなのです。具体的には、次の通りです。

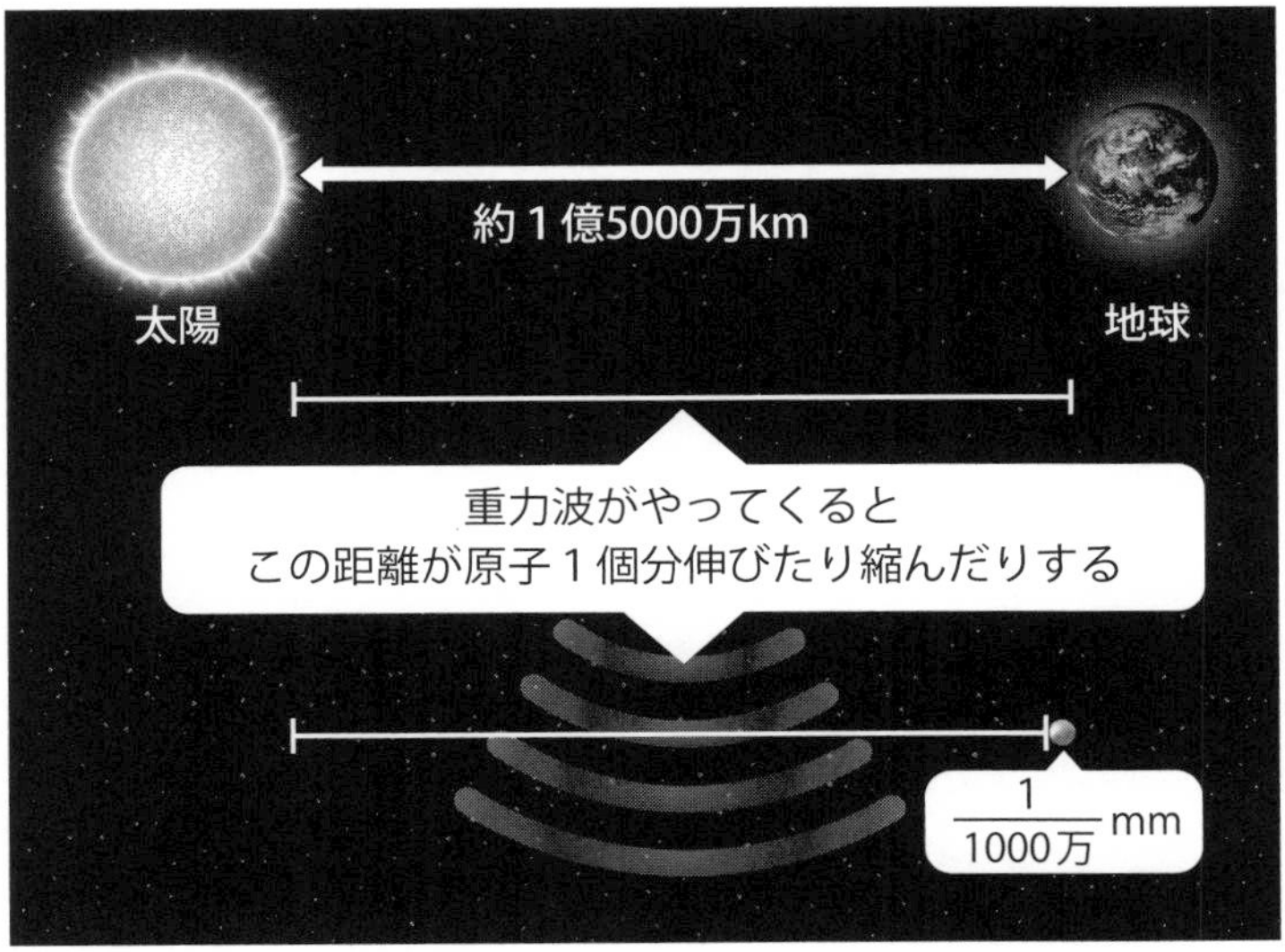

太陽と地球とは、約1億5000万キロメートル離れています。スケールが大きすぎていまいち実感できませんが、秒速約30万キロメートルで進む光でも、この距離を進むには8分20秒かかります。

ここに重力波がやってくると太陽と地球の間の距離が変化するわけです。その変化は、原子1個分というわずかなものです。

原子は、この世のすべての物質のもとになっている、目に見えない小さな粒子です。原子の大きさは、1000万分の1ミリメートル程度です。太陽と地球の間の距離でも、たったこれしか変化しないのです。

重力波による空間の伸び縮みが、いかに小さいか分かります。これが、重力波の観測が困難な理由なのです。

どのように重力波を観測するのか

観測がきわめて難しい重力波ですが、われわれ人類はその観測に成功しました。

冒頭で説明したように、重力波の観測に成功したのはアメリカのＬＩＧＯという観測装置です。

ＬＩＧＯは13億光年も離れたところで起こった、２つのブラックホールの合体によって発生した重力波をとらえたのです。遠く離れていますが、合体によって放出されたエネルギーが太陽３個分という巨大なものだったため、観測することができたのです。

重力波は、光と同じ速さで伝わります。つまり、重力波を発生したブラックホールの合体は、13億年前に起こったものだと分かります。

ＬＩＧＯが重力波をとらえた仕組みは、次のようなものです。

レーザー光を発射し、分配器という装置でこれを２つの方向に分けます。それぞれのレーザー光は同じ距離だけ進み、鏡で反射して戻ってきます。そして、最終的に２つのレーザー光は再び一緒になるのです。

このとき、２つのレーザー光は同じ距離を進んできているはずです。ところが、もしもこの装置の置かれている空間自体が歪んでいたら、完全に同じにはなりません。左上図の横方向の方が距離が長い状態になったり、縦《たて》方向の方が距離が長い状態になったりするの

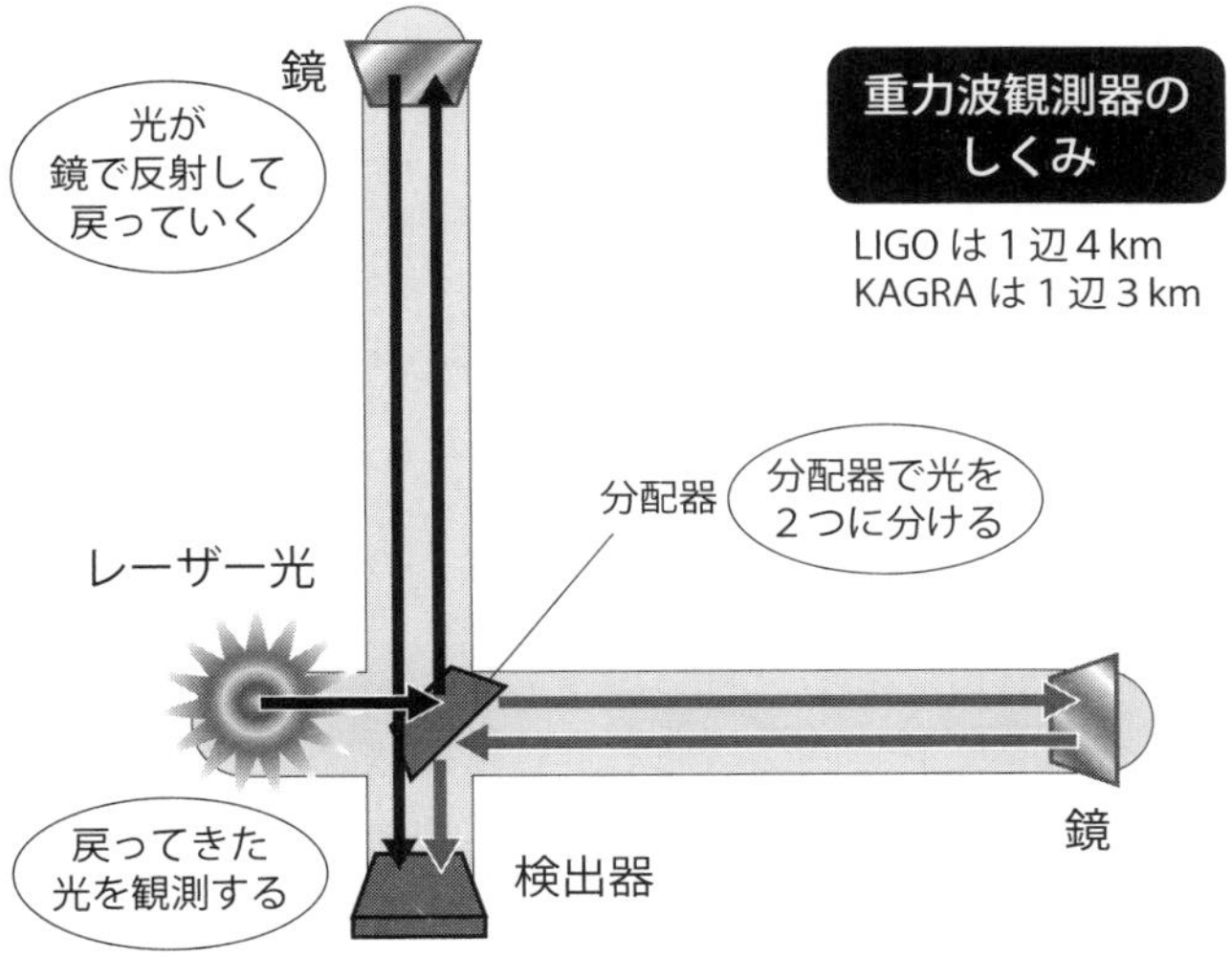

です。

すると、２つの光が最後に一緒になって重ね合わさったとき、その差の影響が現れます。「光の干渉」という現象なのですが、距離に差ができることで重ね合わさった光に、明るくなったり暗くなったりといった変化が起こるのです。

ＬＩＧＯでは、このような観測によって重力波を検出しました。単純な仕組みだと思うかもしれませんが、この方法で重力波によるごくごくわずかな空間の歪みを検出することは、容易ではありません。

まず、光の進む速さを変えないよう装置内を真空にする必要があります。

また、地面や空気の振動、風や海岸の波、飛行機の離着陸、雷、微小地震、電線の電圧の揺らぎなども影響しないよう対策しなければなりません。さらに、光を反射する鏡が熱で振動するのを防いだり、光が当たることによるわずかな変形を補正したりといったことまで必要なのです。

重力波検出という偉業は、これらの非常に高度な技術に支えられたものだったのです。

宇宙の始まりが分かる？

人類は、２つのブラックホールの合体・２つの中性子星の合体によって発生した重力波の観測に成功しています。

重力波には、**どんな物質も通り抜けてしまう**という特徴があります。光はいろいろなものにさえぎられますが、重力波にはそのようなことがないのです。そのため、**光では見えないものも重力波なら観測できる**のです。

特に、宇宙誕生時の急膨張によって発生した重力波を観測できたら、宇宙の始まりについて人類はより深い知見を得られるだろうと考えられています。

というのは、宇宙ができてから38万年後までの間の様子を、光で観測することは不可能だからです。

初期の宇宙はきわめて高温で、原子の中に納まっているはずの電子という粒子が、原子を離れて自由に飛び回っていました。光が進もうとしても、すぐに飛び回る電子とぶつかってしまい、閉じ込められてしまいます。

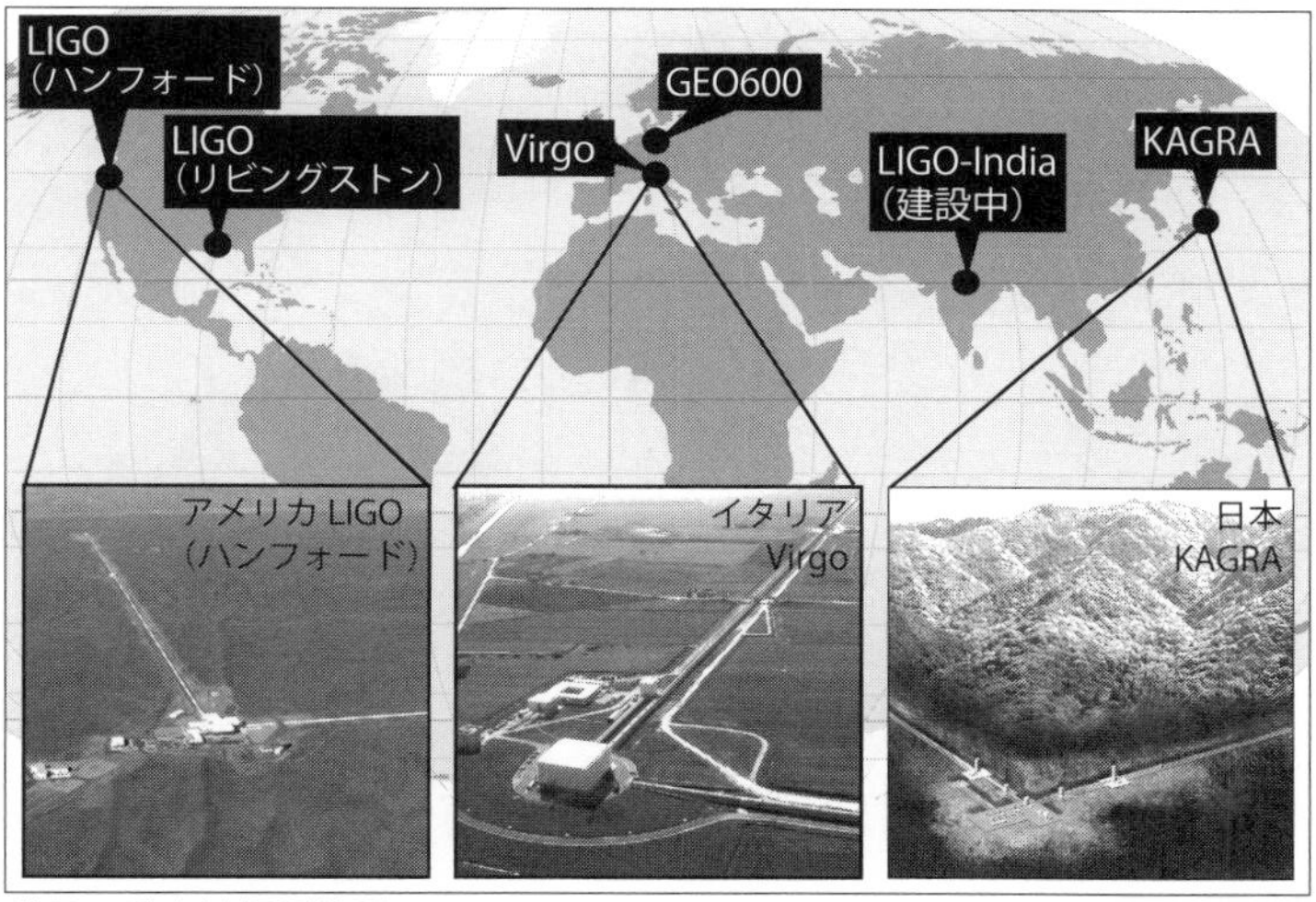

世界の重力波観測施設(LIGO：©Courtesy Caltech/MIT/LIGO Laborator, KAGRA 画像提供：東京大学宇宙線研究所 重力波観測研究施設)

初期の宇宙はこのような状態だったのですが、宇宙が膨張するにつれて温度が下がり、誕生から38万年後には3000℃くらいになりました。ここまで温度が下がってやっと、電子が原子の中に納まるようになったのです。

この状態になると、光がまっすぐ進めるようになりました。これを「宇宙の晴れ上がり」といい、これ以降の宇宙は光によって観測できるのです。逆に、これより前の宇宙は光では観測できないのです。

しかし、重力波は電子が飛び回っていようと関係なく進んでいきます。だから、**宇宙誕生時に発生した重力波の観測**に期待がかかっているのです。

重力波がどんな宇宙の歴史を教えてくれるのか、楽しみですね。

太陽系の外にある星の発見

小さくて光らない星は見つけにくかったが…

人類は、宇宙の天体を観測する技術を向上させてきました。

例えば、太陽系にある8つの惑星の中で太陽からもっとも離れている海王星は、地球に比べて30倍も太陽から離れたところにあります。そんなに遠い星も、見つけてきました。

ただし、太陽系の天体は宇宙にある天体のほんの一部に過ぎません。太陽系を離れたずっと遠いところには、無数の天体があるのです。

太陽系の外側も、人類は観測してきました。

その結果、例えば太陽系が存在する銀河系の中には、太陽のような恒星が2000億個以上あることが分かってきたのです。

恒星は、天体望遠鏡で直接観測することが

宇宙にあまねく存在する恒星のイメージ図（©ESO/M. Kornmesser）

できます。しかし、その周りに存在するはずの無数の惑星を観測することは困難です。恒星のようにみずから光を放つこともなく、サイズも恒星よりずっと小さいからです。

ところが、1995年、突然、**系外惑星発見**のニュースが世界を駆け巡りました。

発見したのは天文学者ミシェル・マイヨール氏と、そのもとで学んでいたディディエ・ケロー氏です。2氏は、この功績によって2019年のノーベル物理学賞を受賞しました。

恒星の色の変わり方で距離が分かる

じつは2氏は、系外惑星そのものを観測し

たわけではありません。用いたのは、**「系外惑星の軌道の中心にある恒星の揺れを検出する」**という方法です。

地球は、一定の位置にとどまっている太陽の周りを回っているというイメージを持たれている方は多いと思います。しかし、正確にはそうではなく、太陽もわずかに回っているのです。

図のように、太陽と地球には共通の重心が存在します。太陽も地球も、それぞれその周りを回っているのです。

ただし、地球より太陽の方が共通の重心にずっと近いところにあります。そのため、太陽が回っていることは分かりにくいのです。

太陽系でなくても、もしも惑星が存在するなら同じように恒星は動いているはずです。

地球からは、近づいたり遠ざかったりして見えることになります。

恒星が放つ光にも、恒星が動くことで変化が生まれます。それが、色の違いとなって観測できるのです。恒星の色の変化は、その周りに惑星がある証拠と言えます。このような方法で、系外惑星の存在を確認したのです。

2氏が発見した系外惑星（ペガスス座51番星b）には、わずか4日ほどで公転するという特徴があります。

中心の恒星も、これと連動して回ります。そのため、恒星の色も短い周期で変化するのです。これが、2氏が発見に成功した大きな要因とも言えます。

これほど公転周期が短い系外惑星が存在したことは、多くの天文学者にとって意外なこ

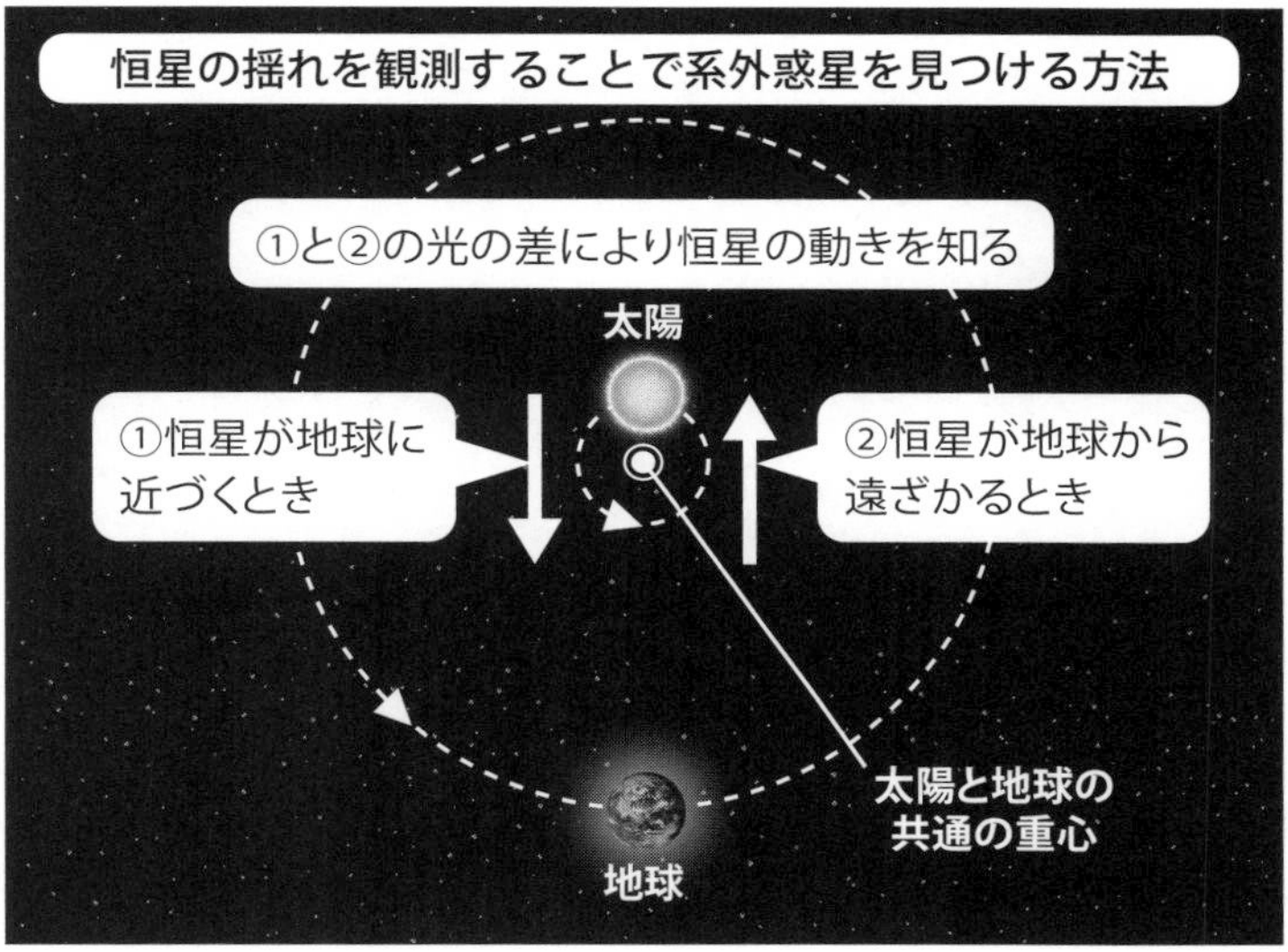

とでした。太陽系には、これほど公転周期が短い惑星がないからです。

太陽系を参考に考えすぎていた天文学者にとって、このような系外惑星の存在は意外なものだったのです。

系外惑星が恒星の前を横切る瞬間をとらえる

系外惑星を見つける方法はもう1つあります。**系外惑星が恒星の前を横切る瞬間をとらえる**という方法です。

系外惑星は、恒星の周りを回っています。その途中で、系外惑星がちょうど地球と恒星の間に位置するタイミングがあります。する

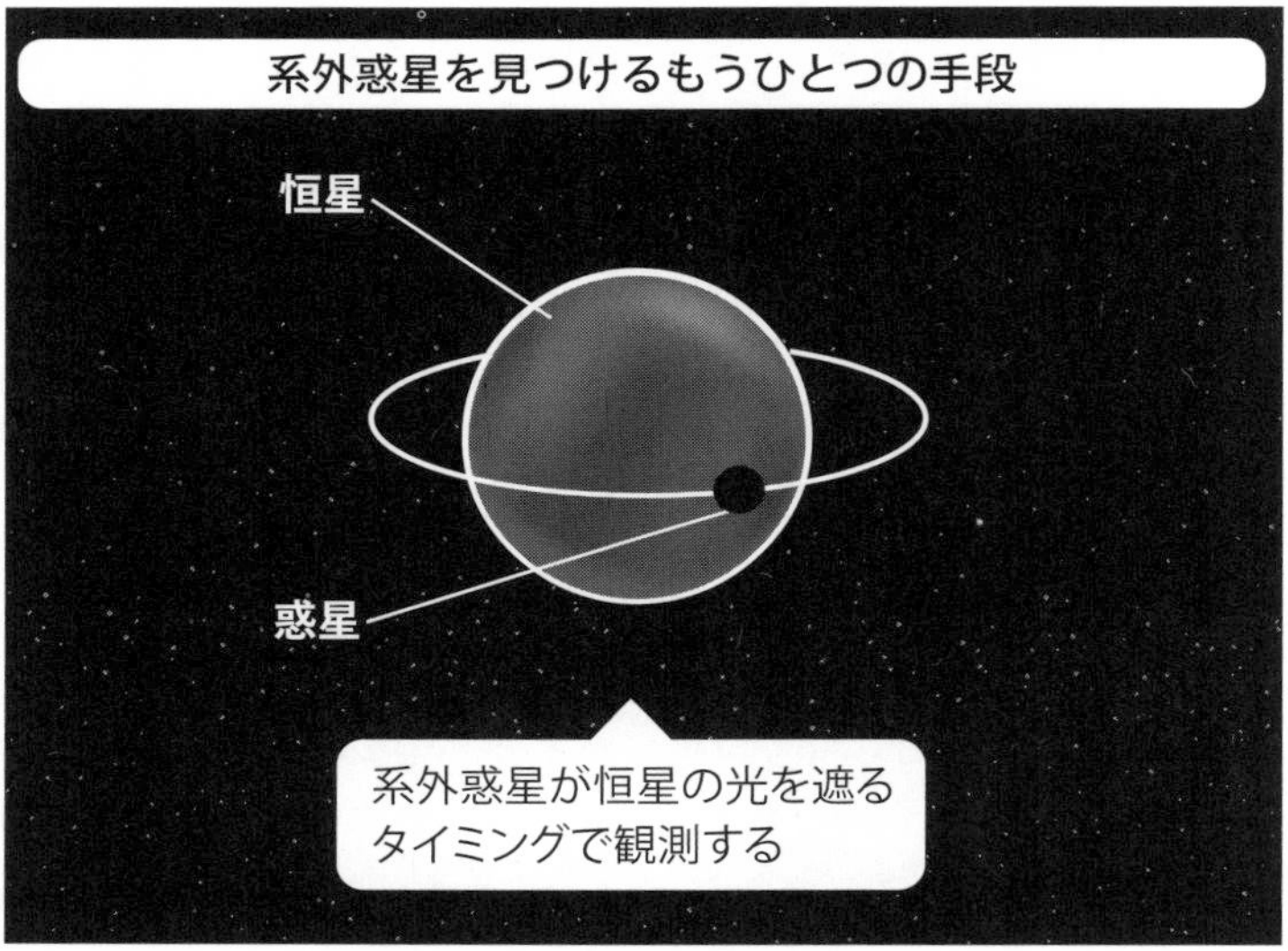

と、そのときには地球で観測できる恒星の光量が減ることになるのです。これは、日食と同じような現象だと理解できます。
ただし、この方法で系外惑星を見つけるのは容易ではありません。系外惑星の軌道によっては地球と恒星の間に入ることがないからです。
また、系外惑星が恒星の光をさえぎるタイミングは、1周公転する間に1回しかありません。そのため、公転周期が長い系外惑星の場合、恒星の光をさえぎるタイミングを見つけられる確率が非常に低くなってしまうのです。
このように、この方法で見つけられる系外惑星は限られていることが分かります。それでも、この方法で多くの系外惑星が見つかっています。そのことは、そもそも系外惑星が大量にあることを示しています。

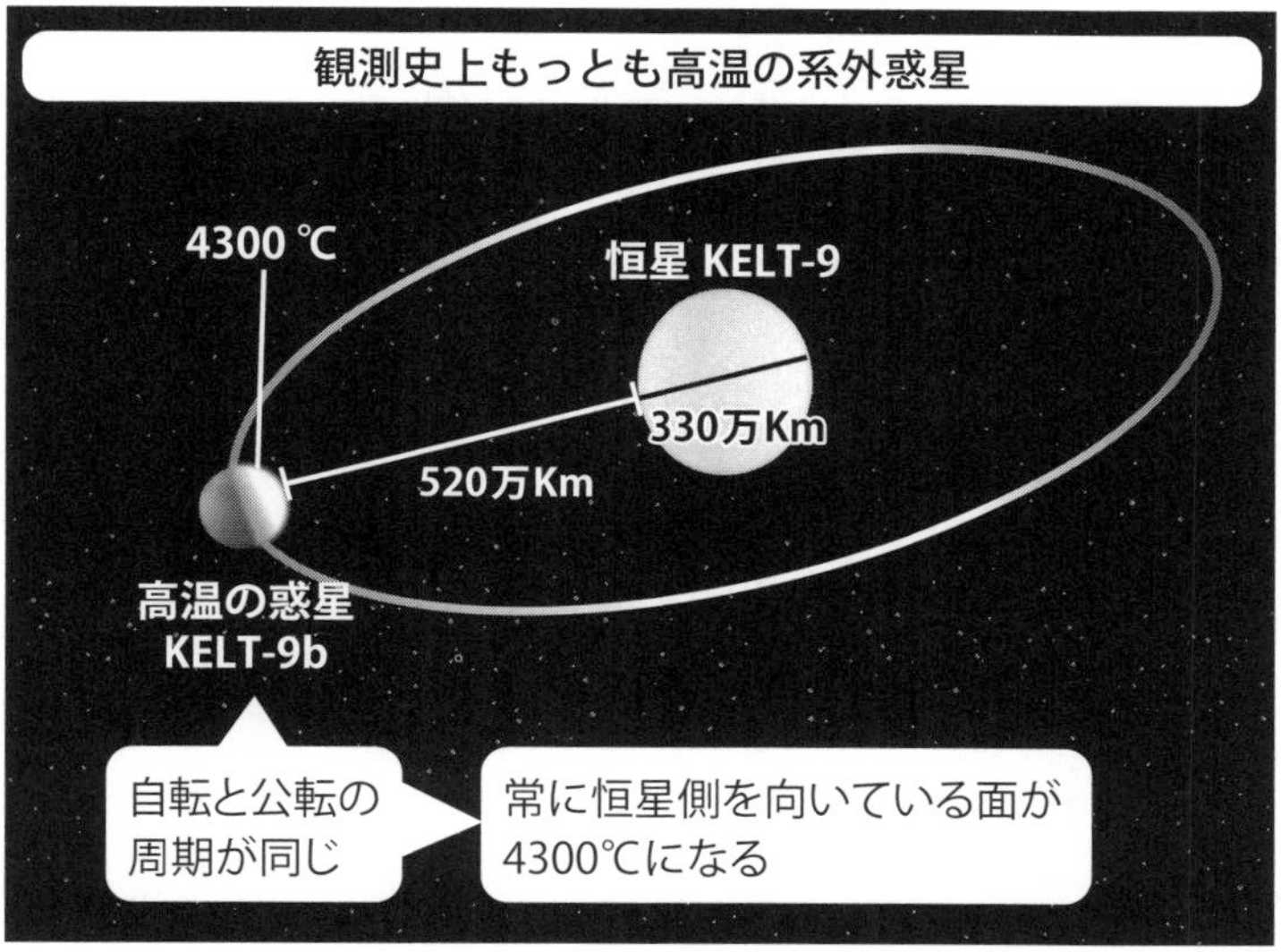

さまざまな特徴を持つユニークな星たち

１９９５年の最初の発見以降、おもにこの２つの方法によって多くの系外惑星が発見されてきました。その数は、２０２１年２月時点で４４００個以上にのぼります。

いままでに発見された系外惑星の中には、太陽系の惑星にはないユニークなものもあります。いくつか紹介します。

まずは、２０１７年に見つかった**観測史上もっとも高温の系外惑星**です。地球から６５０光年も離れたところにあります。

直径が地球の９２０倍ほどもあるこの惑星は、表面温度が４３００℃に達します。太陽の表面温度が６０００℃ほどですから、いかに高温であるか分かると思います。

この惑星は、表面温度が１万℃ほどもある恒星の周りを回っています。恒星の直径は３３０万キロメートル程度で、そこから５２０万キロメートルほどしか離れていないところを回っているのです。

そして、この惑星の自転と公転は同じ周期で起こっています。惑星が1回自転する間に、恒星の周りを1周します。そうすると、惑星は常に同じ面を恒星に向け続けることになるのです。その面が、４３００℃に達しているわけです。

他にも、地球から３８４９光年離れたところにある惑星は、**約6時間で恒星の周りを1周**します。恒星から90万キロメートルという至近距離を回っているため、周期が非常に短くなっています。逆に、約８万年もかけて恒星の周りを1周する惑星も見つかっています。

さらに、**軌道が極端に歪んでいるもの**も見つかっています。地球から約１１７光年の距離にあるこの惑星の軌道は、他の惑星から受ける万有引力によって大きく乱されたのだと考えられています。

系外惑星の観測によって、宇宙には太陽系の惑星とは違った特徴を持つものがたくさんあることが分かってきました。そして、その中には従来の理論ではうまく説明できないものも多くあります。

系外惑星の発見が続くことで、惑星が形成される仕組みについての理解が深まっていくと期待されています。

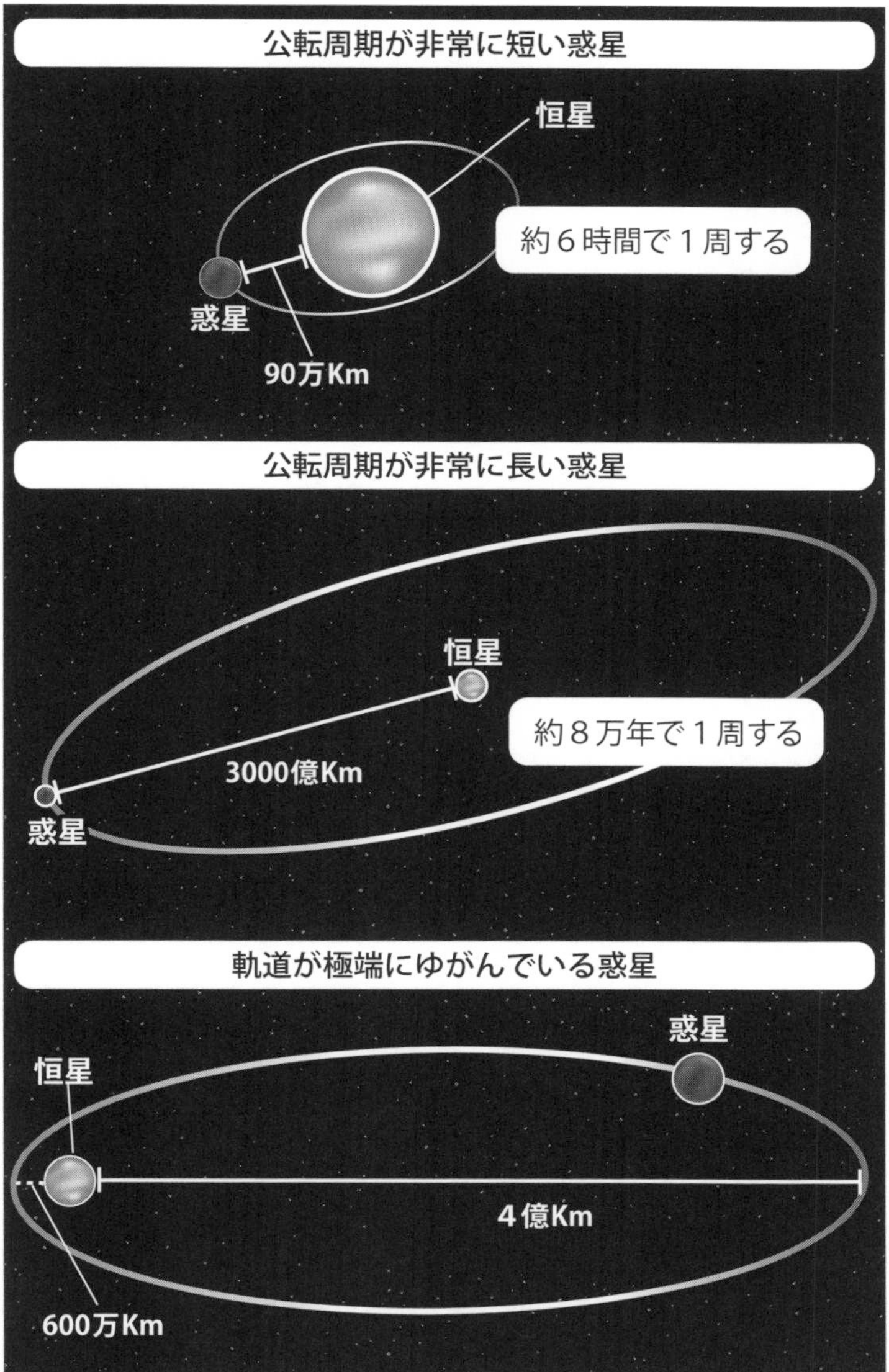
公転周期が非常に短い惑星
恒星
約６時間で１周する
惑星
90万Km
公転周期が非常に長い惑星
恒星
約８万年で１周する
3000億Km
惑星
軌道が極端にゆがんでいる惑星
惑星
恒星
4億Km
600万Km

遠くにある星との距離を測る

スケールの広い宇宙

私たち人類は、宇宙への知見を進化させ続けています。

太陽系には、地球よりずっと太陽から離れたところを回っている天体があること、太陽系は銀河系のほんの一部分に過ぎないこと、さらに銀河系のようなものが宇宙には無数にあることも分かっています。天体観測は、もはや太陽系にはとどまっていないのです。

太陽系にもっとも近いところにある恒星は、ケンタウルス座α星と呼ばれる天体です。もっとも近いといっても、太陽から4・3光年ほども離れています。

光の速さで1年間に進む距離を「1光年」といいます。光は秒速30万キロメートル（1秒で

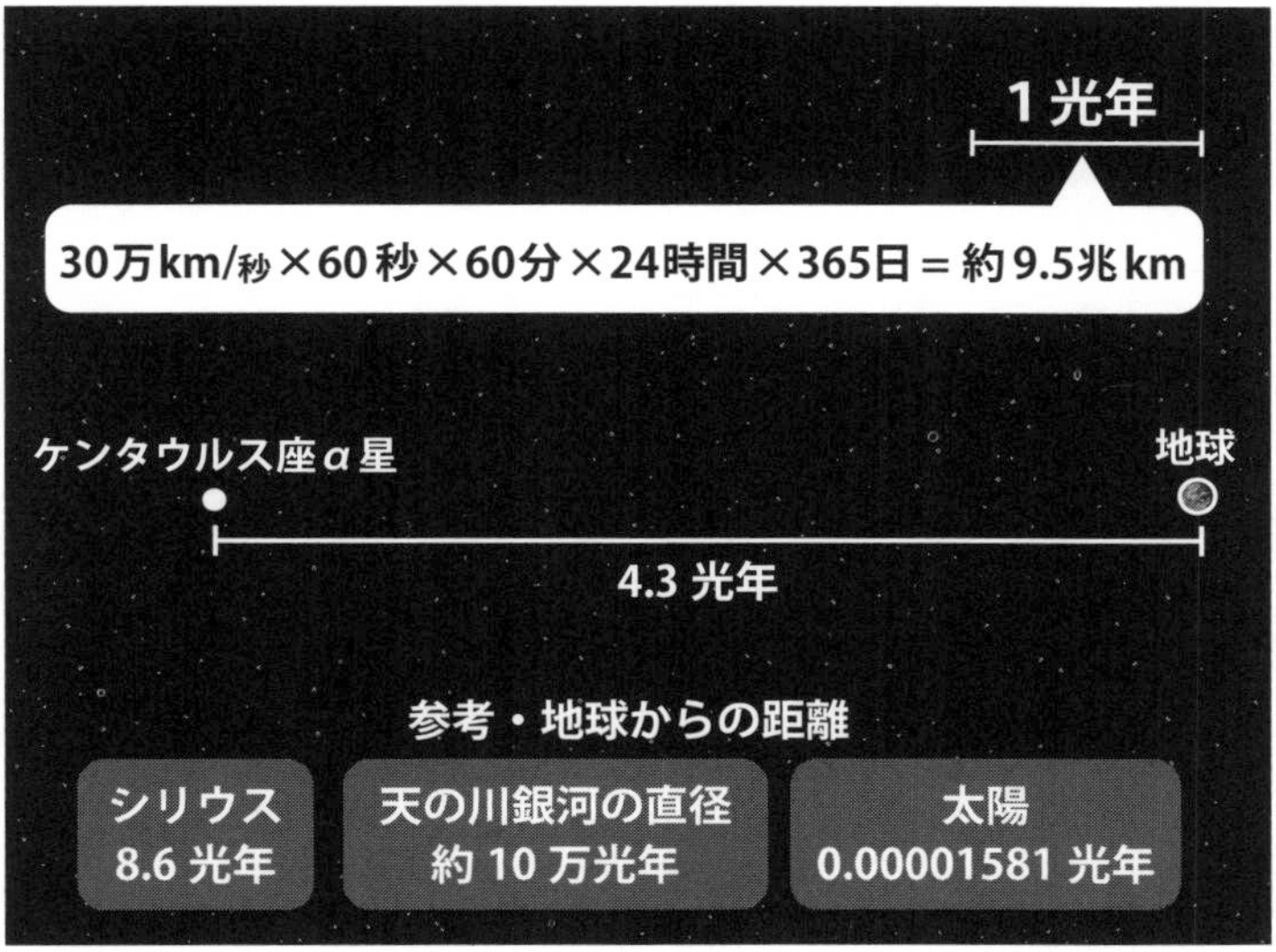

地球を7周半する速さ）ですから、4・3光年という距離がいかに長いか分かります。これほどの広大なスケールで、天体観測は行われているのです。

ところで、そんな遠くの星までの距離をどうやって知ることができるのでしょう？

見え方の違いを利用して距離を測る

私たちはいろいろなものを見ながらそれがどの程度離れたところにあるのか、無意識のうちに認識しています。

距離を認識できるのは、右目と左目での**見え方に違いがある**からです。

左の図で説明します。

見るものが遠くにあるときほど、右目と左目での見え方の違いは小さくなります。ものが近づいてくるほど、見え方の違いが大きくなります。

このことは、指を遠ざけたり近づけたりして、右目だけで見たり左目だけで見たりしてみれば、すぐに実感していただけると思います。

遠くの星も、これと同じ仕組みでどのくらい離れているか知ることができます。

地球は、太陽の周りを回っています。地球の位置は一定ではないため、**遠くの星の（背景に対する）見え方**が変わるはずなのです。

観測する星が遠くにあるほど、図に示した「年周視差《ねんしゅうしさ》」という角度が小さくなります。このことから、年周視差を測定すればその星までの距離を知ることができると分かります。

初めて年周視差をもとに天体までの距離を測ったのは、ドイツのベッセルという天文学者です。１８３８年のことでした。

ベッセルははくちょう座61番星という恒星の年周視差を測定しました。その値《あたい》は０・３１４秒角という非常に小さなものです。

１度の３６００分の１が１秒角ですから、０・３１４秒角は1度の３６００分の０・３１４（およそ1万１５００分の１）というとてつもなく小さな角度です。

求められた年周視差から、はくちょう座61番星は太陽から10・4光年ほど離れたところにあることが分かりました。

年周視差がこれほど小さな値になるのは、

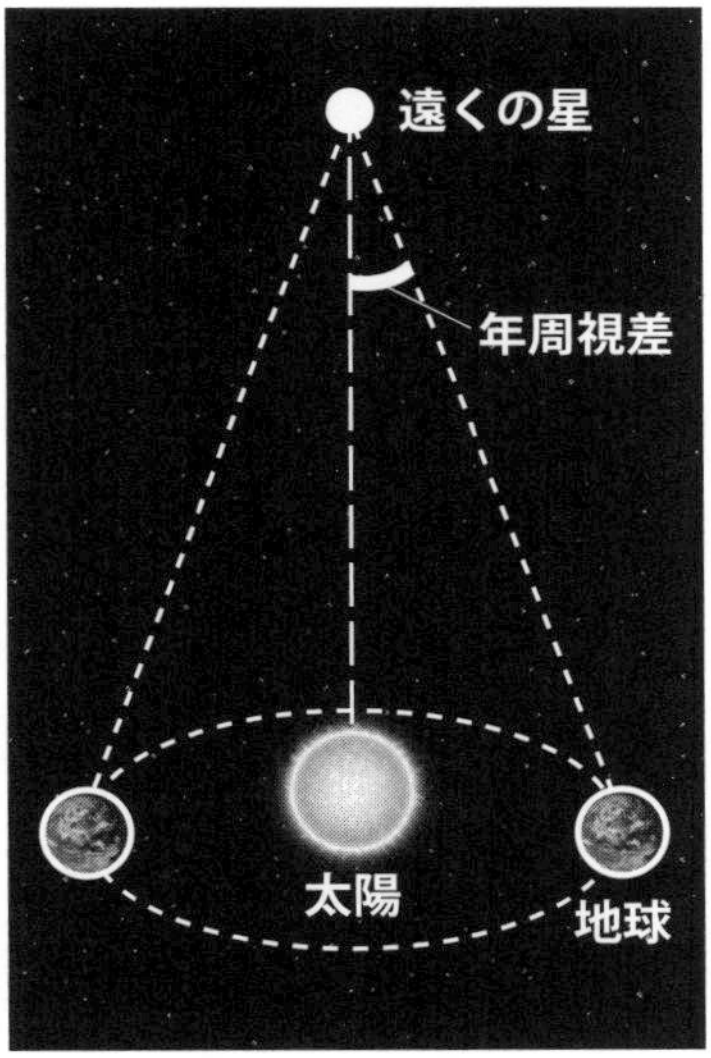

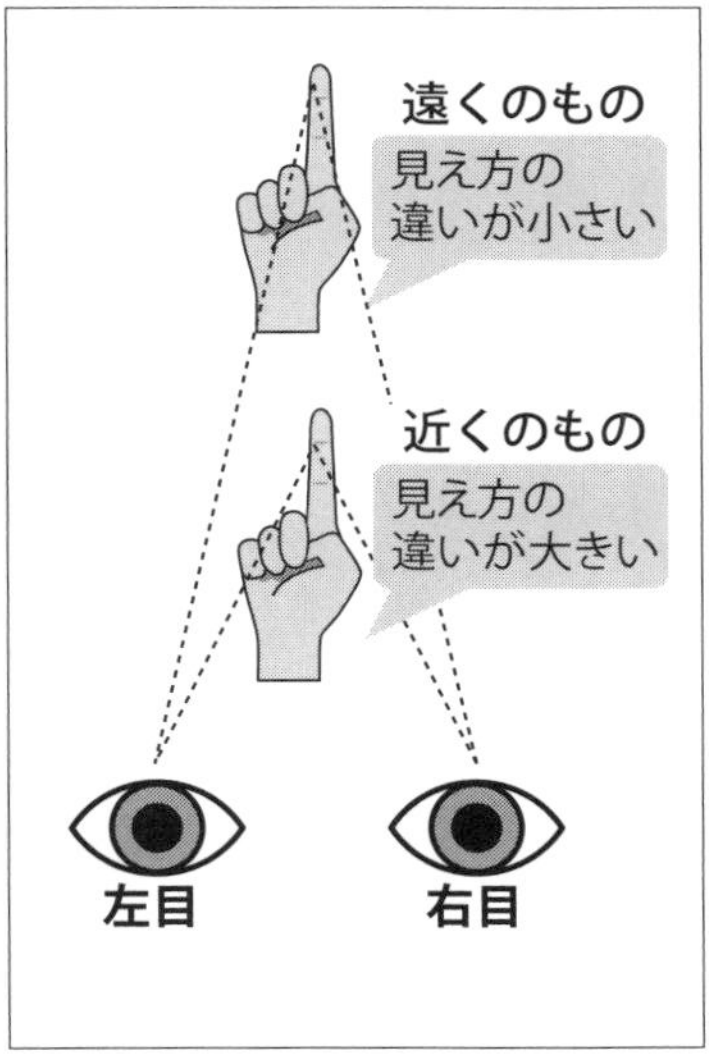

観測する天体があまりに遠くにあるからです。

地球は太陽から1億5000万キロメートルほども離れています。そのため、太陽を挟んで逆側に行けば3億キロメートルも位置が変わるのです。

それでも、観測する天体はケタ違いに遠くにあるので、年周視差はきわめて小さくなるのです。

現在は、より高い精度で年周視差の測定ができます。

例えば、年周視差が1ミリ秒角（1秒角の1000分の1）の場合、天体までの距離は3000光年ほどです。最新の技術では10マイクロ秒角（1ミリ秒角の100分の1）の精度で測定が可能ですので、さらに遠くの天体までの距離も測ることができます。

見かけの明るさの違いを利用して距離を測る

このように、年周視差の測定精度が上がってきたことで、遠くの天体までの距離をより正確に知ることができるようになってきました。

それでも、やはり限界はあります。あまりに遠くの天体では、年周視差がうまく観測できなくなってしまうのです。

より遠くの星までの距離は、別の方法で測られています。**「変光星《へんこうせい》の見かけの明るさ」**をもとにする方法です。

周期的に明るさを変える星を、変光星といいます。例えば、秋の星座であるくじら座の心臓にあたる位置にあるミラという星がそれです。

ミラは、もっとも明るいときには２等星、もっとも暗いときには10等星と明るさを変えます。その差は、１６００倍ほどと大きなものです。

ミラは、膨張《ぼうちょう》と収縮を周期的に繰り返します。そして、膨張すると内部の温度が下がって暗くなり、収縮すると内部の温度が上がって明るくなるのです。

ミラの明るさの変化（変光）は、このように起こるのです。

変光星は、ミラだけではなくたくさん見つかっています。そして、変光の周期が同じであれば実際の明るさが等しいことも分かったのです。

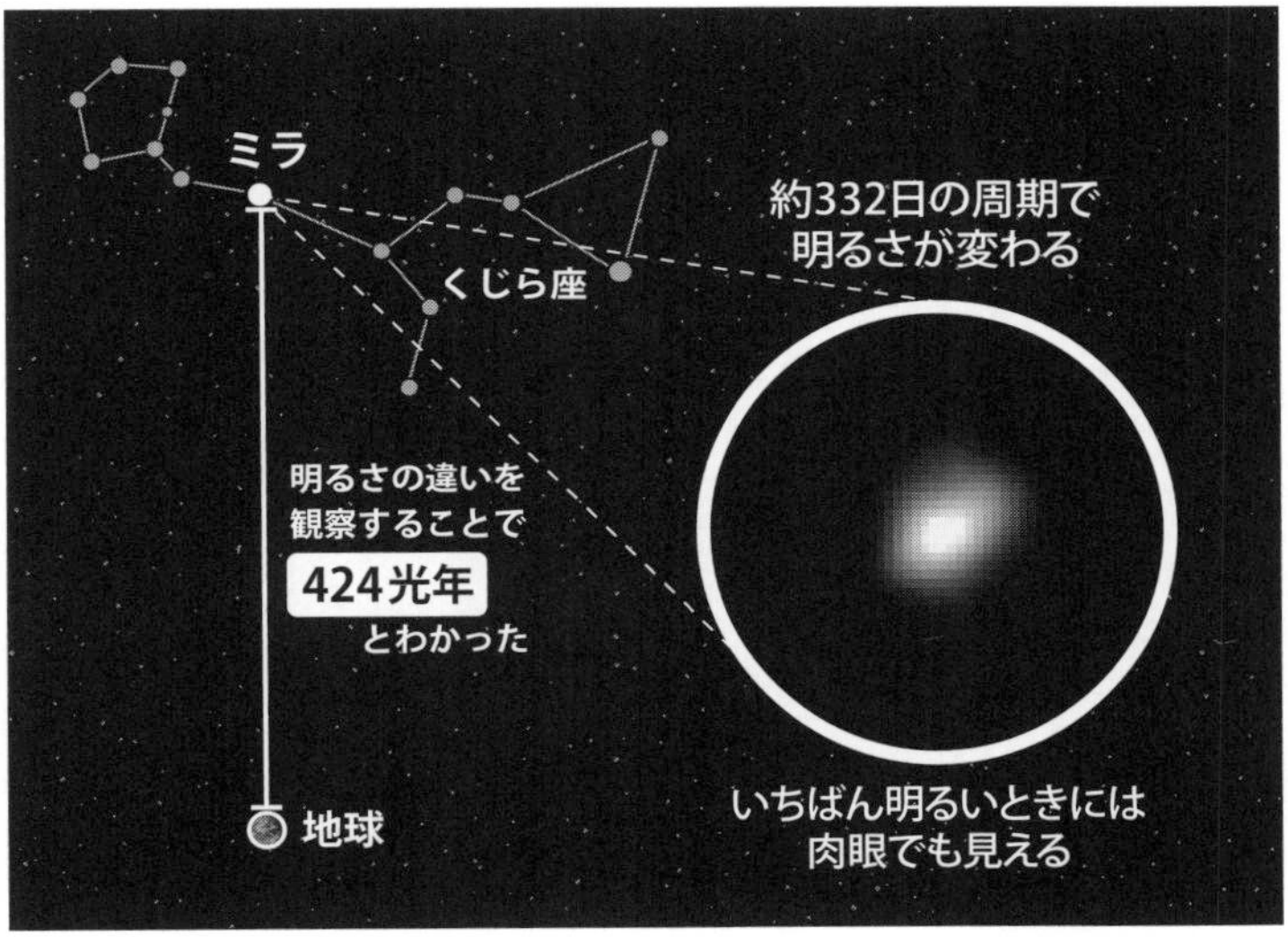
ミラ
くじら座
約332日の周期で
明るさが変わる
明るさの違いを
観察することで
424光年
とわかった
地球
いちばん明るいときには
肉眼でも見える

このことから、変光周期が等しい変光星の見かけの明るさを比較することで、その変光星までの距離を知ることができるようになりました。変光周期が同じなら、暗く見えるほど遠くにあると分かるのです。

超新星爆発の観測で距離を測る

変光星の観測ができれば、その変光星が属する星団や銀河までの距離を知ることができます。

しかし、変光星を観測できないほど遠くにある星団や銀河もあります。その場合には、**超新星爆発**の観測が役立ちます。

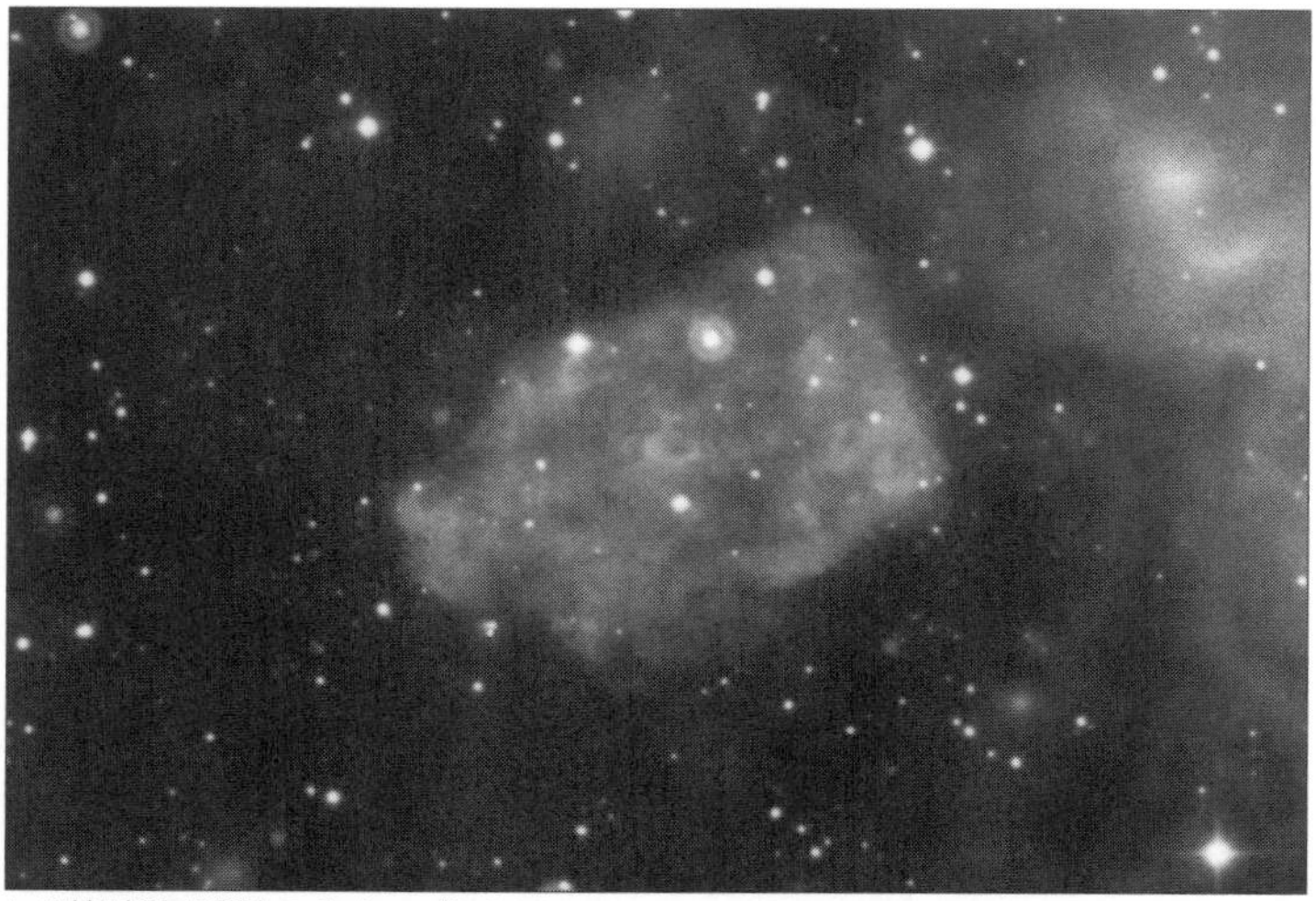

Ia型超新星残骸のひとつ「3C 397」（©X-ray: NASA/CXC/Univ of Manitoba/S.Safi-Harb et al, Optical: DSS, Infrared: NASA/JPL-Caltech）

太陽よりずっと大きな恒星がその一生を終えるとき、超新星爆発を起こします。

このときには、非常に明るい星が突然現れたように見えます。そのことから、「超新星」と呼ばれます。

これなら、地球からはるかに遠いところで起こっても観測できるのです。

超新星爆発にはいくつかの種類があります。その中で、Ｉａ型《いちえーがた》と呼ばれるものがあります。Ｉａ型の超新星爆発では、強く輝く瞬間の明るさが、星の種類によらず等しいことが分かっています。

ですので、変光星の場合と同じく地球からの見かけの明るさを比べることで、超新星爆発が起こった銀河までの距離を知ることができるのです。

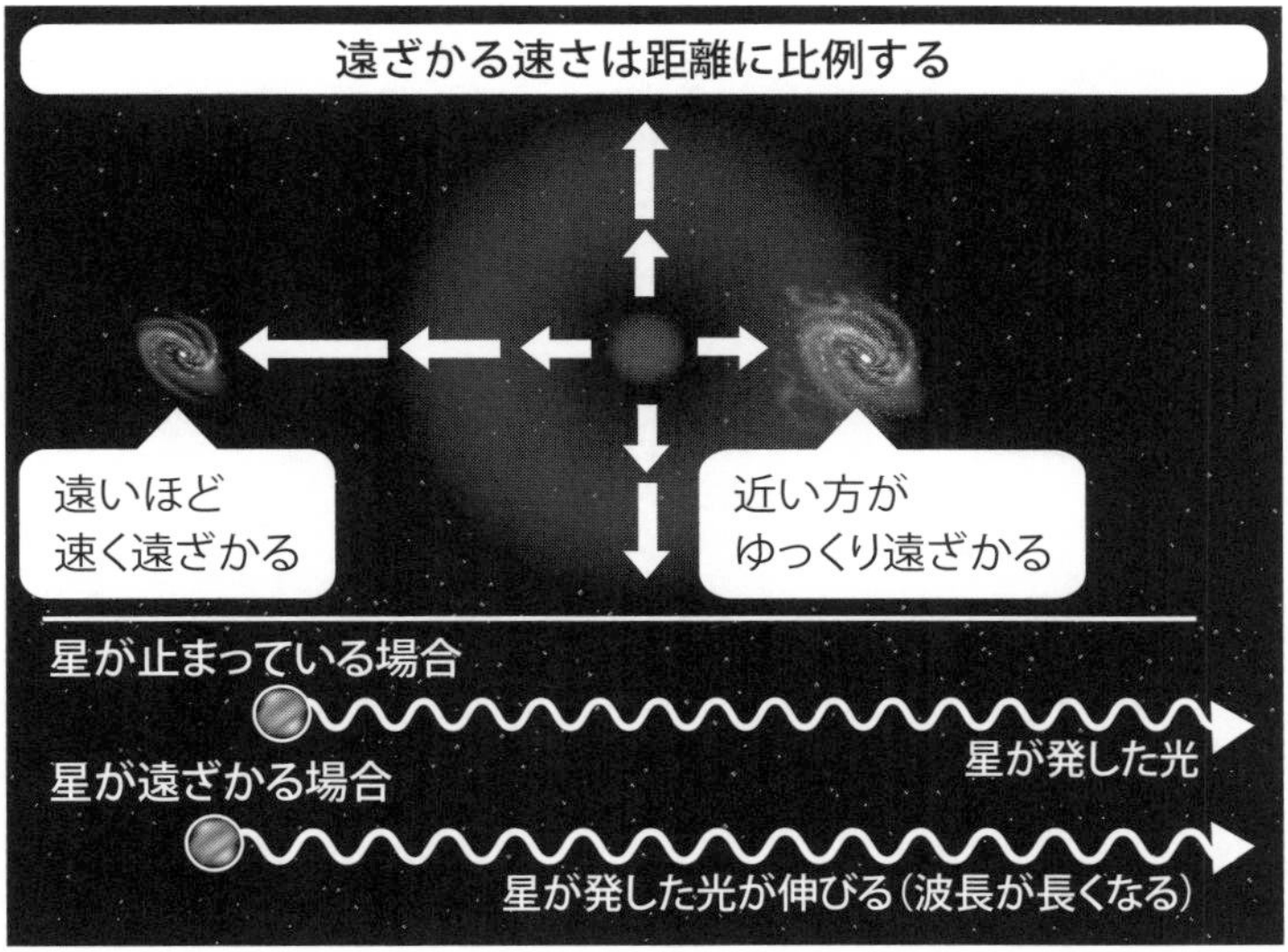
遠ざかる速さは距離に比例する
遠いほど
速く遠ざかる
近い方が
ゆっくり遠ざかる
星が止まっている場合
星が発した光
星が遠ざかる場合
星が発した光が伸びる（波長が長くなる）

銀河が遠ざかるスピードで距離を測る

そして、さらに遠い銀河までの距離の測り方もあります。その**銀河が遠ざかる速さ**を調べる方法です。

宇宙は、膨張を続けています。宇宙全体が膨張しているため、**地球から遠い銀河ほど速く地球から遠ざかっている**のです。

地球から遠ざかる銀河のスピードは、銀河からやってくる光を観測することで分かります。銀河が速く遠ざかるほど、そこからやってくる光の波長が伸びるからです。

私たちは、いろいろな方法を通して宇宙の姿への知見を深めてきたのだと分かりますね。

小惑星のかけらから生命の起源の謎を考える

6億キロの旅をした「はやぶさ」の帰還

２００３年、日本で開発された小惑星探査機である**「はやぶさ」**が地球を旅立ちました。目的地は、地球からおよそ３億キロメートルも離れた小惑星「イトカワ」です。

はるか彼方の小惑星から微粒子を持ち帰る**「サンプルリターン」が使命**でした。そして、見事に地球へサンプルを持ち帰ったのです。２０１０年のことでした。

イトカワへ到着する前には、通信が途絶えるトラブルに見舞われました。それでも、数ヵ月かけて通信を回復させました。

さらに、地球への帰還時にはイオンエンジン４台のうち１台が異常停止してしまいました。それでも残りの３台をうまく組み合わせ

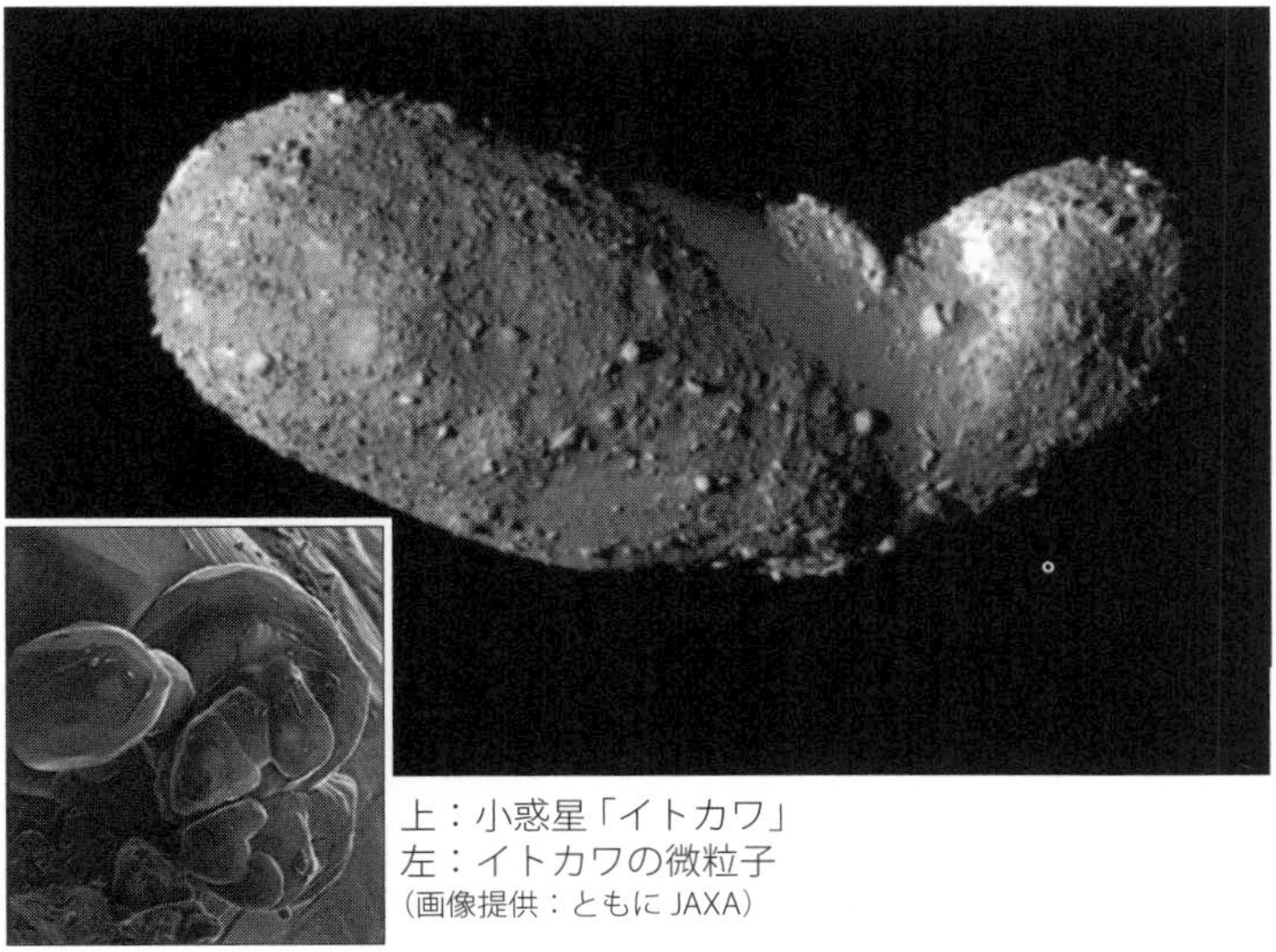

上：小惑星「イトカワ」
左：イトカワの微粒子
（画像提供：ともに JAXA）

て、地球への帰還を果たしたのです。

小惑星の微粒子から星の誕生時の姿が分かる？

太陽系の中の、特に火星と木星の間の軌道には非常に多くの小天体があります。見つかっているだけでも数十万個です。これらは「小惑星」と呼ばれています。

46億年前に誕生した太陽系の天体は、長い年月の中で変化を起こしてきました。地球などの天体の場合、内部で熱が発生し続けています。熱による変化が続き、現在の地球は誕生当時とは違った姿をしているのです。

しかし、小惑星の内部では熱が発生しませ

ん。そのため、**誕生した頃の姿**をとどめている可能性が高いのです。

小惑星の微粒子を調べれば太陽系誕生について新たな知見を得られるのではないか、という期待から小惑星イトカワの探査が行われたのです。

サンプルを収納したカプセルは、地球に帰還して大気圏へと突入しました。

カプセルの中には、最大でも0・1ミリメートルほどの大きさしかないイトカワの微粒子がたくさん入っていました。きわめて小さなサンプルですが、小惑星イトカワについての新たな知見をもたらすものでした。

まず、イトカワの成分は地球へ落下する隕《いん》石《せき》と類似していることが分かりました。このことから、地球へ衝突する隕石は小惑星からやってくることが裏付けられます。

また、イトカワの表面は風化しています。宇宙空間を飛び交う放射線や太陽光の影響を受けて、変質しているのです。

今回、イトカワの表面からサンプルを採取できたため、風化の度合いを知ることができました。そして、その状態からイトカワはあと10億年ほどでなくなってしまうと推測されているのです。

はやぶさ2が持ち帰ったサンプルから分かること

はやぶさに続いて、小惑星からのサンプルリターンを成し遂げたのが**「はやぶさ2」**です。

はやぶさ2がリュウグウから持ち帰ったサンプル（画像提供：JAXA）

はやぶさ2は、リュウグウという小惑星からサンプルを持ち帰りました。直径900メートル程度の小惑星ですが、イトカワとは違って岩石に水や有機物が含まれていると考えられています。

そのため、リュウグウからサンプルを持ち帰ることができれば、生命の起源の謎に一歩迫れるのではないかと期待されました。

はやぶさ2は、2014年に打ち上げられました。そして、2019年2月にリュウグウへ着陸し、サンプル採取に成功しました。

そして同年4月、はやぶさ2はリュウグウへ向かって金属の塊《かたまり》を打ち込み、人工クレーターを作りました。これは、地下深くにある物質を表面まで舞い上がらせるためです。

そして、7月に2回目の着陸をして再びサ

ンプル採取を行ったのです。これにより、リュウグウの表面と地下の物質を比較することができます。

小惑星の表面は、宇宙放射線や太陽光の影響で風化しています。表面と地下の物質を比べて違いがあれば、どのように風化が進んできたのかを知る手がかりになります。

また、もしもあまり違いがなければ、小惑星表面では物質がよく混ぜられていることが分かるのです。

リュウグウを離れたはやぶさ2は2020年末に無事に地球への帰還を果たしました。そして、リュウグウのサンプルが無事に採取されていることも確認されたのです。

これから、その分析が進んでいきます。リュウグウのかけらが私たちにどのようなことを教えてくれるのか、期待がふくらみます。

アメリカの小惑星探査機もサンプル採取に成功

日本がめざましい成果を挙げた小惑星探査ですが、他国でも行われています。

例えば、2016年にはアメリカのNASA（米航空宇宙局）が**「オシリス・レックス」**という小惑星探査機の打ち上げに成功しています。

オシリス・レックスは、地球から3億3000万キロメートルほども離れたところにある小惑星「ベンヌ」からのサンプルリターンを目指します。ベンヌの大きさは、直径500メー

オシリス・レックス（©NASA's Goddard Space Flight Center）

トルほどです。その破片を地球へ持って帰ろうというのです。

オシリス・レックスのサンプル採取の方法は、はやぶさやはやぶさ2とは異なります。オシリス・レックスは、先端に窒素ガスを噴出する装置をつけたアームを持っています。ベンヌの表面に接近すると、そこへ窒素ガスを吹き付ける仕組みになっているのです。そして、その勢いで舞い上がった岩石の破片を回収します。

ベンヌまでたどり着いたオシリス・レックスは、２０２０年10月にサンプル採取を成功させました。地球への帰還は、２０２３年の予定です。

また1つ、人類に太陽系の謎を解く鍵をもたらしてくれることが期待されています。

本気で進められている人類の火星移住計画

地球以外にも人類が住める場所を作りたい

地球上で長い歴史を重ねてきた人類ですが、この先も地球だけで暮らし続けられるのでしょうか?

地球では、いつどのような環境の激変があるか分かりません。もしかしたら、人類にとって危機的な状況が訪れることがあるかもしれません。

そんな可能性を考え、地球以外にもわれわれが暮らせる場所を作ろうとする計画が、実際に進行中なのです!

火星への移住計画です。

火星は、地球の隣の惑星です。固い地面があり、無人探査機による調査では地下に氷があることも分かっています。そのため、移住

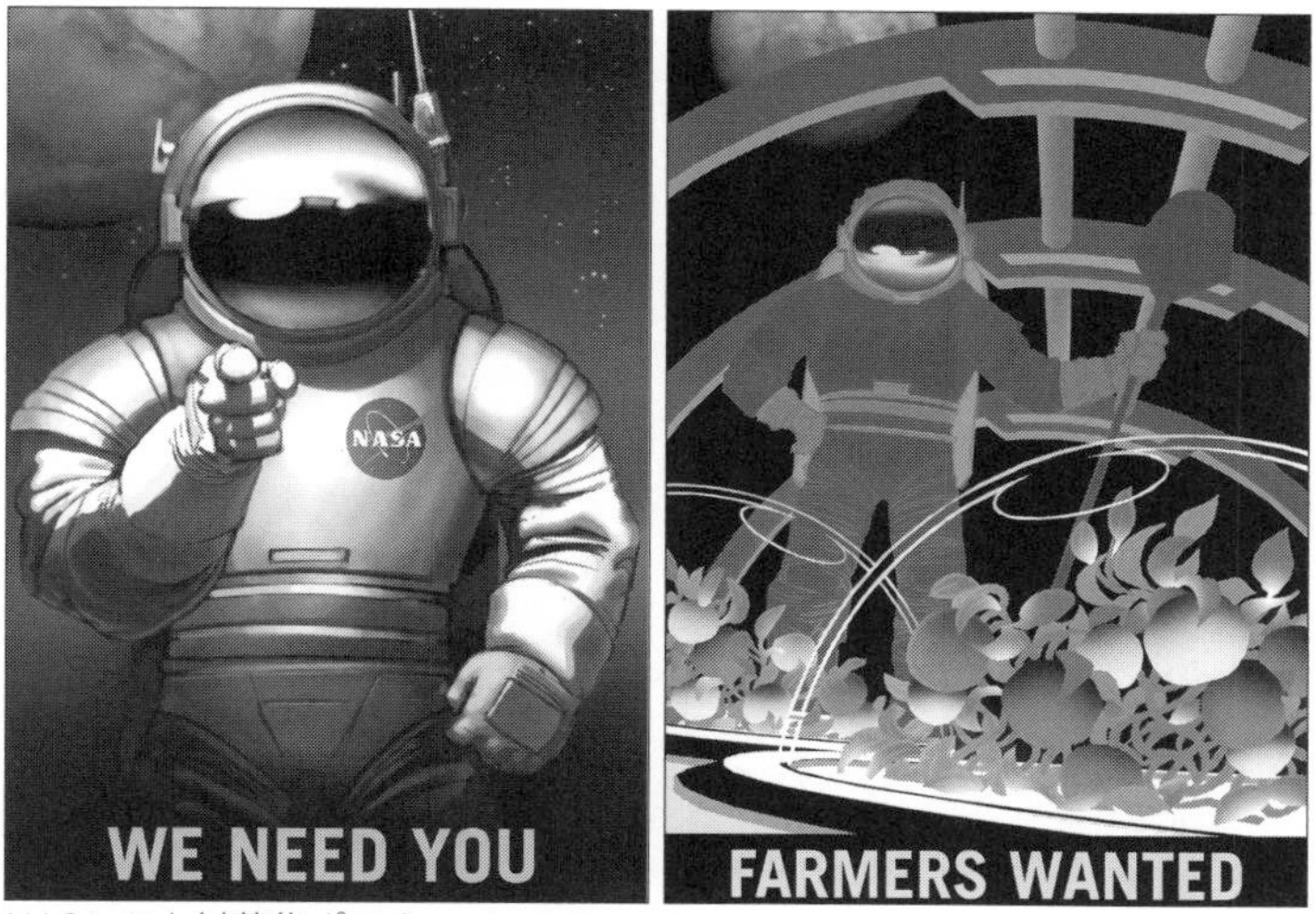

NASAの人材募集ポスター（©NASA/KSC）

先として真面目に検討されているのです。

　火星移住の構想はいくつもあるのですが、その中でも注目を浴びているのがアメリカの民間宇宙開発企業「スペース・エクスプロレーション・テクノロジーズ」（通称「スペースX」）によるものです。

火星上に100万人都市を作り上げる？

　２０１６年、スペースXを率いるイーロン・マスク氏は、２０２４年にも自社開発のロケットによって人を乗せた宇宙船を火星へ送る予定だと発表しました。

　電気自動車メーカー「テスラ」のCEOとし

ても有名なマスク氏の発表に世界中が注目しましたが、本当にそんなことが可能なのでしょうか？

マスク氏の構想では、直径９メートル、全長１０６メートルにも及ぶ巨大なロケットを使って、１００人乗りの宇宙船を火星へ送ります。

例えば、日本の大型ロケットＨ‐ⅡＡでも直径は４メートル、全長は53メートルですから、いかに巨大なロケットを想定しているかが分かります。

このような方法で繰り返し人を送り、火星へ基地を建設するというのです。

地下の氷から水資源を確保し、発電設備も設置します。その他さまざまな環境を整え、**40〜１００年後までに火星上に１００万人都市を作り上げる**という壮大な構想です。

移住コストの削減計画

それにしても、遠く離れた火星へ人を送るのは容易ではありません。

火星は、もっとも接近したときでも地球から６０００万キロメートルほども離れています（月までの距離の約１６０倍）。そのため、火星への人の移送は技術的には可能でも、莫大なコストがかかってしまいます。

スペースＸの構想では、コストを下げる検討もされています。

まずは、ロケットの回収・再利用です。火

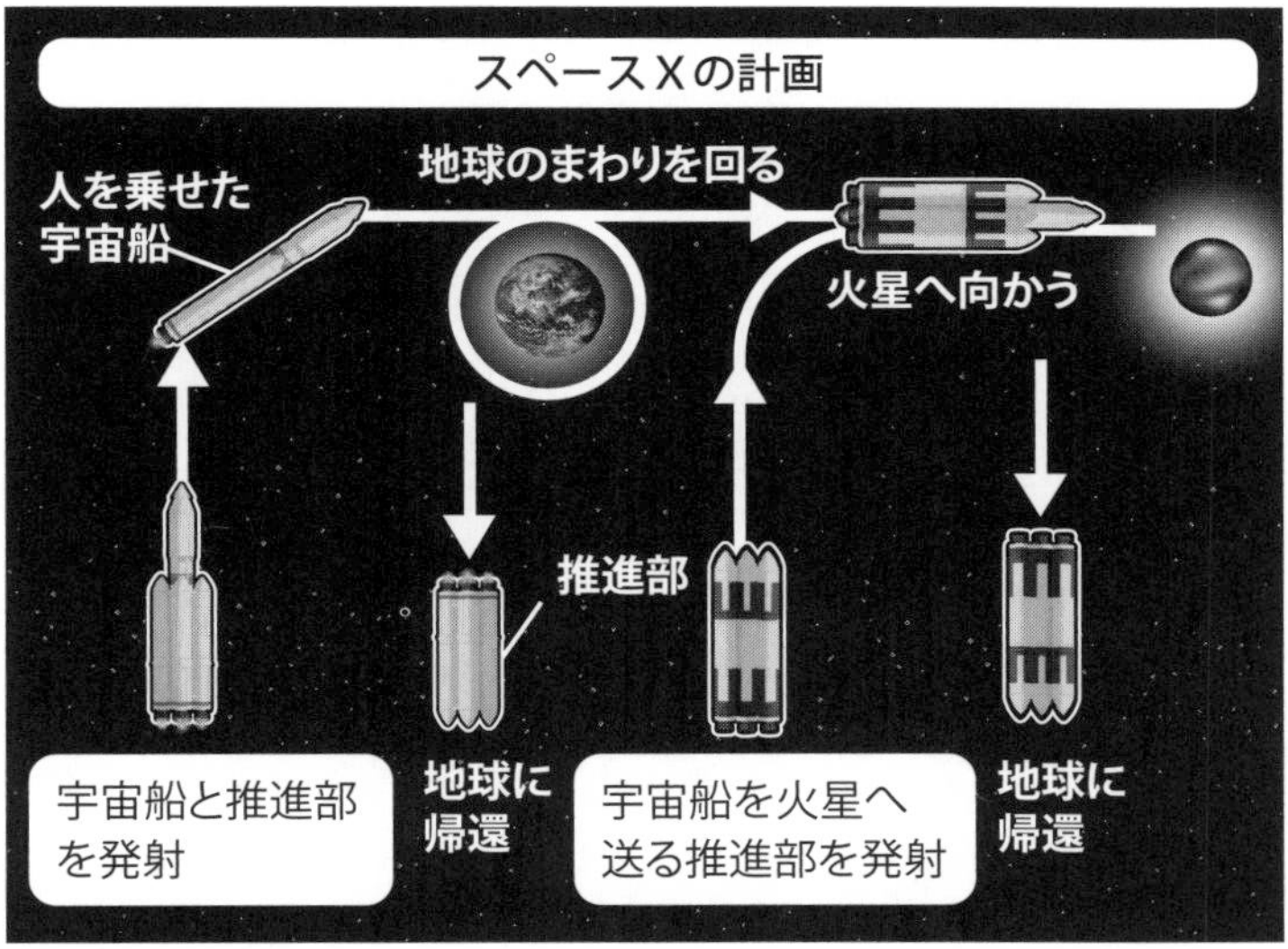

星へ人を送るたびに新しいロケットを準備するのでは、コストが高くなりすぎます。そこで、図のような方法を取ります。

宇宙船を一気に火星へ向かわせるのは困難です。そこで、まずは地球を周回する軌道まで打ち上げ、さらに加速して火星へ向かわせるというように、2段階方式をとります。

このとき、宇宙船を宇宙へ運ぶための部分と、宇宙船を火星へ向かわせるための部分は、地球へ帰還させます。これらを再利用して、コストを下げるということです。

実際に、スペースXは2018年に電気自動車を火星へ向かう軌道へ送るというデモンストレーションに成功しています。

そして、このとき打ち上げに利用したロケットも無事に回収されました。地上へ安全に着陸できるよう、燃料を噴射しながら減速して降り立ったのです。その様子は、ちょうど打ち上げの巻き戻しといったところです。

火星へ向かうタイミングも簡単ではない

地球は1年（365日）で太陽の周りを1周しますが、太陽からより離れている火星は687日で1周します。そのため、地球から見た火星の位置は時期によってバラバラです。**宇宙船を送り出す最適なタイミング**を考える必要があるのです。

宇宙船を直線的に進ませれば、航行距離は最短となります。しかし、じつはこれは容易ではないのです。それは、地球が自転しているためです。

宇宙船は、地上から打ち上げられます。そのため、宇宙船はスタート時点で地球の自転と同じ速度を持っています。

宇宙船を地上面に対して垂直に打ち上げようとしたら、この速度に逆らわなければなりません。それには、膨大《ぼうだい》なエネルギーが必要となります。

そうであれば、逆に航行距離は長くなっても、この速度を利用した方がエネルギー的には有利です。つまり、宇宙船を図のように航行させるのです。

宇宙船は、太陽からの引力によって図のような軌道を描きながら進んでいきます。つまり、航行中の燃料噴射が必要ないのです。

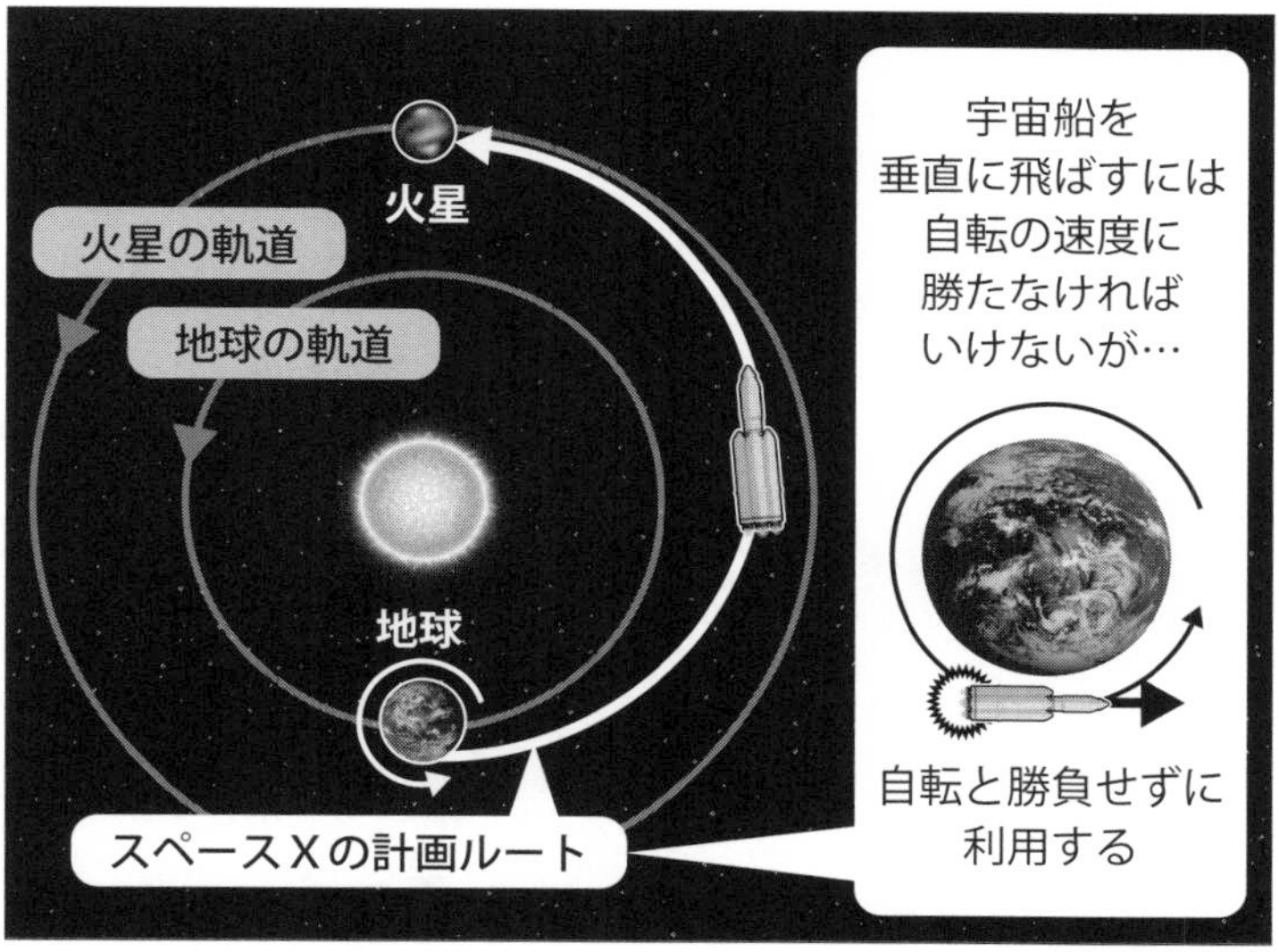

最短距離の航行に比べて時間はかかりますが、燃料節約のためにはこの方が有利です。このような航路だと260日（約9ヵ月）ほどで火星へたどり着けます。

スペースXの計画では、これに近い軌道を想定しているようです。

人が宇宙空間を航行する時間がより少なくて済むよう、途中で燃料噴射も行いながら図のような軌道を描き、3～6ヵ月での到着を目指します。

ただし、いずれの経路をたどっても、宇宙船が火星軌道上へたどり着いたちょうどそのときに、そこに火星がなければ意味がありません。そのことを計算して打ち上げ日時を決める必要があります。

先ほど説明したように地球と火星とで公転

周期が異なるため、そのようなタイミングは2年2ヵ月ごとに訪れることになります。

人類は火星に住めるのか?

ここまで、地球から火星へ人を送り込む方法についての構想を紹介してきました。火星まで大勢の人が航行するのは容易なことではありませんが、十分に可能性があることが分かっていただけたかと思います。

では、人類が火星へたどり着いた後、そこで生活していくことはできるのでしょうか?

地球とは異なる環境で暮らすのは、簡単ではないでしょう。

人類が生きていくためには、まずは**食糧**が必要です。地球から運ぶこともできるかもしれませんが、あまりに大変です。大勢の人が暮らすのなら、現地生産が不可欠です。

生物にあふれた地球の土には、窒素やリンといった養分が豊富に含まれています。そのため、食糧生産が可能です。

しかし、火星の土にはそのような養分がないことが分かっています。

その対策としては、例えば微生物を運んで火星の土に混ぜ、窒素を固定させるということが考えられます。

あるいは、火星の大気の約3%を占める窒素を使って、窒素肥料を作るという方法もあるかもしれません。

また、生活のためには**電気**も必要でしょう。

火星の地表（©NASA/JPL-Caltech）

火星での発電方法として現実的に考えられるのは、太陽光発電です。地球からソーラーパネルを運べばよさそうですが、大勢の生活を支えるには巨大なものが必要です。運搬に相当のコストがかかりそうです。

さらに、火星の大気濃度は地球の100分の1程度しかありません。しかも、そのうちの95%が二酸化炭素で、**酸素**はほとんどないのです。これでは呼吸することができません。

大気が薄いことは、呼吸以外にも影響を与えます。宇宙からの放射線です。

宇宙空間では、非常に強力な放射線が飛び交っています。地球上では、地球の大気が放射線をさえぎっています。加えて、地球にある磁気やオゾン層も、放射線をさえぎってくれます。

火星探査ローバーのキュリオシティが撮影した、火星の砂嵐の様子（2018年６月７日）（©NASA/JPL-Caltech/MSSS）

火星には薄い大気しかなく、磁気もオゾン層もありません。そのため、火星上では宇宙からの強力な放射線を浴びることになってしまうのです。放射線の浴びすぎは、人体に悪影響を及ぼす危険があります。火星で暮らす場合、放射線をさえぎる建物の中で生活する必要がありそうです。

そして、火星では砂嵐が頻繁に起こることも、火星での生活を困難にしそうです。火星では、６～８年に１度という頻度で砂嵐が発達し、数ヵ月間も続くことがあるそうです。

火星の大気は薄いので人や建物を吹き飛ばすほどの力はなさそうですが、人が吸い込んでしまう、ソーラーパネルを覆《おお》って発電量が減る、機材の隙間に入り込んで故障させる、などの影響を与えそうです。

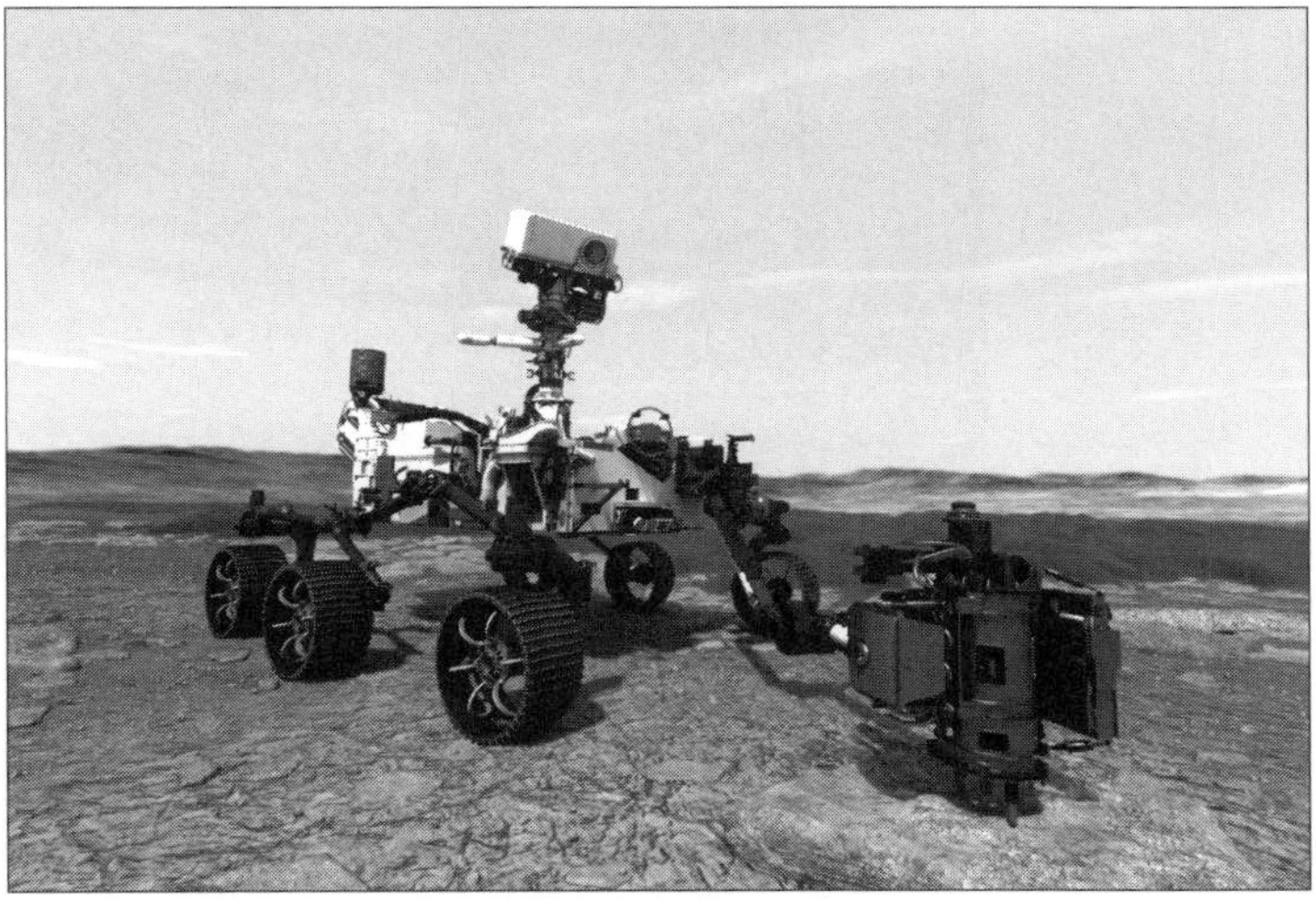
2021年２月から火星の表面を調査中のパーシビアランス（©NASA/JPL-Caltech）

火星で酸素を生み出す実験

人類が火星で生活していくには、さまざまな困難がありそうです。火星移住は容易なことではないのです。

それでも、人類は火星移住に向けた成果を挙げています。その1つが、**火星上で酸素を作り出した**というものです。

NASAは、2021年2月に探査車「パーシビアランス」を火星へ着陸させました。パーシビアランスには、火星にある二酸化炭素から酸素を生み出す装置が搭載されています。

この装置では、二酸化炭素に800℃の高熱を加えて一酸化炭素と酸素に分解します。

火　星（©ESA & MPS for OSIRIS Team MPS/UPD/LAM/IAA/RSSD/INTA/UPM/DASP/IDA, CC BY-SA 3.0 IGO）

これを使って、3時間ほどで**5・4グラムの酸素を作り出すことに成功**したのです。

これは、宇宙飛行士1人が10分間の呼吸で使用する量に相当します。

人類が火星で生活する場合、必要な酸素をすべて地球から送ることは不可能でしょう。それを、現地生産できるようになれば画期的です。

これは、火星移住に向けた小さな歩みにすぎません。しかし、小さな積み重ねがやがて大きな成果を生むかもしれないのです。

人類は、火星移住に向けた研究を着実に進めているのです。

2章

コンピュータと IT技術

スーパーコンピュータの進化と応用

1京回の計算を1秒で行う世界一のコンピュータ

２０２０年、日本のスーパーコンピュータ**「富岳《ふがく》」**が計算速度世界一だと認められました。理化学研究所と富士通が共同で開発したスーパーコンピュータです。

「富岳」は、**１秒間に44京２０１０兆回**（２０２０年11月）もの計算ができるコンピュータです。「京《けい》」はあまり聴き慣れない単位かもしれませんが、1兆の1万倍が1京です。

さて、日本のスーパーコンピュータが世界一に輝くのは、8年半ぶりのことです。

かつて世界一だったのは、**「京」**というスーパーコンピュータでした。その名の通り、１秒間に1京回の計算ができるものでした。

ある人が電卓を使って1秒に1回のペース

スーパーコンピュータ「富岳」（提供：理化学研究所）

で計算を続けた場合、1京回の計算にかかる時間は3億年にもなります。それほどの計算をたった1秒間で行うことができるのですから、スーパーコンピュータ「京」のすごさがよく分かると思います。そして、さらに飛躍した「富岳」の計算速度がどれだけすごいかも分かると思います。

スーパーコンピュータの計算速度は、並列計算によって実現されています。

並列計算とは、多数の計算を分担して同時に行うことです。スーパーコンピュータでは、大量のCPUという計算装置が連結されています。

ひとつひとつのCPUの計算速度はそれほどでなくても、大量の計算結果をつなぐことですごい計算速度になるのです。

スーパーコンピュータによるシミュレーション

スーパーコンピュータによる大量の計算は、シミュレーションに利用されます。シミュレーションは、コンピュータを使った模擬実験といえます。

結果がどうなるか、正しく予想するには実物を使った実験が有効です。

しかし、実験が困難なものもあります。例えば次のようなものです。

・規模が大きいもの（例：地球全体の雲の動き）
・過去のこと（例：宇宙が誕生した頃の様子）
・小さすぎて観察できないもの（例：分子の動き）
・危険で観察が困難なもの（例：深海の現象）
・費用や時間が膨大《ぼうだい》にかかるもの（例：ロケットの打ち上げ）

これらのことを実際に実験するのは、容易ではありません。しかし、シミュレーションであれば簡単に調べられてしまうことも多いのです。実際に、スーパーコンピュータはこういったシミュレーションに活用されています。

どのようなシミュレーションが行われているのでしょう？

ここからは、実際にスーパーコンピュータによるシミュレーションがどのように活用されているか、紹介していきます。自分に関わりのあることでもスーパーコンピュータが役

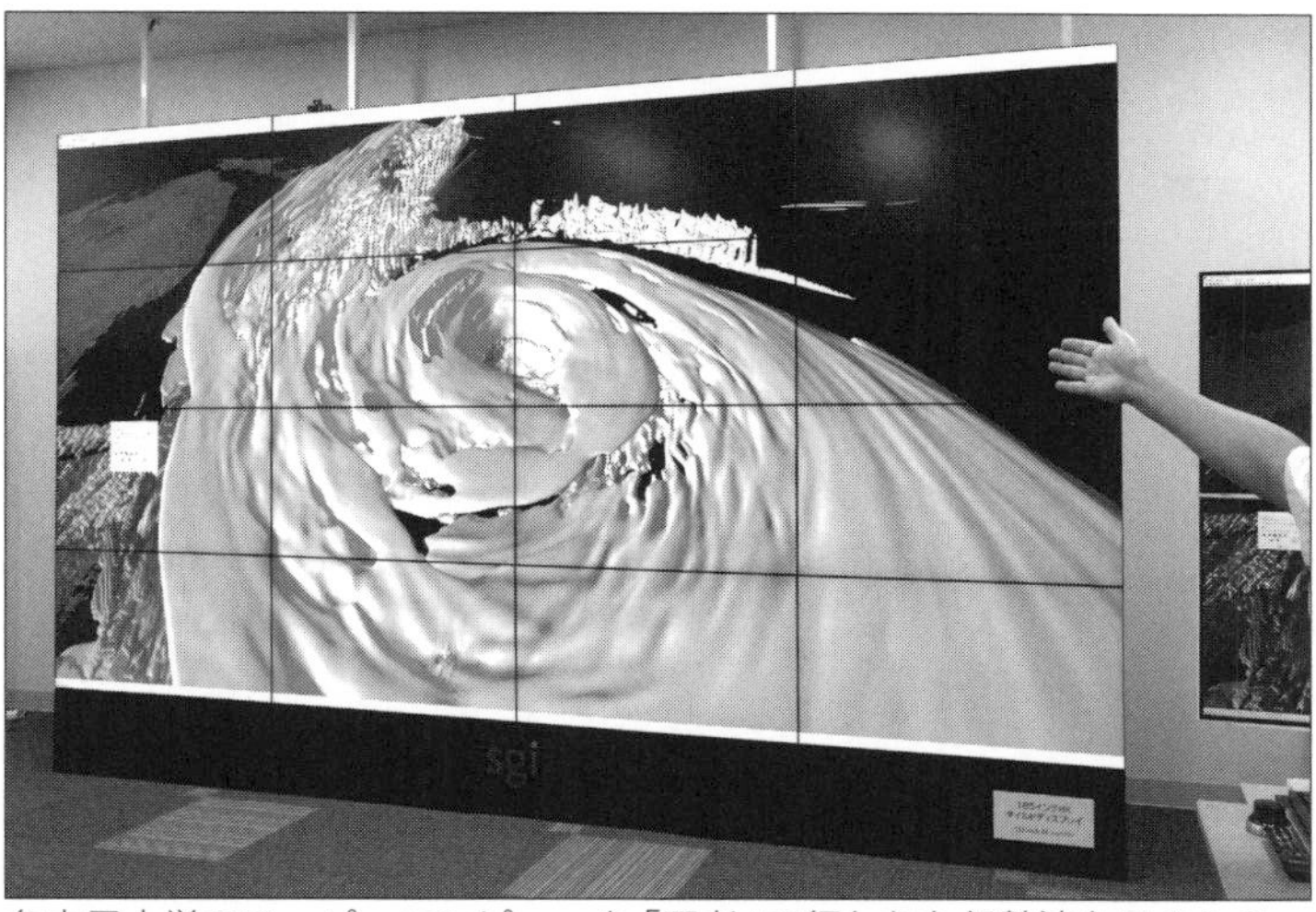

名古屋大学のスーパーコンピュータ「不老」で行われた伊勢湾台風のシミュレーション（写真提供：朝日新聞社）

立っていることが、実感できると思います。

天気予報と気象災害予想

まずは、**天気予報**です。

これは、スーパーコンピュータが日常的に利用されている例だといえます。

気象庁は日々気象予報を発表していますが、これには気象庁のスーパーコンピュータが役立っています。

気象庁には、気象レーダー・人工衛星・アメダス（地域気象観測システム）などで得られた気象に関するデータが集められています。それらをもとにその後の気象を予想するわけですが、それを人間が行うのは容易なことではありません。そこで、シミュレーションの登場です。

スーパーコンピュータでは、計算のために地球の表面をたくさんのマス目に区切っています。そして、それぞれの場所の温度、気圧、風など観測したデータを入力します。

隣接するマス目の間では、互いに影響を及ぼし合います。さらに、地球の自転など複数の要素が関わることで、その後の気象が生まれるのです。どのような気象が誕生するのか、スーパーコンピュータが計算してくれるのです。

最終的には、スーパーコンピュータの計算結果を踏まえ、気象予報士が総合的に判断して気象予報を出します。

災害を予測して早期に警報を発することは、とても重要な任務です。その中には、気象災害の予報も含まれます。

スーパーコンピュータが進化することで、気象災害による被害が軽減されることが期待されています。

実物を使わない衝突実験

スーパーコンピュータは、**車の開発**にも役立てられています。

車が走るとき、周りには空気の流れが生まれます。空気の流れは、車の走行速度によって変わりますし、車体の形状によっても変わ

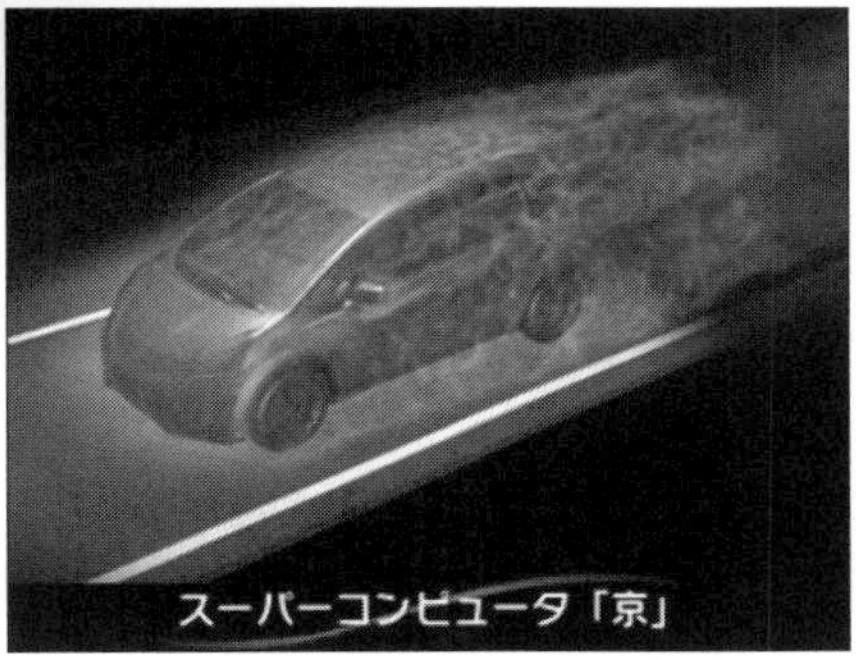

左は通常のスーパーコンピュータによるシミュレーション、下がスーパーコンピュータ「京」による自動車の空力シミュレーション。（© 提供：理化学研究所 , 協力：本田技術研究所）

ります。これによって空気抵抗が変わりますので、車の燃費にも関わります。もちろん、安全性にも関係します。

車の開発では、試作車に風を当てて空気の流れを調べる実験が行われます。ただし、それには大がかりな設備が必要になりますし、時間もかかります。

そこで、シミュレーションの登場です。気象予報の場合と同じように、車体の周りの空間を小さなマス目に分割し、それぞれの空間に起こる変化を計算します。そうすることで、どのような空気の流れが生じるか知ることができるのです。

さらに、衝突実験もシミュレーションで行うことができます。

衝突実験は車体の安全性を調べるのに欠か

せませんが、実際に何台も試作車を衝突させるのには大きな費用がかかります。スーパーコンピュータを使うことで、費用を抑えることができるのです。

今後は、突風や大雪、急ハンドルによる影響なども、シミュレーションで知ることができると期待されています。

心臓の動きを再現する

スーパーコンピュータは、体内の心臓の動きまで再現してしまいます。

心臓は、およそ１００億個もの細胞から成り立っています。それらの細胞１つひとつの動きを計算することで、心臓全体としての動きがどのようになるかシミュレーションできるのです。

これが応用されれば、ひとりひとりの心臓のデータを入力することで、個々人の心臓の動きを再現できるようになるかもしれません。そうすれば、その人にとって最適な治療法を探したり、心臓病の予防につながったりすると考えられています。

メタンハイドレートを集める

スーパーコンピュータは、資源の確保にも役立てられると期待されています。メタンハ

メタンハイドレートのある場所

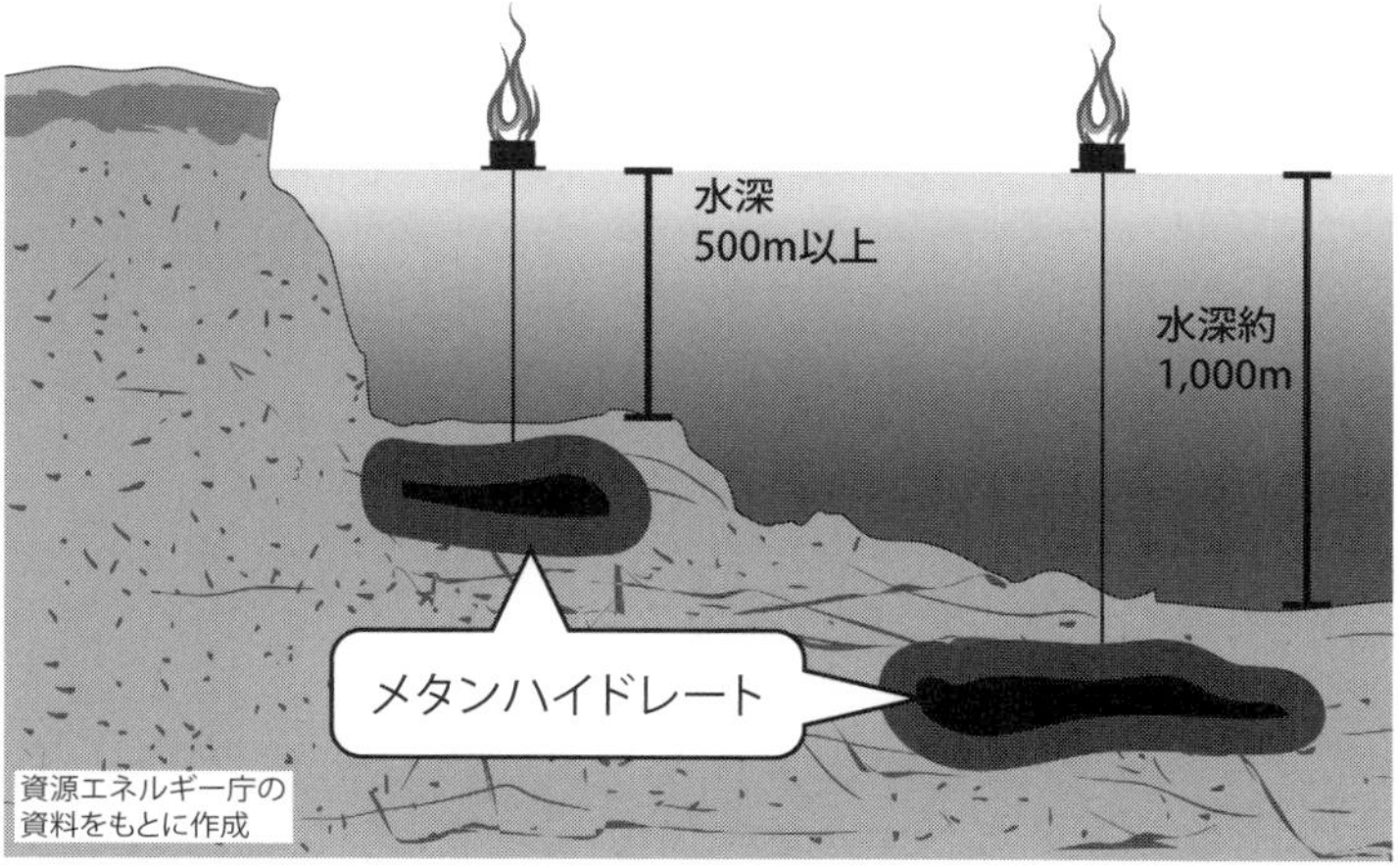

イドレートの調査です。

メタンハイドレートは、石油や天然ガスに変わる**次世代のエネルギー源**として期待されているものです。「燃える氷」とも呼ばれ、メタンガスが氷に囲まれた状態で存在しているものです。

海底には、プランクトンの死骸や植物などが堆積《たいせき》しています。それらはやがて発酵し、メタンガスが発生します。海底のように温度が低く圧力が大きい環境では、発生したメタンが氷に取り囲まれるのです。メタンハイドレートはこのようにして作られると考えられています。

このようなものが、海底の土の中に大量にあることが分かってきました。その資源量は、全世界の化石燃料の２倍以上だと推定されています。

ただし、海底にあるメタンハイドレートを採掘するにはものすごいコストがかかります。石油や天然ガスのように利用が進まない原因は、ここにあります。

そこで、メタンハイドレートが分解して発生するメタンガスだけを集める方法が研究されています。

ただし、それにはメタンハイドレートがどのように分解するのか、その仕組みを知ることが必要となります。

そこで、スーパーコンピュータの登場です。海底のメタンハイドレートに関わるデータをもとにシミュレーションし、どのような反応を経てメタンガスが発生するのかを調べるのです。

きわめて水圧が大きい海底で、実際にメタンハイドレートを観察するのは大変です。危険もともないます。スーパーコンピュータが、そのような困難を代替してくれるのです。

新型コロナウイルス飛沫感染のシミュレーション

２０２０年に始まったコロナ禍《か》の中で、人の口や鼻から出た飛沫がその後どのように拡散するか、シミュレーションした動画を見た方も多いと思います。

じつは、このシミュレーションに利用されたのが、**スーパーコンピュータ「富岳」**だったのです。

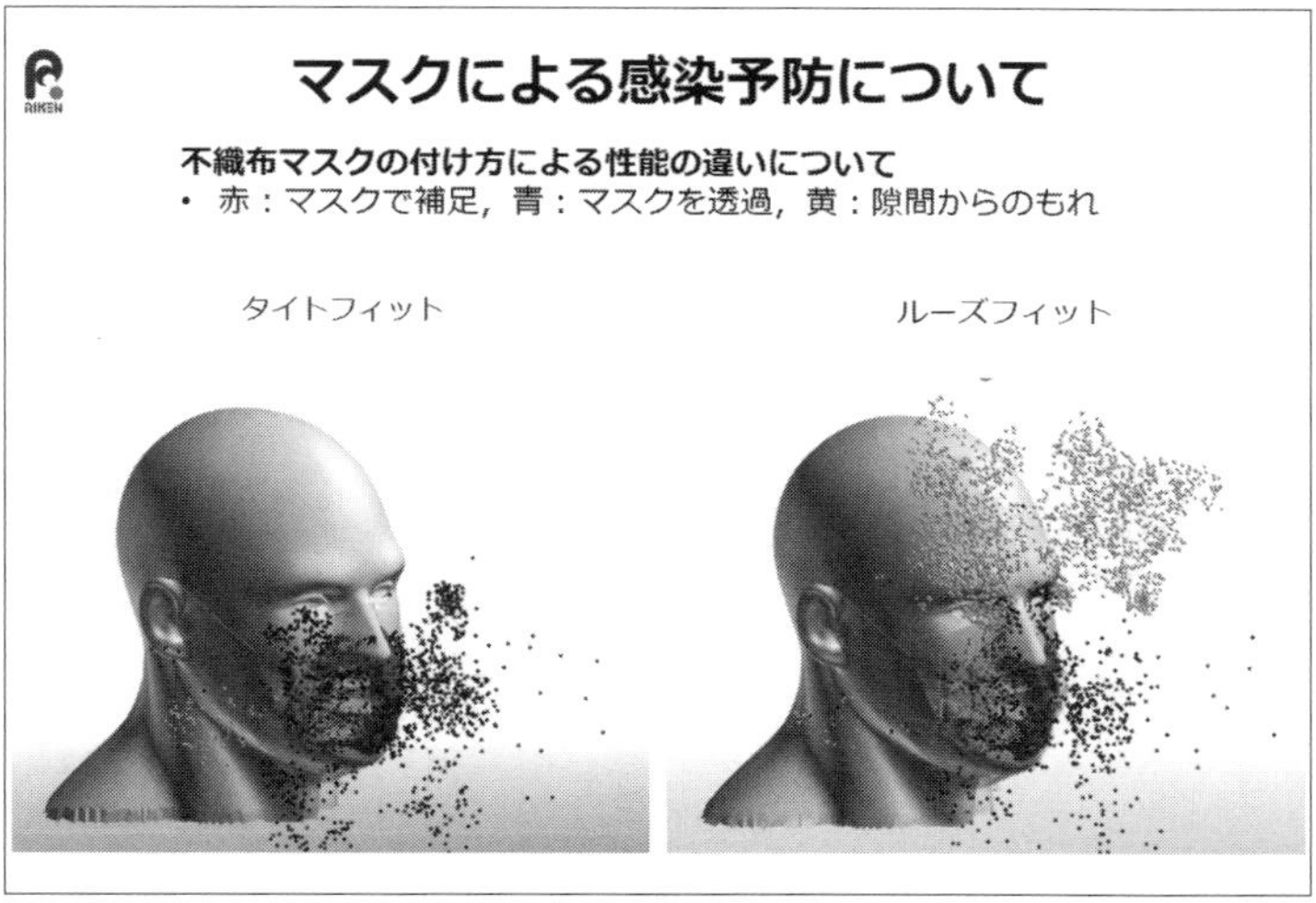

「富岳」による新型コロナウイルスの飛沫拡散のシミュレーション（提供：理研・豊橋技科大・東工大，協力：京工繊大・阪大・大王製紙）

「富岳」のきわめて高い計算能力が、新型コロナウイルスの感染拡大防止にも役立てられているといえます。

「京」は、２０１１年に計算速度で世界一になりました。そして、「京」の開発でつちかわれた技術や人材を最大限に活用し、計算速度だけでなく使いやすさも大きく向上させたのが「富岳」です。

「富岳」は、計算速度だけでなく「使いやすさ」の向上を目指して開発されました。「富岳」という名前には、「利用の裾野を広げたい」という意味が込められているそうです。

本格運用は２０２１年3月から始まり、「富岳」によるシミュレーションが私たちのよりよい生活に役立てられることが期待されています。

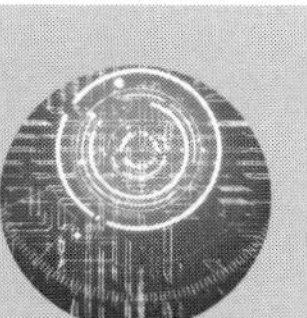

進化し続ける人工知能と広がる利用法

人工知能（ＡＩ）とは何か

最近、「人工知能（ＡＩ）」（artificial intelligence）という言葉をよく聞くようになりました。「人工知能が進化して、人間の仕事を奪っていくのではないか？」といった心配をする人までいます。

そもそも、人工知能とはどのようなものなのでしょう？　そのことが分かると、人工知能が身近なところで活躍していることに気づきます。

「人工知能」という言葉が最初に世の中に知られたのは、１９５６年です。ダートマス会議（アメリカのダートマス大学で開かれた会議）において、初めて「人工知能」という言葉が定義されたのです。

コンピュータが人間と会話をするしくみ

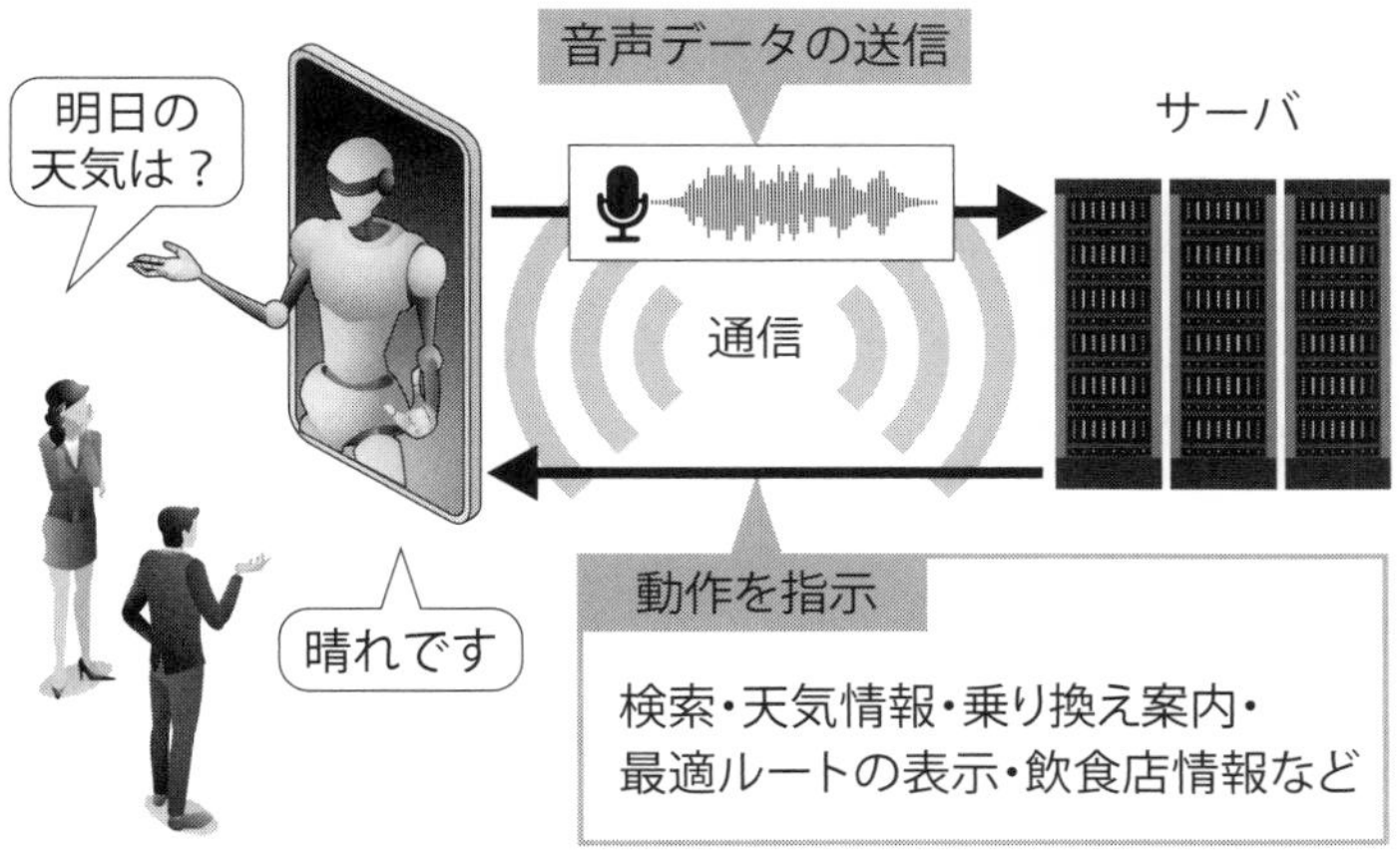

ただし、現在の人工知能の定義は研究者によっても異なるようです。

例えば、「人間のように考えるコンピュータ」ともいわれますが、もしこれを人工知能とするならば、人工知能はまだ実現されていないことになります。

すでに実現されているという意味では、**「コンピュータが人間のように見たり、聴《き》いたり、話したりする技術」**が人工知能といえるでしょう。

どのような仕組みなのか

人工知能は、どのような仕組みではたらく

のでしょう。スマートフォンに搭載されている音声入力アプリを例に、人工知能の仕組みを説明します。

音声入力アプリでは、音声で質問したことに対して情報を表示してくれます。ただ、使う人によってしゃべり方は異なります。

何としゃべっているのか正しく認識するのは難しそうですが、どうやって音声を認識しているのでしょう?

じつは、大量の音声データが音声入力アプリを支えています。例えば、いろいろな人がしゃべった「明日の天気は?」という音声がデータとして蓄積されているのです。それと比較して、いま聞き取った音声もこれと同じことをしゃべったのだなと判断しているのです。

もちろん、そのデータはスマートフォンの中に入っているわけではありません。別にデータが蓄積された場所があり、通信して情報をやり取りしているのです。

このように、**人工知能を支えているのは大量のデータ**です。あらかじめ大量の情報を得ていることで、それらと比較しながら新たな情報について判断できるのです。

人工知能は、医療現場における画像認識で医師を補助することも期待されています。

例えばレントゲン撮影した画像について、正常な場合と病気がある場合の実例を大量に学習しておくことで、新たな画像をそれらと比較して「正常」「病気の可能性あり」と判断できるのです。

以上が人工知能の基本的な仕組みですが、

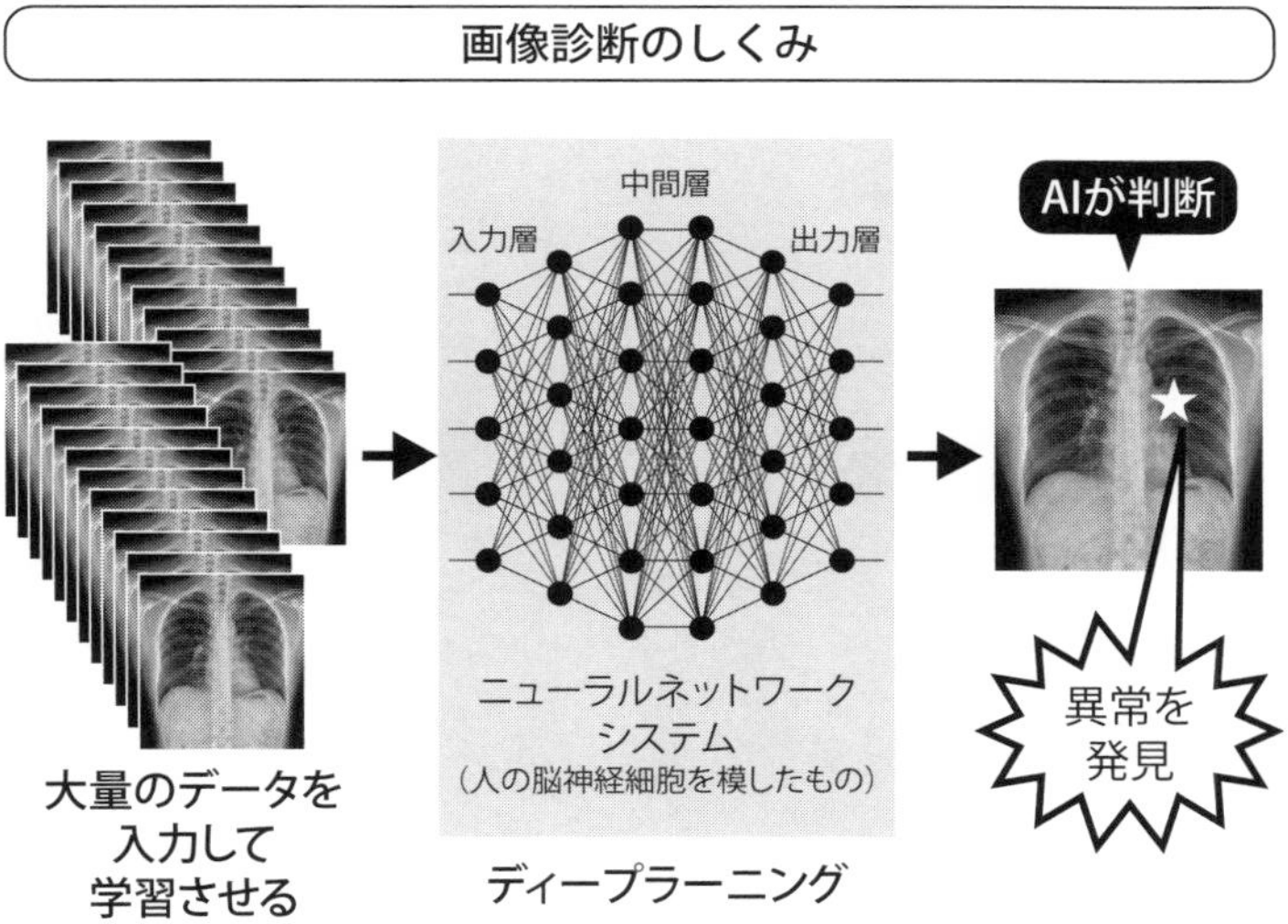

これに加えて**「ディープラーニング」**が人工知能を進化させています。

ディープラーニングってどんなもの？

ディープラーニングというのは、大量のデータの中の「どこに注目すればよいか」を、**自分で学習して賢くなっていく**ことです。

例えば、レントゲン撮影された肺の画像で考えてみましょう。

人工知能は、大量のデータを見ることで病気の有無によってどのような点に違いがあるか、学習するのです。

そして、新たな画像を見るときにはその点

アルファ碁（右）との勝負にのぞむ棋士（写真提供：Imaginechina/ 時事通信フォト）

に着目することで素早く病気の有無を判断できるようになるのです。

２０１６年、Ｇｏｏｇｌｅの子会社が開発した囲碁コンピュータプログラムである**「アルファ碁」**がトップ棋士に4勝1敗で勝利したことは、世界に大きな衝撃を与えました。

このようなことは、チェスや将棋の世界でもありました。ボードゲームにおいて、人間ではコンピュータに勝ち目がないという日も、いつかやってくるのかもしれません。

初心者レベルの人工知能なら、ゲームのルールを知っているだけです。そこに、大量の対戦データが与えられます。すると、人工知能は大量のデータの中から「こうすると、相手はこうするしかないから、次にこうできて有利になる」といったことを学んでいくのです。ま

羽田空港ではたらくペッパー（現在は製造中止）（写真提供：AFP＝時事）

さにディープラーニングです。

　人工知能は、ディープラーニングを繰り返すことでどんどん賢くなっていくのです。人間も互いに競い合いながら知恵を発展させていますが、人工知能に負けないように進化していけるのでしょうか？

　ソフトバンクの開発した**「ペッパー」**のような人型ロボットにも、人工知能が搭載されています。接客に利用することで、客の質問に答えたり要望に応えてものを運んだりと、能力は向上中です。これからは、ホテルや店でより性能の高いロボットに会うことが増えるかもしれません。

　前述した自動運転など、人工知能には私たちの生活を大きく変えるポテンシャルがあります。今後の進化が楽しみです。

完全実用が見えてきた自動運転

人工知能のデータ分析によって実現できること

私たちの身近なところでは、たくさんの人工知能が活躍しています。気がつかないだけで、じつにさまざまなところで人工知能は利用されています。

コンビニなどでは、「○曜日の□時に、おにぎりとお茶が売れた」といった情報が大量に蓄積されます。この大量のデータを分析して運営に活かすのも、人工知能のなせる技です。

データを分析して、「朝の時間帯にはお茶よりコーヒーがよく売れる」「休日は平日に比べて弁当よりおにぎりがよく売れる」といったことに気がつけば、店への並べ方をより買ってもらえるよう変えることができます。

また、「おにぎりとお茶はセットで買われる

自動運転モードで走行するテスラ「モデルＳ」（写真提供：共同通信社）

ことが多い」「パンと牛乳はセットで買われることが多い」ということが分かれば、お互いを近いところに陳列することもできます。

人間が大量のデータの中に規則性を見つけ出すのは大変な作業ですが、人工知能はそのようなことをまたたく間に行ってしまいます。

自動ブレーキシステム

また、最近の自動車では自動ブレーキシステムがついていることも多いですが、これも人工知能に支えられていることが多くあります。

車につけられたカメラが、常に周囲の状況を確認しています。さらに、車の現在の速度（ど

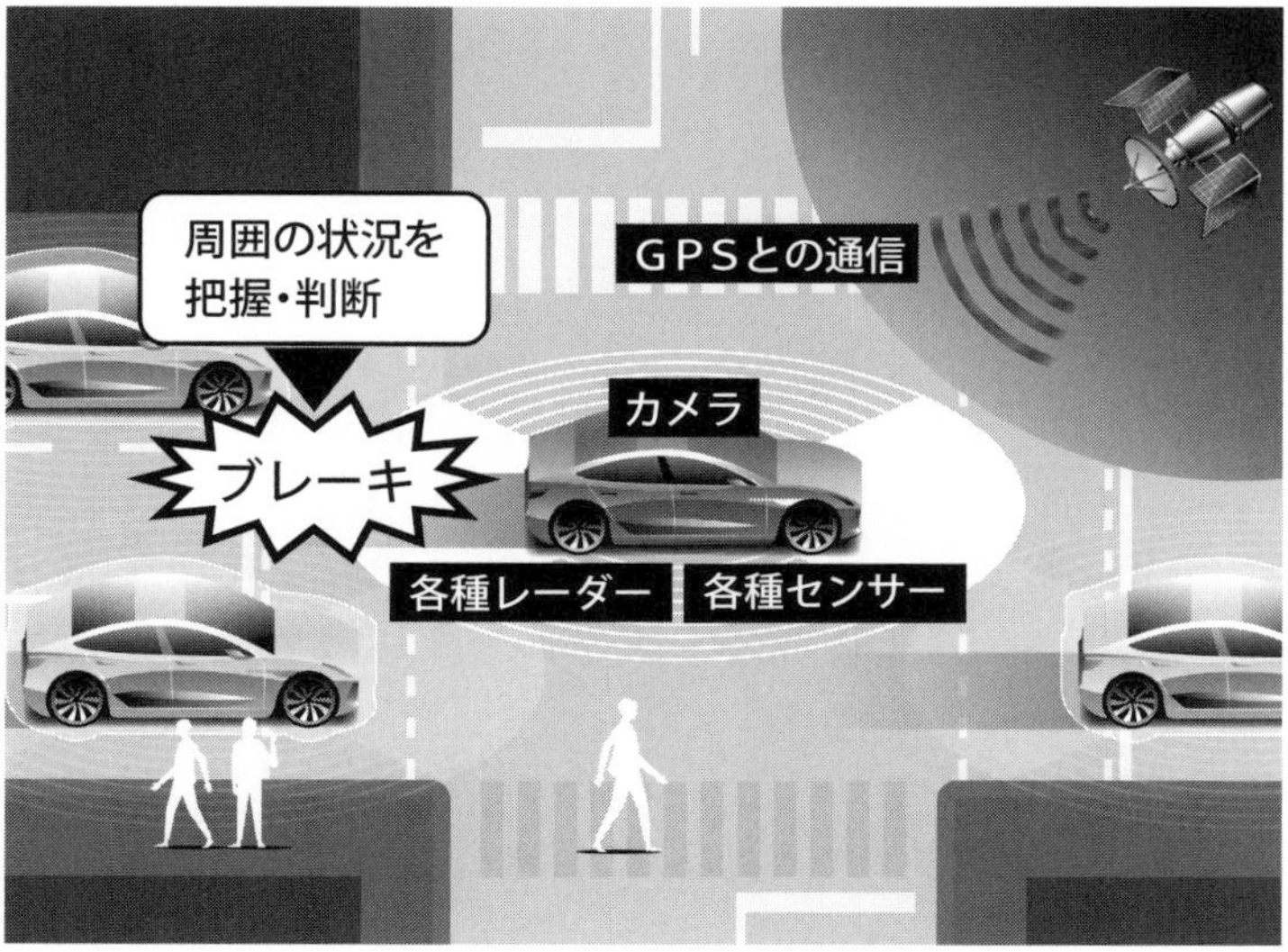

ち向きにどのくらいの速さで動いているか）というみずからの状況も常に把握しています。これらの情報に基づき、危険な状況だと判断した場合にブレーキをかけるよう命令を出すのです。

この技術を発展させることで、自動運転も可能になります。周囲と自分の状況に加え、最新の地図情報を搭載し、ＧＰＳ（global positioning system）を使って現在地を正確に知ることで、人が運転しなくても自立的に目的地まで走行するのが、自動運転です。

自動運転の完全実現に向けて、世界中の自動車メーカーがＩＴ企業とタッグを組んで取り組んでいます。

さて、自動運転を実現するには、どのような技術が必要なのでしょう。そのことが理解

2021年3月発売・レベル3のホンダ「レジェンド」（写真提供：時事）

できると、今後の自動運転の発展のために求められるものが見えてきます。

自動運転に必要な3つの要素

自動運転には、**「認知」「判断」「操作」**の3つが必要です。

自動ブレーキシステムでも周囲の状況を認知することが必要ですが、自動運転ではそれ以上に多くの情報を認知する必要があります。周囲の車や人だけでなく、標識なども認識しなければなりません。

これは、基本的にはカメラで行います。ただし、カメラでは対象物との距離を正確に測れないこともありますし、悪天候のときには検出精度が下がってしまいます。そこで、レーダーや超音波センサーも補助的に利用します。

　また、取得した画像を認識するために、画像処理システムも必要となります。

　次に、現在の走行場所も知る必要があります。そこが直進路なのか、交差点にさしかかっているのかといったことも分からなければなりません。これはＧＰＳを利用して行いますが、正確な位置を知るために高精度マップが欠かせません。

　さらに、いま加速中なのか減速中なのか、直進しているのか曲がっているのかといった自分の状態も知らなければなりません。これは、加速度センサーによって把握できます。これ現在の状態を知ることで、その後の動きを正確に制御できるようになるのです。

　以上のことを認知した上で、次の動きを判断することも必要です。これから「加速すべきか」「減速すべきか」「曲がるべきか」といったことを判断しなければ、行動することができないのです。

アルゴリズムが行動の判断をする

　このような判断は、**アルゴリズム**と呼ばれるものによって行われます。アルゴリズムは、問題を解決するための「手順」のことです。

　例えば、道路に大きな障害物が置かれていたとします。このとき、車は停止（または回避）

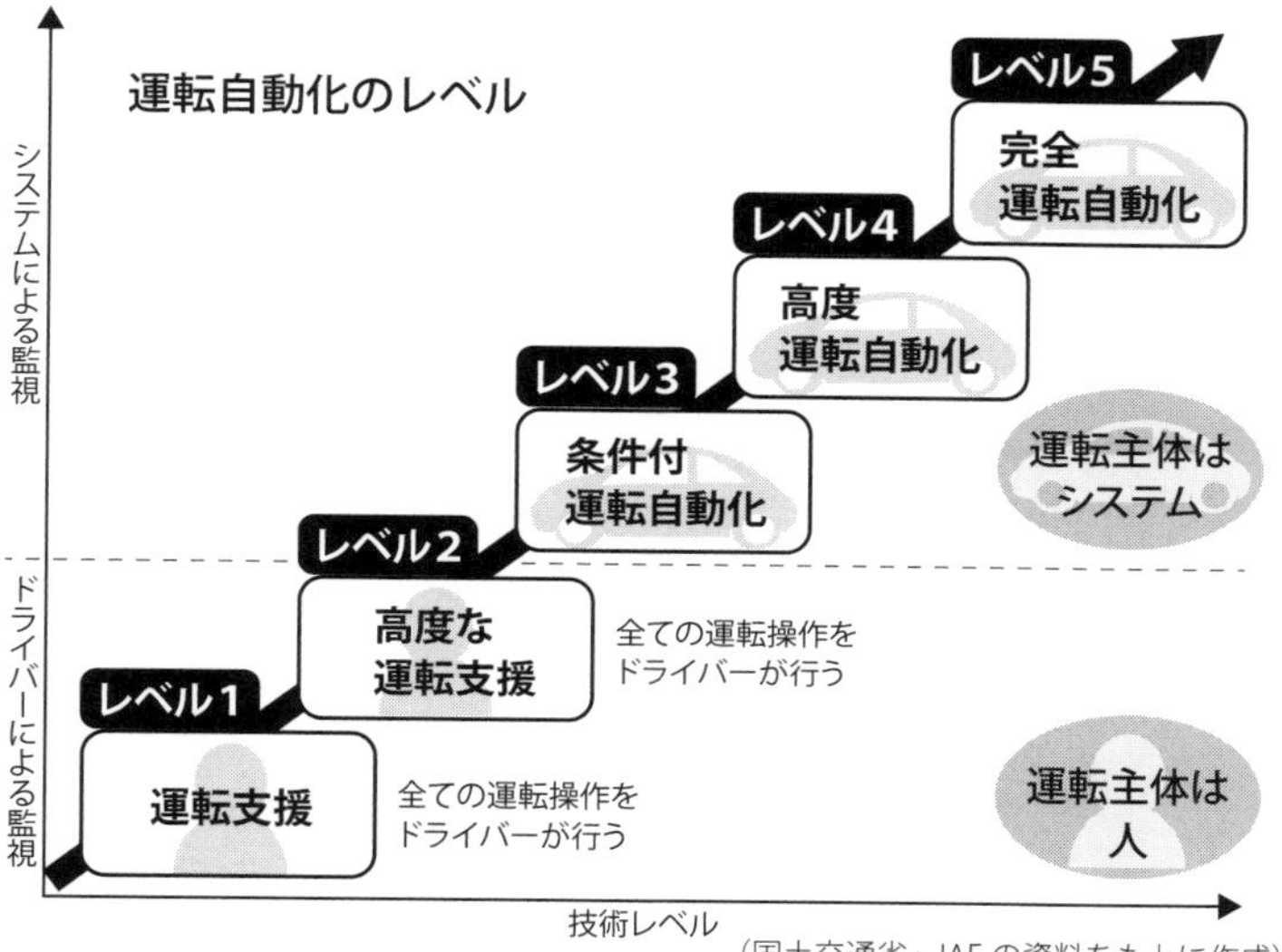

（国土交通省・JAFの資料をもとに作成）

をしなければなりません。「障害物があれば停止する」というアルゴリズムが組み込まれていることで、そのような判断ができるのです。

しかし、レジ袋程度のものだったらそのまま走行する方が安全でしょう。より適切に判断するには、人工知能の補助が必要なのです。

そして、判断に従って実際に操作することになります。アクセル・ブレーキ・ハンドル操作といった運転手が行うことを、自動で行うのです。

操作のプログラムがこれを可能にします。現在の自動車は、ワイヤ・油圧・ギアといった機械的なものだけでなく、電気信号によって各機器が駆動するようになっています。このことが、運転の自動化を可能にしてくれるのです。

圧倒的な高速通信を支える光通信

世界中を駆けめぐる光の信号

現代は、スマートフォン1つあれば知りたいことをすぐに調べられる、とても便利な時代になりました。何かを発信したいときにも、簡単にあっという間に世界中へ伝えることができます。

このようなことを可能にしているのが、光通信の技術です。

光通信とは**「光を使って情報を伝達すること」**です。

例えば、スマートフォンからの情報伝達を考えてみましょう。

まずは、電波によって情報が発信されます。これがパソコンの場合は、電気信号で送信することもあります。いずれの場合も、発信さ

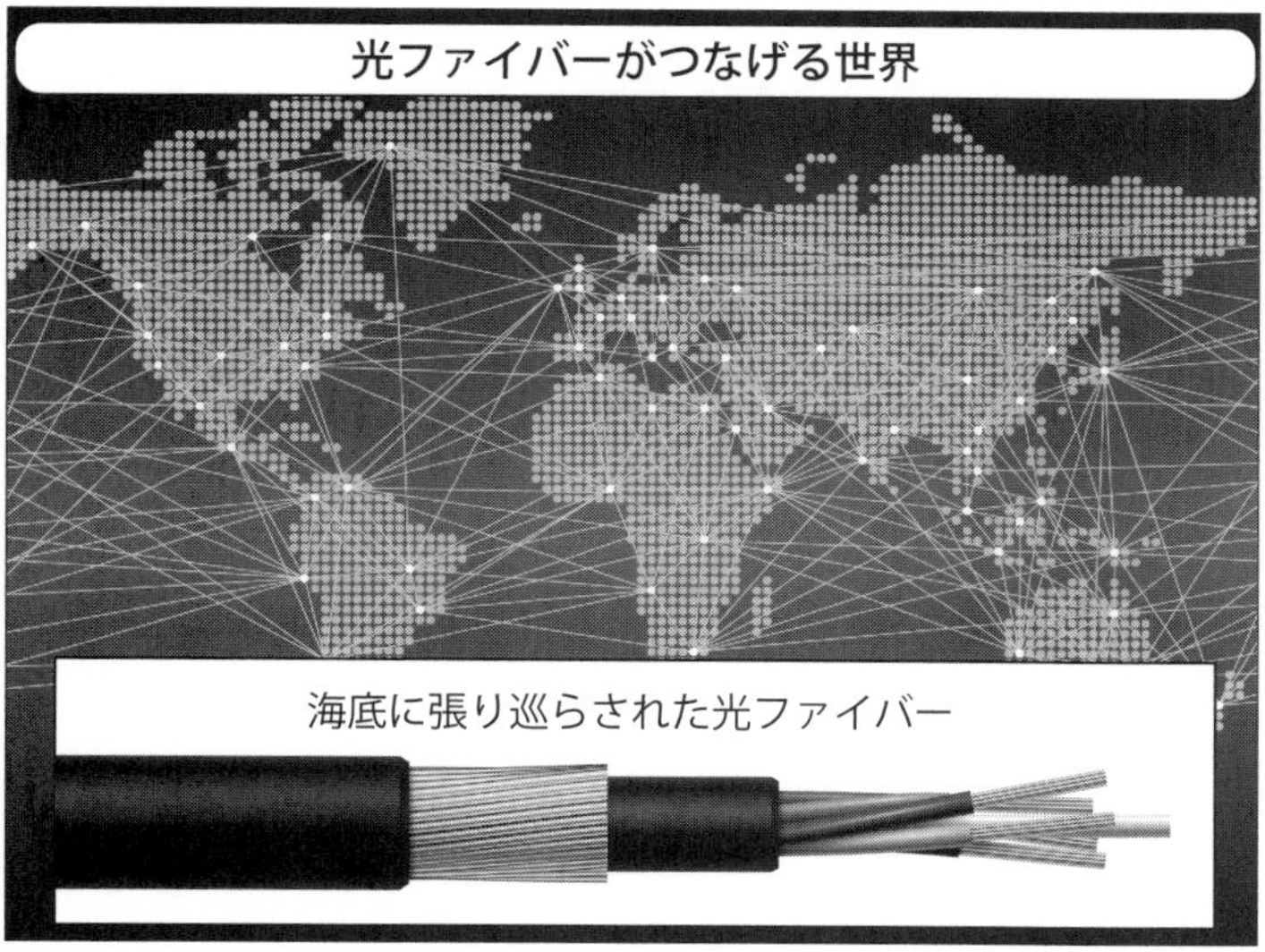

れた情報は**光の信号に変換されて遠方まで送られる**のです。

そして、再び電波や電気信号に変換され、別のスマートフォンやパソコンがそれを受信するわけです。

情報は光ファイバーで海底を伝わる

さて、光の信号は**光ファイバー**というものの中を伝わっていきます。光ファイバーは、光の減衰を極力小さくして遠方まで伝えるための装置です。

現在は、容易に海外のサイトを閲覧することもできます。これは、光ファイバーが海底

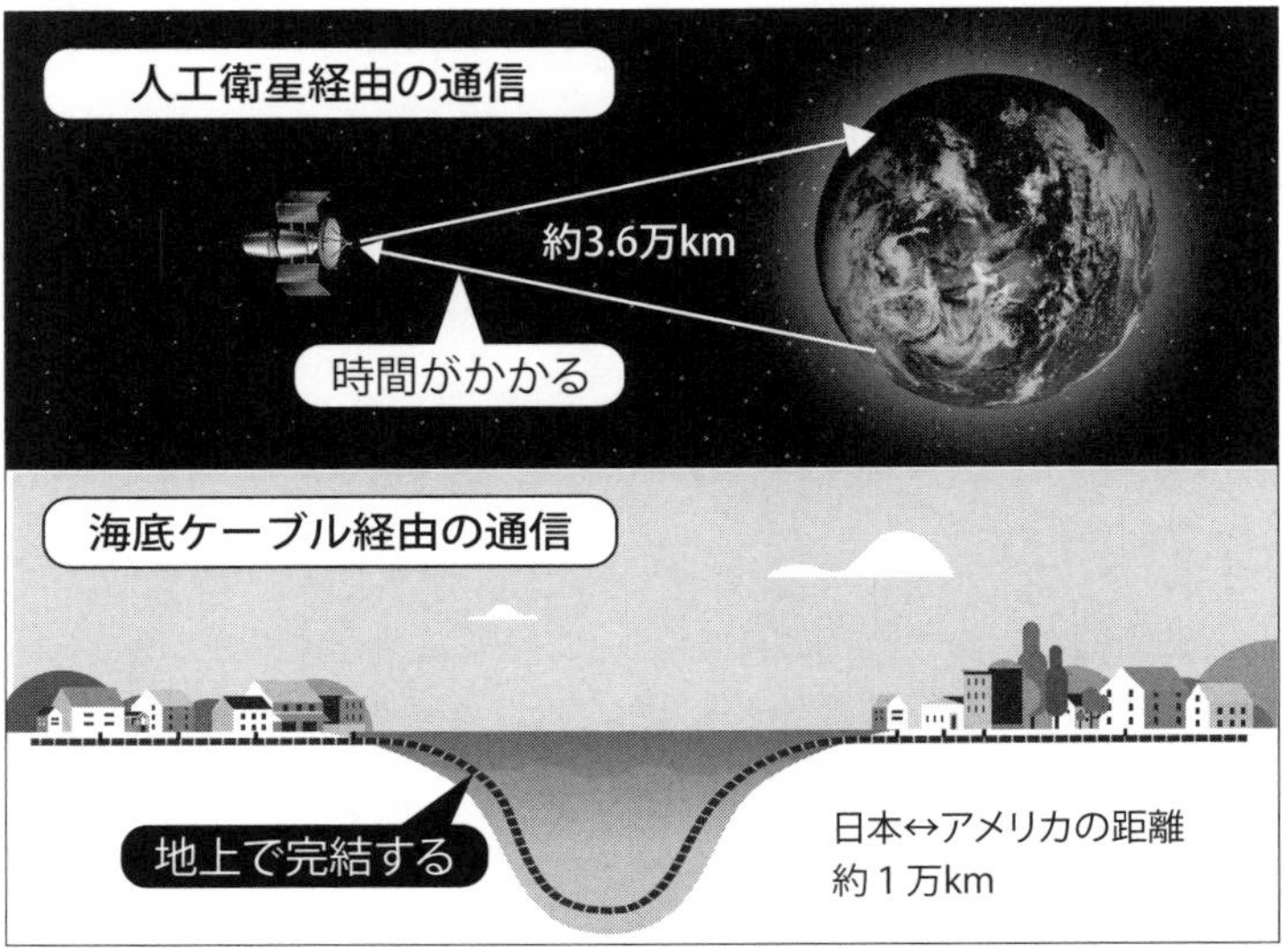

ケーブルという形で世界中に張り巡らされているためです。

光は**秒速30万キロメートル**という速さで伝わります。これは、１秒で地球を7周半する速さです。遠く離れた国のサーバーにアクセスしてリアルタイムで動画を見られるのも、これほどのスピードで情報を伝える光のおかげなのです。

昔は、海外との情報のやり取りは人工衛星を中継して行われていました。いったん電波を人工衛星へ送り、それを他国へと送信したのです。

電波は光と同じ速さで進みます。しかし、通信を中継する人工衛星は地上から３万６０００キロメートルほどの高さにあるため、時間がかかったのです。

コンピュータの世界は２進数

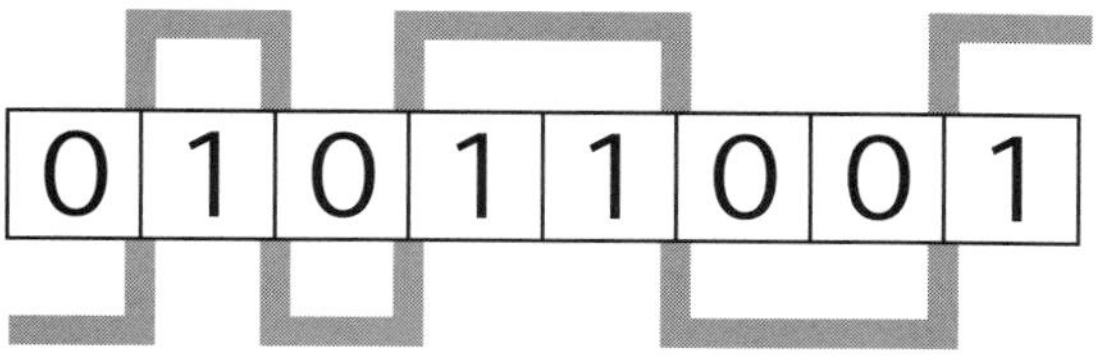

0または１の信号を…

１秒間に100億個送る速さ
＝
10ギガビット

１秒間に１兆個送る速さ
＝
１テラビット
（1024ギガビット）

送るのは0と1の情報

スマートフォンやパソコンで得られるデジタルな情報は、「0」と「1」で構成されているものです。すべての情報は、多数の「0」と「1」の組み合わせで作られているのです。

光通信では、テラビット単位の速度で情報を伝えることができます。「0または1の信号を1秒間に1兆個送る速さ」を「1テラビット」といいます。

電気による通信では10ギガビット（0または1の信号を1秒間に100億個送る速さ）程度ですので、光通信がいかに速いか分かると思います。

光通信では、光の明滅を「0」と「1」に対応させて情報伝達します。すごいスピードで明滅を繰り返す光が、一気に大量の情報を送るのです。

特に、動画の視聴には膨大《ぼうだい》な量の情報伝達が必要です。光通信技術によって、多くの人が同時に動画を視聴することが容易になったのです。

高速情報通信時代を支える技術

情報が高速でやり取りできるおかげで、いろいろなことが可能になっています。いくつかの例を挙げてみましょう。

最近は、オンラインゲームを楽しむ人が増えています。遠方の人とリアルタイムでやり取りができるのは、高速通信のなせるわざです。

遠隔地医にも、高速通信が役立っています。離れた場所にいる医師が操作する手術ロボットが、患者を助けることも現実になってきました。離れていてもリアルタイムで操作できることが、精度の高い手術に欠かせません。

他にも、カーナビでリアルタイムに情報を取得できるのも、物流センターがものの流れをリアルタイムでチェックできるのも、コンビニから行政サーバーへアクセスして必要な書類を得られるのも、すべてが光通信に支えられて可能になっていることです。

3章

生物と医療の研究

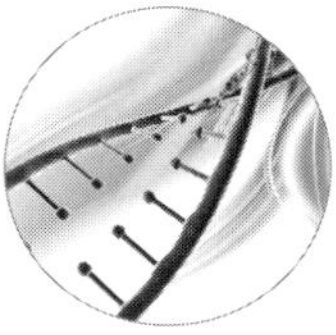

生物を人間の手で作り変えるゲノム編集

ゲノムとは何か？

　２０２０年のノーベル化学賞は、ドイツのエマニュエル・シャルパンティエ氏とアメリカのジェニファー・ダウドナ氏が受賞しました。

　２氏の功績は、ゲノム編集を行う画期的な技術を開発したことにあります。一体どのようなものでしょう？

　この技術のすごさを理解するために、まずは**ゲノム**について解説します。

　私たちの身体は、たくさんの細胞の集まりです。大人１人の身体は、およそ37兆個もの細胞から成り立っています。

　細胞１つひとつの中には、ＤＮＡが含まれています。ＤＮＡは鎖状の物質で、**４種類の塩基**と呼ばれるものが結合して並び、そのよ

DNAの塩基配列

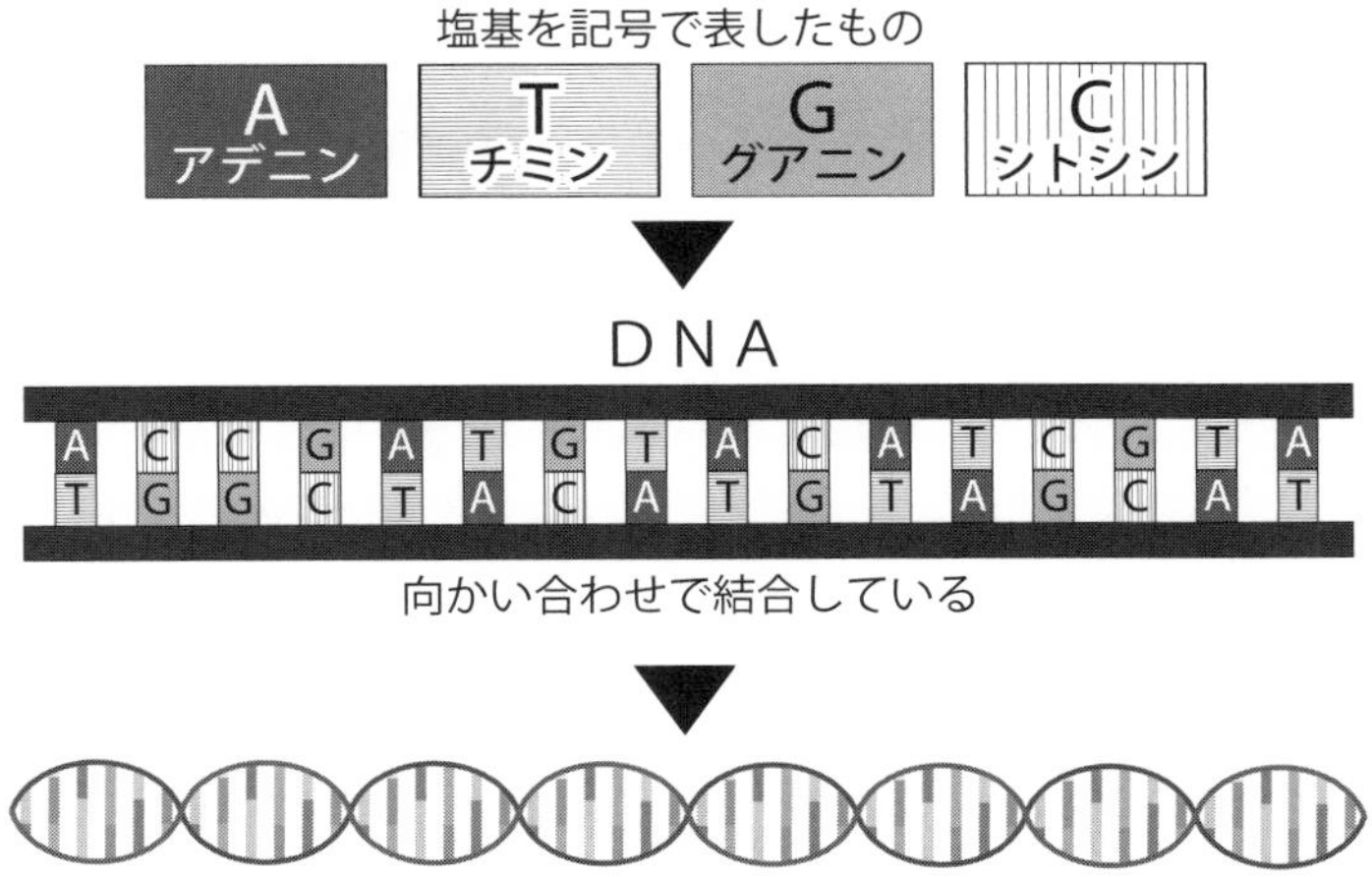

うなものが２本向かい合わせになって結合しています。

ＤＮＡには、多数のＡ、Ｔ、Ｇ、Ｃが並んでいます。そして、そこに生物の**「遺伝情報」**が存在します。Ａ、Ｔ、Ｇ、Ｃの並び順が、遺伝情報としてはたらくのです。この遺伝情報のことを**「ゲノム」**といいます。

人間のＤＮＡには、Ａ、Ｔ、Ｇ、Ｃの４種類の塩基がおよそ60億個も並んでいます。その部分部分に遺伝情報が存在し、遺伝情報がある部分を**「遺伝子」**と呼びます。

人間は、２万個以上の遺伝子を持つことが分かっています。多数の遺伝子ではありますが、ＤＮＡに占める割合は１パーセントほどにすぎません。

つまり、ＤＮＡ（の塩基の配列）の中で遺伝

DNAと遺伝子の違い

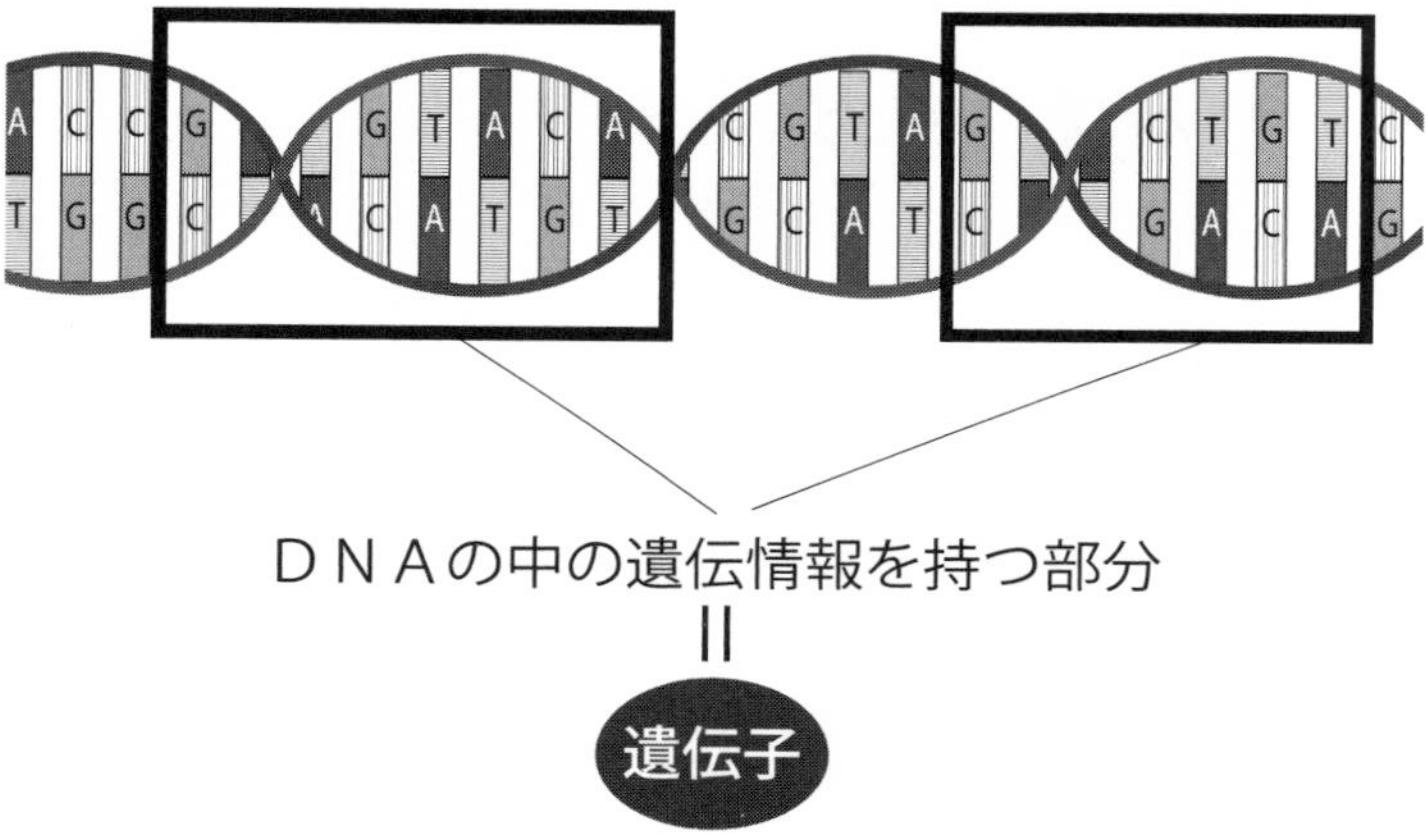

子として働いている部分はごくわずかだということです。

人間の望み通りに生物を変化させる

生物の形や性質は、ＤＮＡに存在する遺伝情報によって決まります。生物にとって、遺伝情報がいかに重要なものか分かります。

さて、遺伝情報を書き換えることができたら、すごいことです。そんなことができたら、生物の形や性質を大きく変えることができます。

じつは、そのようなことは自然に起こっています。**突然変異**です。

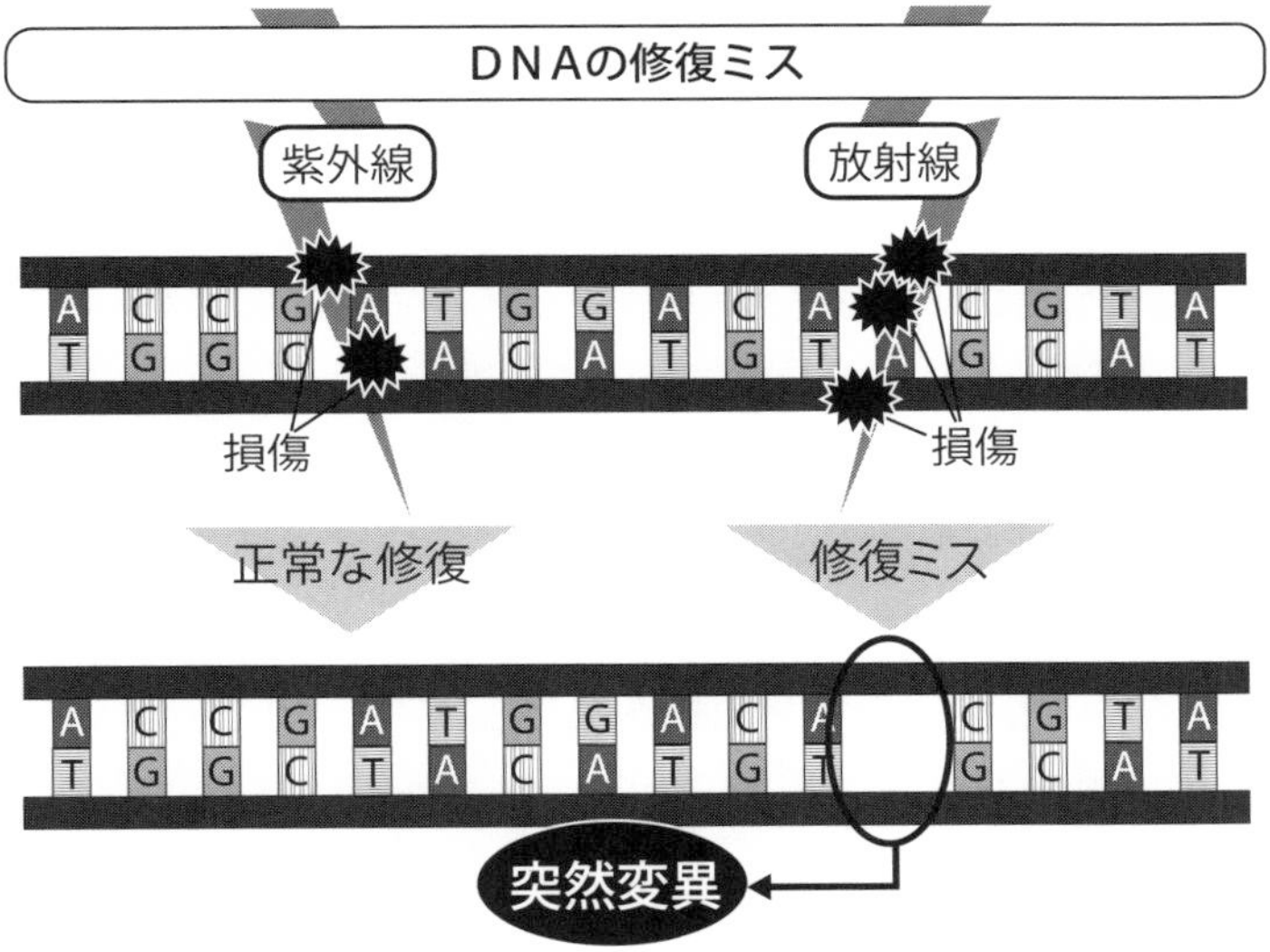

例えば、ＤＮＡに紫外線や放射線が当たり、ＤＮＡが切れてしまうことがあります。

そのようなことが起こっても、ほとんどの場合には生物に備わっている修復作用によってＤＮＡは元通りになります。

しかし、**修復ミス**が起こることがたまにあるのです。修復ミスが原因でＤＮＡが変化し、生物の形や性質が変わるのが突然変異です。

生物は、突然変異を繰り返すことで進化してきました。生物が長く生き残るためには、必要なことでもあるのです。

ただし、突然変異は偶然の産物です。望み通りにできるわけではありません。そこで、**ＤＮＡの特定の場所を狙って変化させる技術**が必要となります。これが「ゲノム編集」です。偶然に生じる変化に頼るのではなく、**望み通**

りに変化を生むことを目指すのです。

さて、例えば農作物のＤＮＡを変化させる方法には、**交配**もあります。異なる品種を掛け合わせることで、新しい品種を生み出す方法です。

交配によって、「おいしい」「収量が多い」「害虫への耐性が強い」「栄養価が高い」といった性質を持つ作物が多数生まれてきました。

ただし、やはり交配による新品種も偶然の産物に過ぎません。何度も試行錯誤することで得られるものなので、手間やコストがかかるのです。

それに対して、ゲノム編集は**狙いを持って意図的に行う**ことができます。品種改良のスピードを大幅にアップさせられる可能性を秘めた技術なのです。

DNAを切断する新しいハサミ

それでは、ゲノム編集についてくわしく説明していきます。

ゲノム編集を行うには、ＤＮＡを切断しなければなりません。そして、望み通りに編集するには狙った場所を正確に切断する必要があります。

それには、**ハサミの役割をする物質**が使われます。

２０２０年にノーベル化学賞を受賞した２氏が開発したのは、**「CRISPR《クリスパー》-Cas9《キャスナイン》」**と呼ばれる新しいハサミです。

「ＣＲＩＳＰＲ－Ｃａｓ９」は、２つの要素か

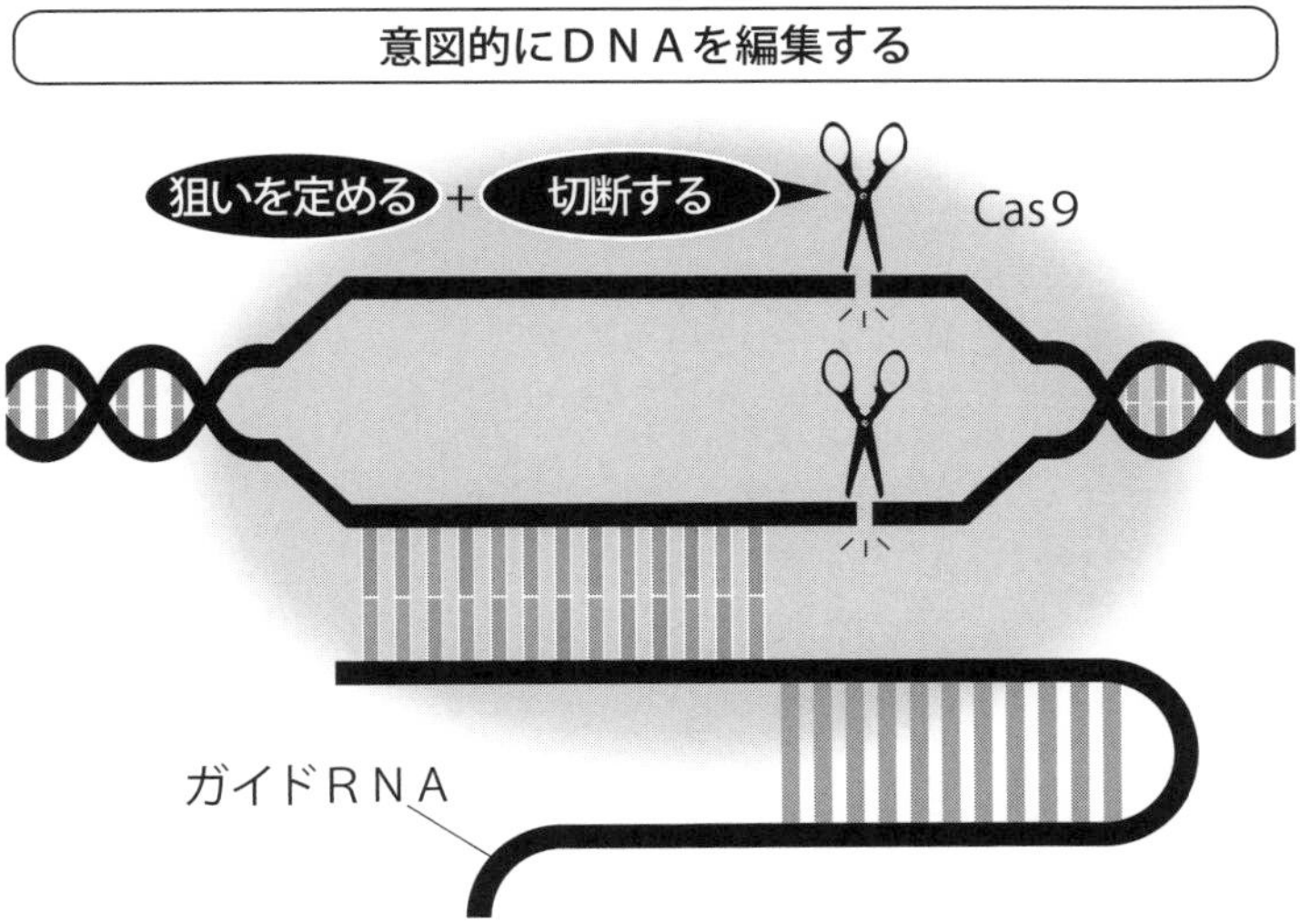

らできています。**「狙いを定める物質」と「切断機能を持つ物質」**です。

ＤＮＡの特定の場所を切断できるよう狙いを定めるのは、「ガイドＲＮＡ」という物質です。

ＲＮＡはＤＮＡと似た構造を持つ物質です。そのため、ＤＮＡと結合することができます。これが、ＤＮＡの中の遺伝情報を変化させたい部分に結合するのです。

そして、「Ｃａｓ９」という物質が切断機能を持ちます。ＤＮＡに結合したガイドＲＮＡがＣａｓ９のガイド役となることで、Ｃａｓ９は目的の場所へたどり着くことができます。そして、そこを切断するのです。

さて、切断されたＤＮＡはどうなるのでしょう？

これは、紫外線や放射線によって切断された場合と同じく、ほとんどの場合は正常に修復されます。ところが、たまに修復ミスが起こります。そのときにはDNAが変化することになります。

ゲノム編集では、DNAの特定の場所に狙いを定めた切断を、大量に行います。そのうちのほとんどは元に戻るけれども、それに混ざって変化するものが生まれるというわけです。

そもそも、CRISPR-Cas9というのは**細菌に備わっているウイルスへの免疫システム**のことなのです。

Cas9は、**細菌が持つハサミ**です。細菌の中へウイルスが侵入すると、Cas9を使ってウイルスのDNAを切断するのです。

そのとき細菌は、切断したウイルスのDNAの一部をCRISPR領域という場所に保管します。これは、ウイルスの情報を記憶していくことに相当します。

そして、ウイルスが再びやってきたときに、その情報をもとにCas9とは別のハサミを作るのです。そのハサミとCas9でウイルスのDNAを切断できる、免疫力がアップした状態になっているのです。

遺伝子組み換えとどう違う？

「ゲノム編集」は、よく**「遺伝子組み換え」**と混同されます。ともにDNAに変化を起こす

CRISPR-Cas9は細菌の免疫システム

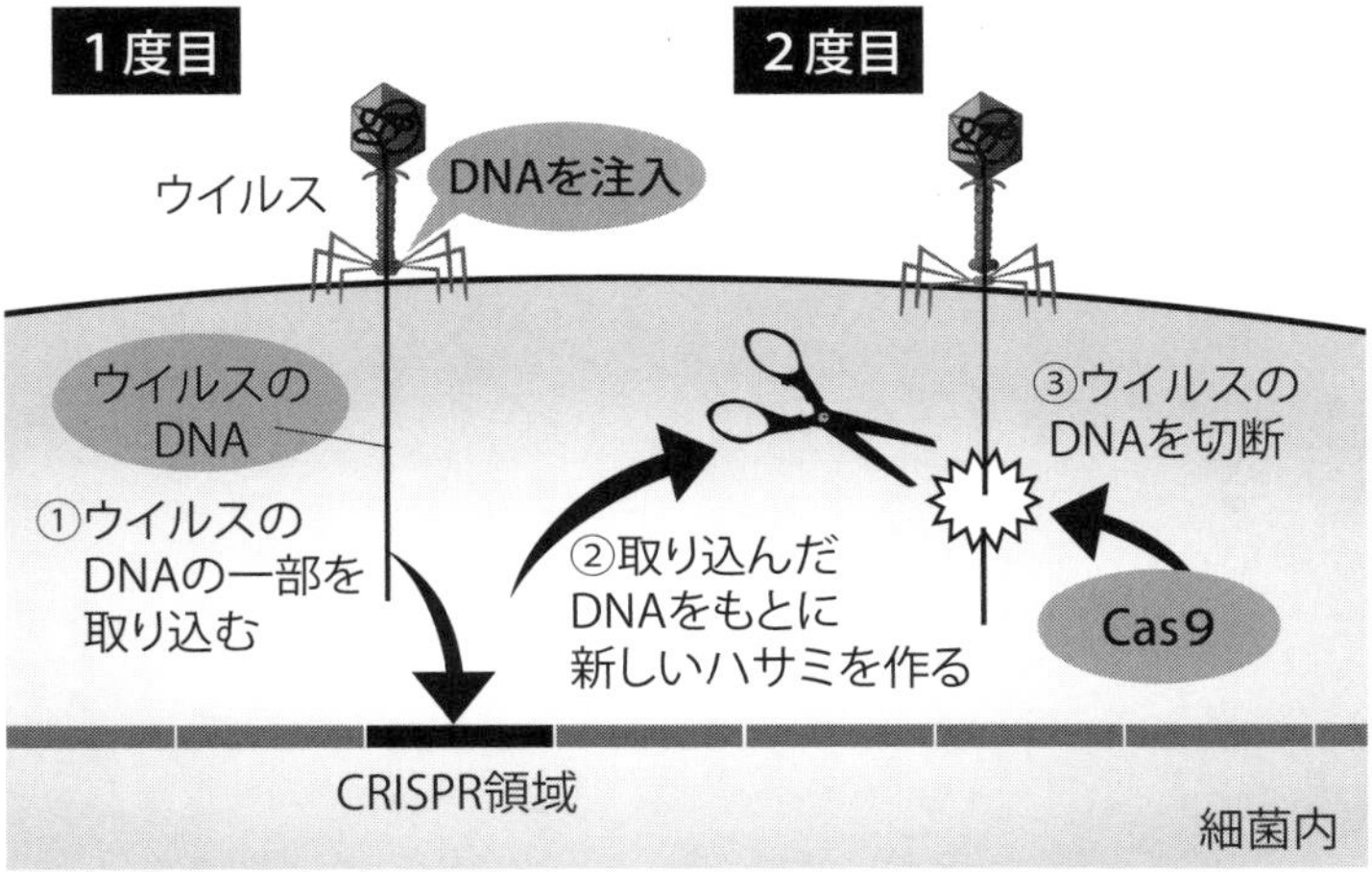

技術ですが、方法は異なります。

ゲノム編集は、一言で言えば「DNAを切断する」ということでした。そして、その後に起こる修復ミスによって有益な変化が得られることを期待するものです。

一方、遺伝子組み換えは「DNAを切断してから別の遺伝子を取り入れる」ことと言えます。ある生物（A）のDNAの中に、別の生物（B）から取り出したDNAを挿入するのです。そうすることで、Bの持つ性質をAにも持たせることができます。

遺伝子組み換えのメリットは、交配ができない生物の間でも遺伝子をやりとりできることにあります。例えば、植物の中へ動物の遺伝子を取り入れるといったことも可能となるのです。

ゲノム編集の応用でできた新しい農作物

　ゲノム編集によって、生物の性質を変えられることが分かりました。

　じつは、世界ではゲノム編集によって性質が向上した農作物がすでに流通しています。

　その先駆けは、アメリカで開発されたオレイン酸を多く含む大豆です。この大豆から得られる油には、身体によいとされるオレイン酸が豊富に含まれます。高オレイン酸大豆は、２０１９年から流通が始まっています。

　アメリカでは他にも、工業原料用として、もち性のデンプンを多く含むトウモロコシなども開発されています。

　また、日本でもゲノム編集による農産物の開発研究が進んでいます。

・ＧＡＢＡ（ギャバ）を多く含むトマト
・もともとあるソラニンやチャコニンといった天然毒素を減らしたジャガイモ
・穂につく粒の数を増やしたイネ
・身の部分を増やしたマダイやトラフグ

などです。

　ＧＡＢＡは、血圧上昇を抑える効果がある物質で、通常のトマトにも含まれています。ただし、その効果を得るにはかなりの量のトマトを摂取しなければなりません。「ＧＡＢＡを多く含むトマト」では、普通に食べる量で効果を得られるようにしているのです。

　また、イネの粒の数が増えれば収量アップになりますし、マダイやトラフグの身の部分

ゲノム編集技術を使い、GABAの量を増やしたトマト（写真提供：サナテックシード提供・時事）

が増えれば食べられる量が増えます。

世界人口が増加を続ける中、食糧問題は重要な課題となっています。ゲノム編集が、その解決に貢献してくれることが期待されます。

さらに、ゲノム編集を利用して遺伝子の異常が原因となる疾患を治療することも期待されています。

ただし、ゲノム編集には**倫理的な問題**がともなうことも知っている必要があります。

２０１８年には、中国の研究者がゲノム編集技術を人間の受精卵に使い、エイズウイルスに感染しにくい体質にした双子を誕生させました。

ゲノム編集をどこまで使ってよいのか、技術の進歩に合わせて考えていく必要がありそうです。

感染症との闘いとワクチンの進化

ワクチンの登場は18世紀

２０２０年に感染が広がった新型コロナウイルスは、世界の人々の生活を激変させました。

人類を苦しめた感染症はこれだけではありません。ペスト、インフルエンザ、コレラ、結核などによっても苦しめられた歴史があります。

このような感染症に対して、人類は無力でした。祈祷《きとう》をして鎮《しず》めようとしたこともありましたが、もちろん効果はありませんでした。

人類が初めて感染症への対抗手段を手にしたのは、１７９６年のことです。

イギリスの医師ジェンナーは、牛痘《ぎゅうとう》（牛の天然痘）にかかった人は天然痘にかかりにくいこ

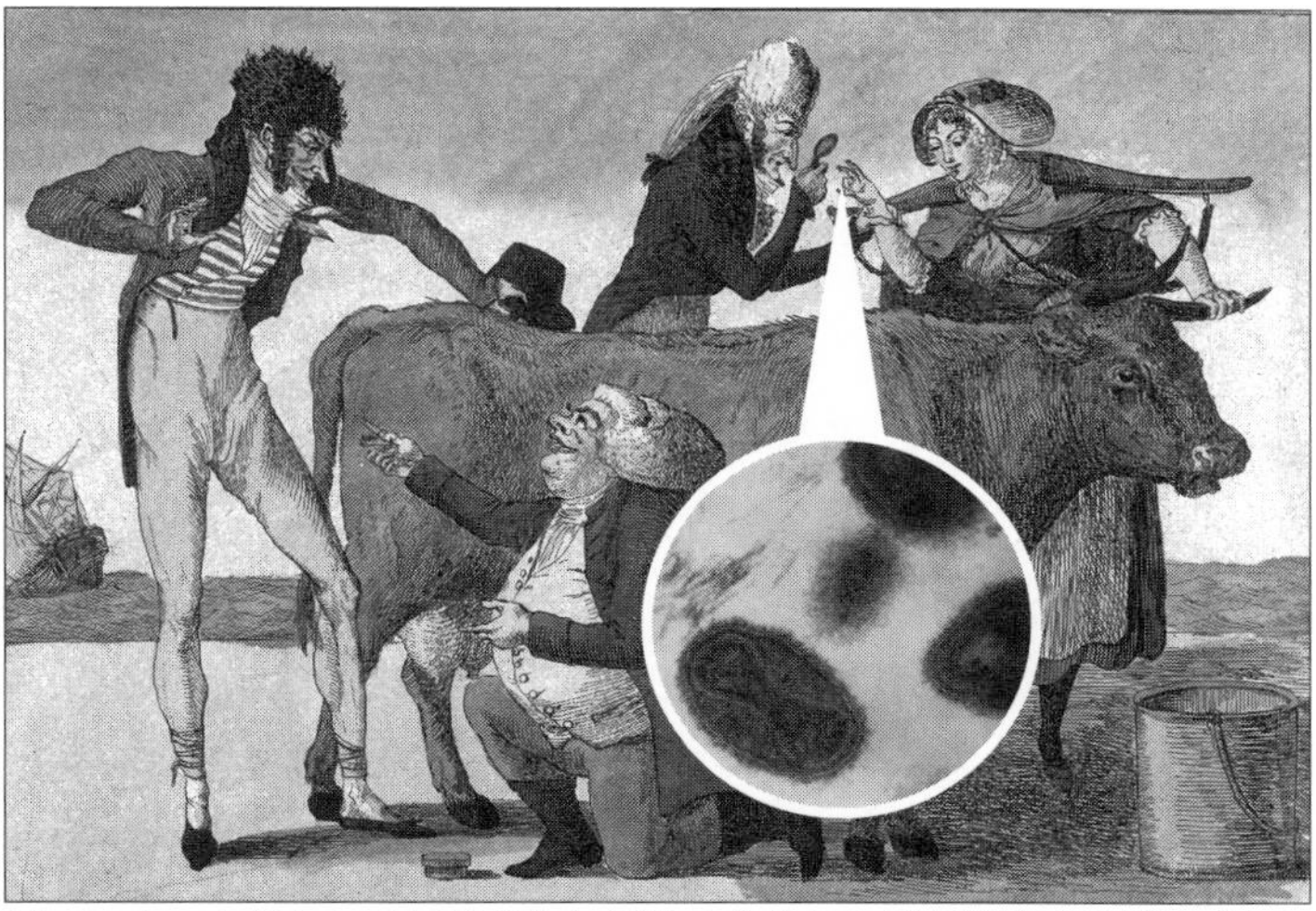

ジェンナーと思われる医師が乳しぼりの女性の牛痘を観察する様子（丸内は天然痘ウイルス）。

とを発見しました。そのことをヒントに、天然痘のワクチンを創り出したのです。

ワクチンとは、**弱毒化または無毒化した病原体**のことです。これを接種すると免疫が作られ、病原体への感染を防ぐはたらきをするというわけです。天然痘のワクチンは、牛痘の膿《うみ》から作られました。

その後、１８００年代後半には多くの感染症の病原体が発見されていきました。

例えば、細菌学の祖といわれるフランスのパスツールは、狂犬病のワクチン開発に成功しました。１８７９年のことです。

しかし、病原体そのものは発見できなかったのです。

これは、狂犬病の病原体は細菌ではなかったからです。細菌であれば顕微鏡で見つけることができますが、狂犬病の病原体は細菌よりも小さいため顕微鏡では発見できなかったのです。

ウイルスの発見

細菌とは異なる病原体とは何か、その答えを出したのがオランダのベイエリンクです。

彼は、細菌よりもずっと小さい分子でできた病原体物質の存在を突きとめました。そして、それをラテン語で「毒」を意味する**「ウイルス」**と命名したのです。

現在、**「遺伝子がタンパク質の殻《から》によって包まれたもの」**というウイルスの正体が分かっています。これは自己増殖することがないので、生物とは定義されていません。

ウイルスの正体が明らかになる中、細菌感染症の治療薬開発が進んでいきました。

感染症治療薬の開発は、人類を感染症から救いました。結核、赤痢、梅毒などの人類を長年苦しめてきた感染症を、ひとまず退治することができたのです。

しかし、それはあくまでも細菌が病原体となる感染症でした。ウイルスに対抗するための治療薬は、難航しているのです。

もちろん、ウイルスに対する治療薬が開発されていないわけではありません。幅広いウイルスに強力に効くような特効薬はいまだ開発されていませんが、個々のウイルスに効くものは発見されています。

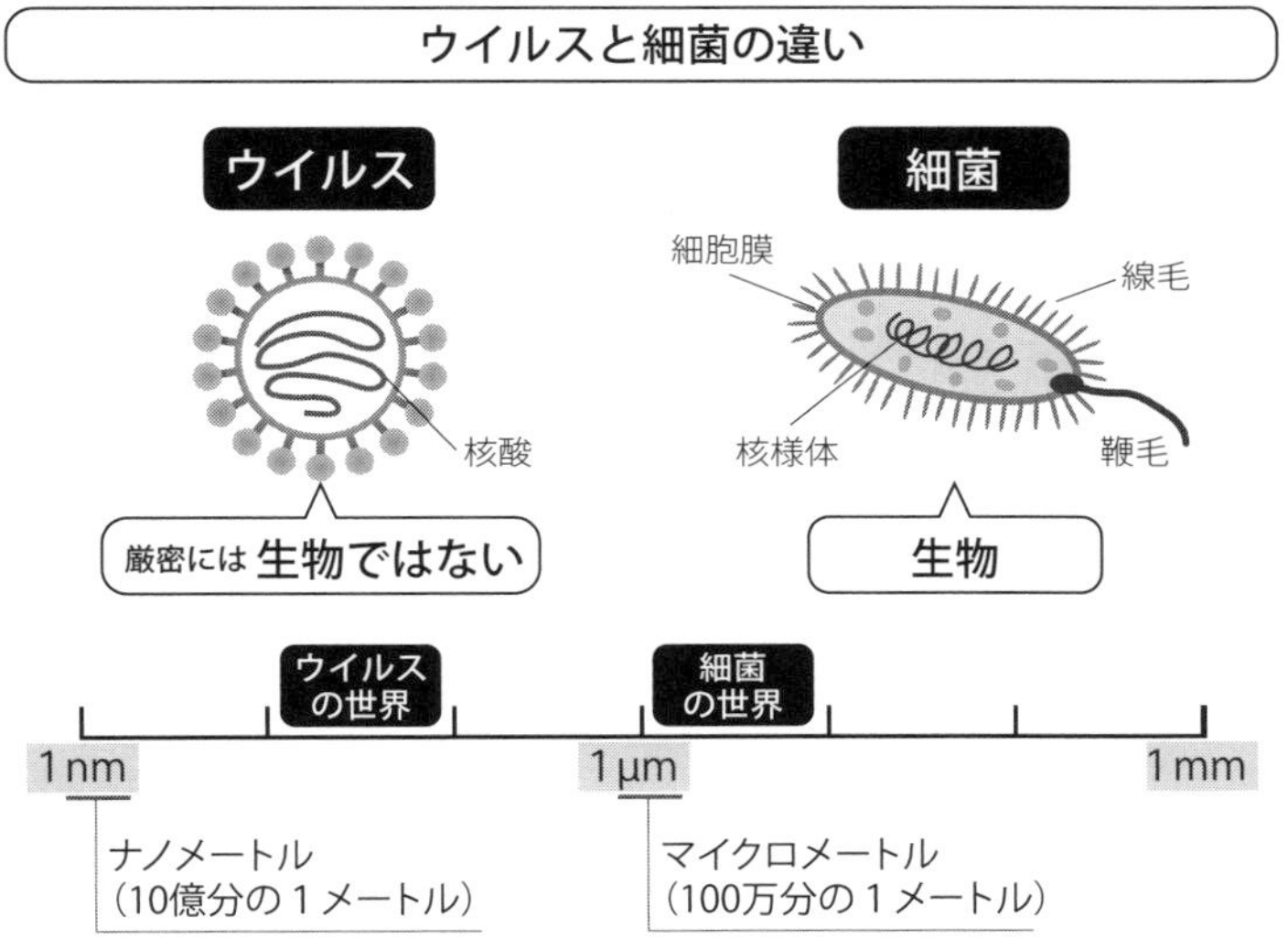

抗がん剤と同じ仕組みで作られた抗ウイルス薬

１９００年代中盤以降、イギリスのバロウズ・ウェルカム社（現グラクソ・スミスクライン）の研究チームは抗ウイルス薬の開発で大きな成果を挙げてきました。

この研究チームは、１９５０年代にがんの一種である白血病に効果が認められる初めての薬を開発しました。

その仕組みは、がん細胞がＤＮＡを複製するのを阻害するというものでした。

がん細胞は、通常の細胞よりもはるかに速く増殖します。そのとき、ＤＮＡの複製も行われます。がん治療に有効な薬は、がん細胞がＤＮＡを複製するときに合成材料と誤って取り込まれます。そして、がん細胞がＤＮＡを複製するジャマをし、増殖を止めるのです。

この仕組みが明らかになると、これをウイルスに対しても応用できるようになりました。じつは、ウイルスもがん細胞と同様に合成材料を取り込みながらＤＮＡの複製を行って増殖するのです。

１９６０年代には抗がん剤と同じ仕組みの抗ウイルス剤が開発されました。

新型コロナウイルスの大流行と新ワクチンの登場

私たちの日常を一変させた新型コロナウイルスですが、ワクチンの普及によって収束することが期待されています。

従来、ワクチンの開発には最低でも数年は必要でした。それが、新型コロナウイルスではウイルスの正体を突きとめてから1年も経たないうちにワクチンの実用化へと至りました。

これは、**mRNA（メッセンジャーRNA）ワクチン**という新しいワクチンが利用されたことによります。

ｍＲＮＡとは、ＤＮＡの中にある遺伝情報を写し取るものです。

遺伝情報はタンパク質の設計図のようなもので、これに基づいていろいろな種類のタンパク質が合成されます。

ＤＮＡにはタンパク質の設計図はあります

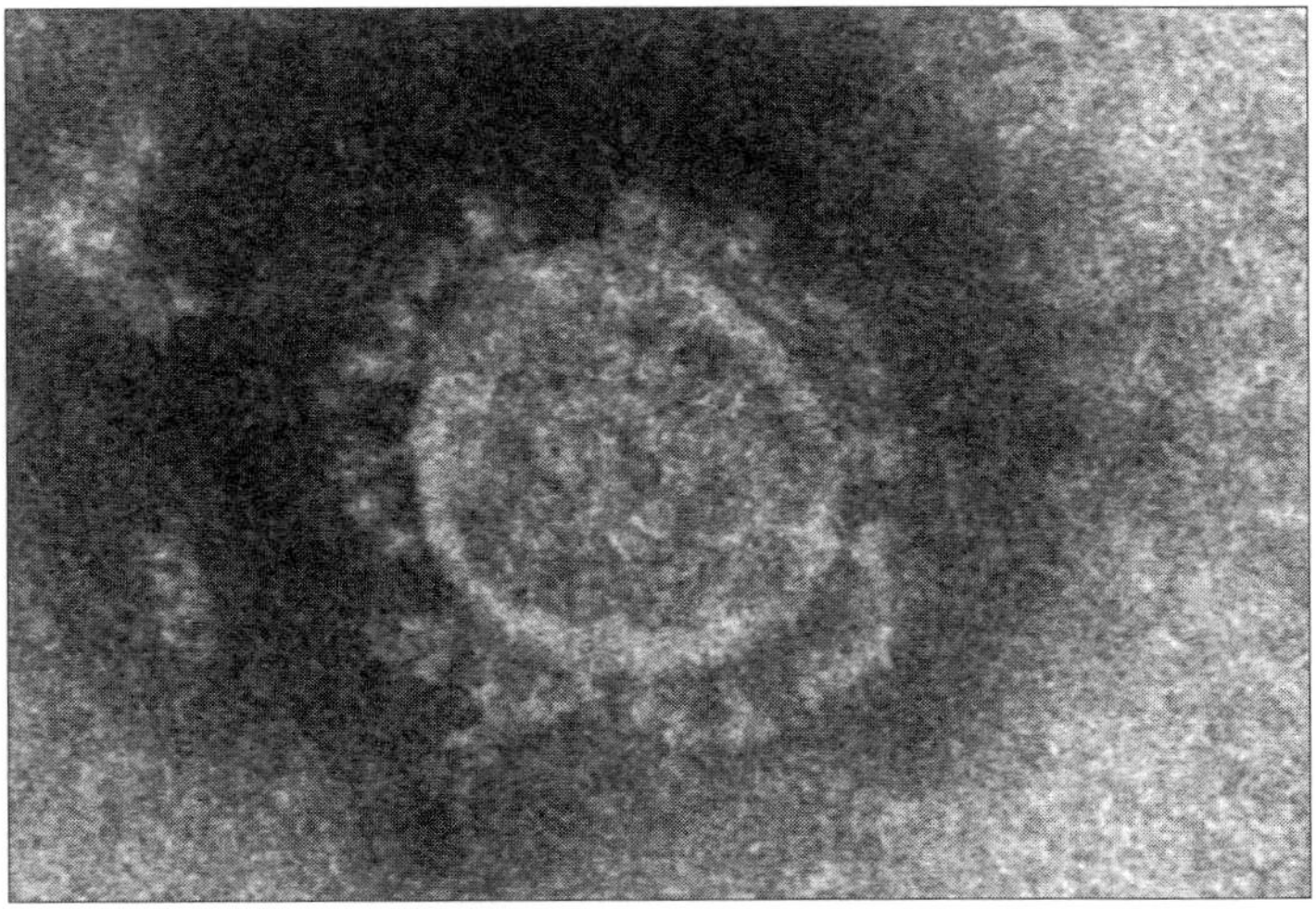
新型コロナウイルスの電子顕微鏡写真（出典：国立感染症研究所ホームページ）

が、直接タンパク質の合成を指示することはありません。タンパク質合成の指令を出すのは、ＤＮＡから遺伝情報を写し取ったｍＲＮＡなのです。

タンパク質合成に無関係な情報もたくさん含まれているＤＮＡから、**タンパク質合成に必要な情報だけを選び取る役割**をしているのがｍＲＮＡです。

さて、新型コロナウイルスの表面には、スパイクタンパク質というものがあります。目にすることが多くなった新型コロナウイルスの画像を見ると、表面に無数のトゲがついているのが分かります。これが、スパイクタンパク質です。

スパイクタンパク質は、人間の細胞の表面にある受容体と結合しています。そして、ウ

mRNAワクチン

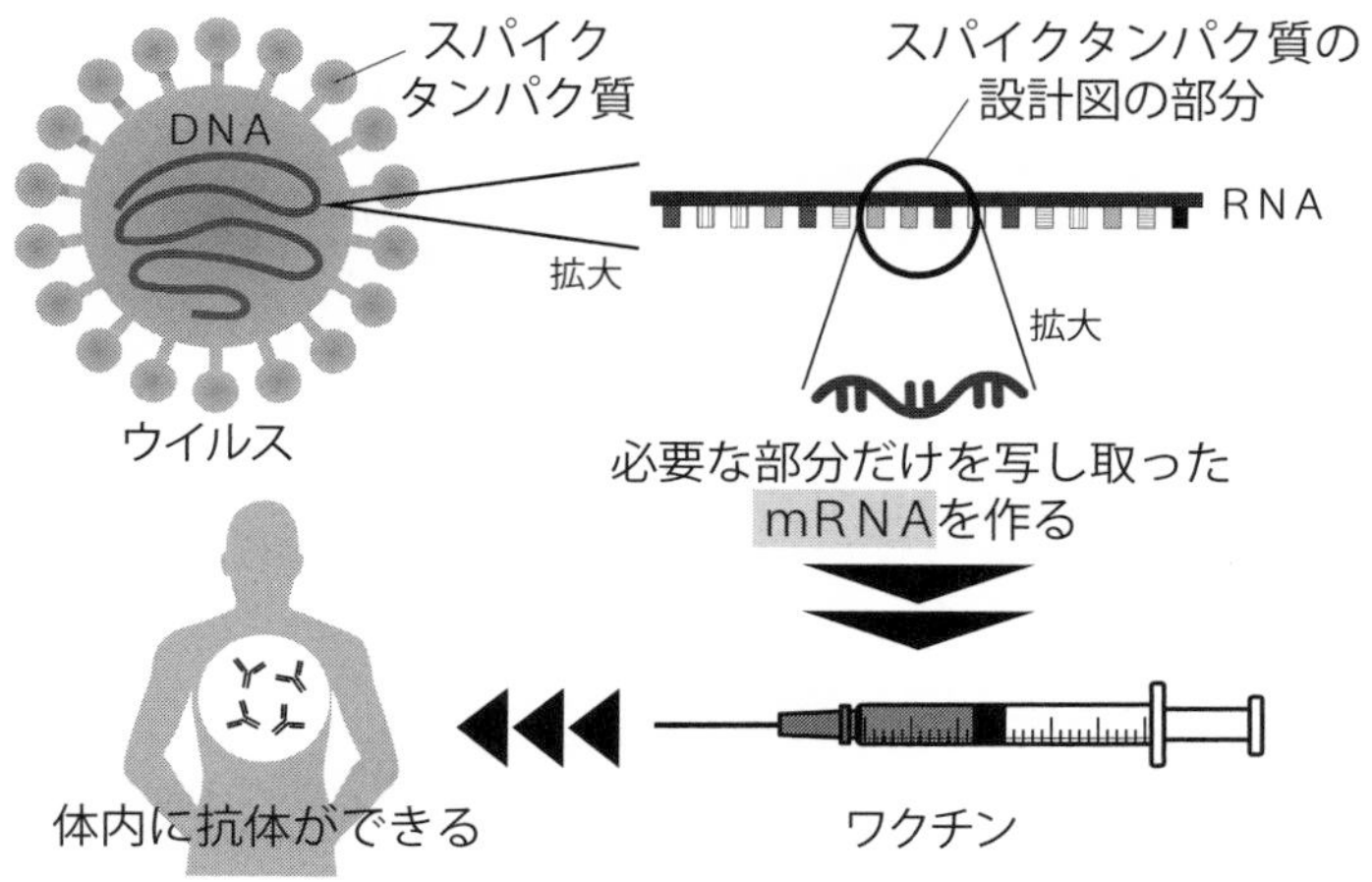

イルス本体が人間の細胞と融合することで感染が起こるのです。

スパイクタンパク質の設計図は、新型コロナウイルスのＤＮＡの中にあります。そこで、新型コロナウイルスのＤＮＡからスパイクタンパク質の形成に関わる部分だけを写し取ったｍＲＮＡを作るのです。

そして、これを特殊なコーティングで包み、体内へ注入します。そうすることで、体内でスパイクタンパク質が作られることになるのです。

人間の体内にある免疫細胞は、合成されたスパイクタンパク質を異物として認識します。そして、免疫ができるのです。この免疫が、実際に新型コロナウイルスに感染した場合に発動することになります。

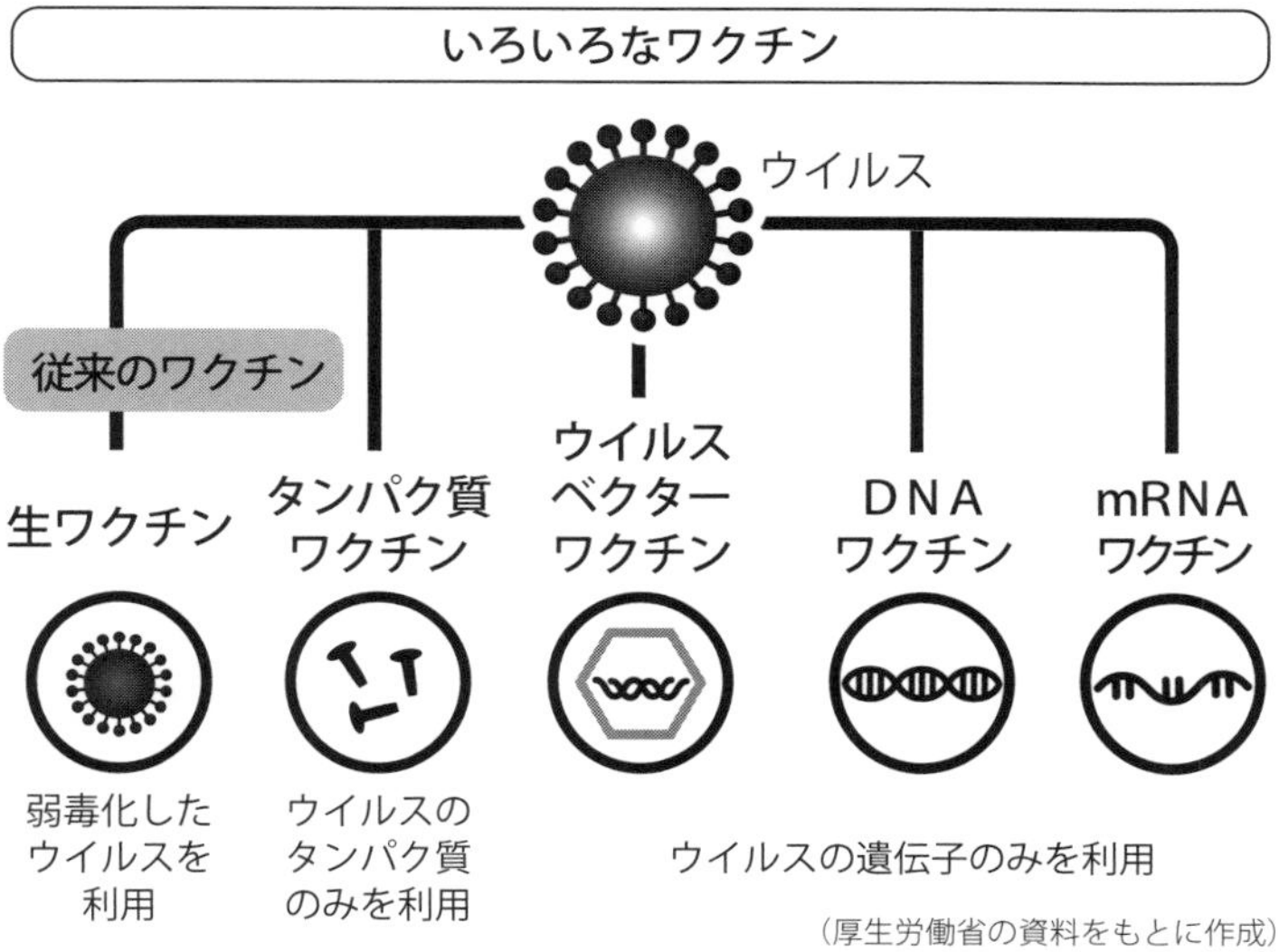

(厚生労働省の資料をもとに作成)

なお、注入されたｍＲＮＡは数日で分解されてしまいます。

ｍＲＮＡワクチンが実用化されたのは、新型コロナウイルスが初めてです。短期間で開発できるメリットに加え、安全性も期待されています。

従来のワクチンでは、無毒化または弱毒化しているとはいえ病原体そのものを体内へ入れることへの懸念がありました。

ｍＲＮＡワクチンでは、**病原体そのものを体内へ注入する必要がない**のです。このことが、ワクチンの安全性につながります。

新型コロナウイルスのワクチンは、人類の叡智《えいち》が生み出したものといえます。この成果が、世界をパンデミックから救ってくれることを願いたいところです。

免疫機能を利用した新しいがん治療

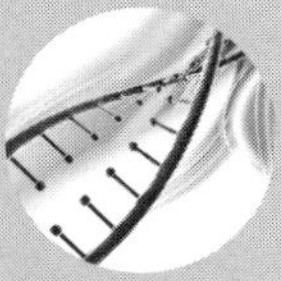

人間の身体に備わっている免疫

２０１８年、京都大学特別教授の本庶《ほんじょ》佑《たすく》さんがノーベル医学生理学賞を受賞しました。がん治療に用いられる免疫療法薬**「オプジーボ」**を開発した功績に対するものです。

オプジーボは、すでに実用化されています。どのような仕組みでがん治療に役立てられているのでしょう？

オプジーボのはたらきを説明する前に、まずは免疫について説明します。オプジーボは、免疫と大きく関係するからです。

私たちの身のまわりには、ウイルスや細菌があふれています。それでも健康な生活を送れるのは、身体に免疫が備わっているからです。

免疫を担うのは、**免疫細胞**と呼ばれる細胞

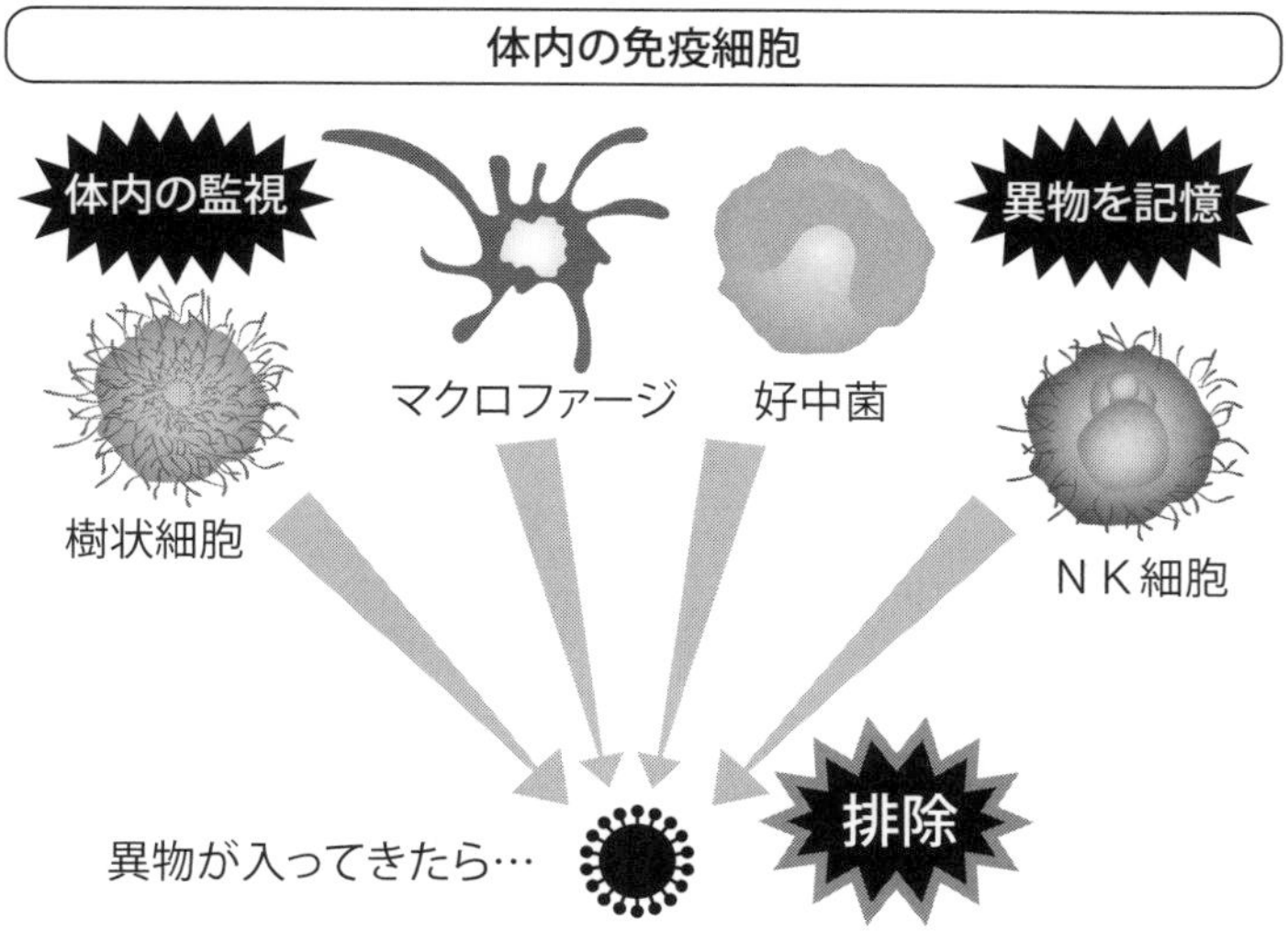

です。免疫細胞は、ウイルスや細菌などの異物が体内に侵入していないか、常に監視しています。そして、異物を見つけると攻撃するのです。

さらに、異物の情報は免疫細胞によって記憶されます。そのため、同じ異物が再度侵入してきたときには、速やかに攻撃が開始されるのです。

免疫は、このような仕組みではたらいています。

がん細胞と免疫の関係

それでは、免疫とがんにはどのような関係

がん細胞の増殖

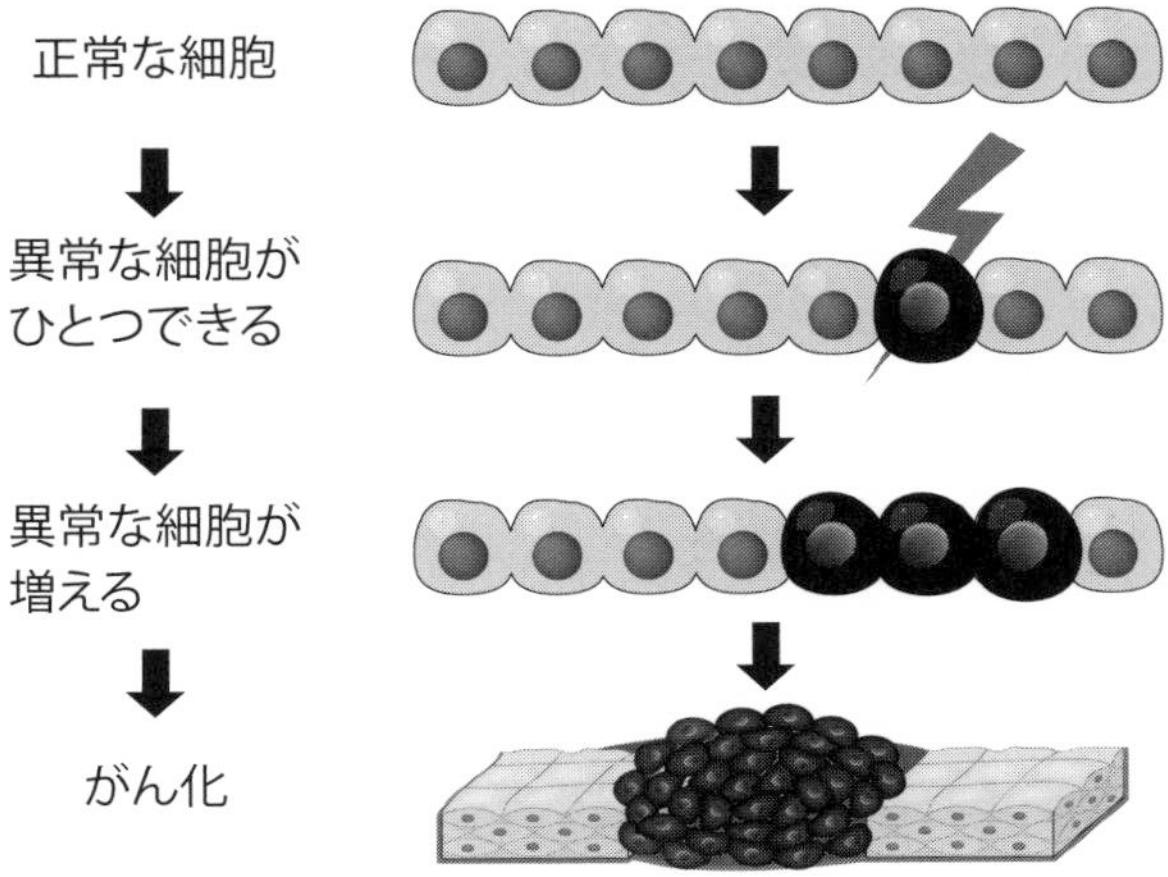

があるのでしょう?

　がん細胞のもとは、体内にある正常な細胞です。正常な細胞の遺伝子が変化して、**異常な細胞**になることがあるのです。これが「がん細胞」です。

　じつは、このこと自体は健康な人の体内でも起こっていることです。

　このように聞くと恐ろしく感じるかもしれませんが、がん細胞が発生しても、通常は免疫の力によって身体から取り除かれます。特に**T細胞**という免疫細胞が、がん細胞を見つけると活性化して攻撃を仕掛けるのです。がん細胞が発生しても取り除かれて増殖しなければ、「がん」として発見される状態にはならないのです。

　ところが、がん細胞には非常にやっかいな

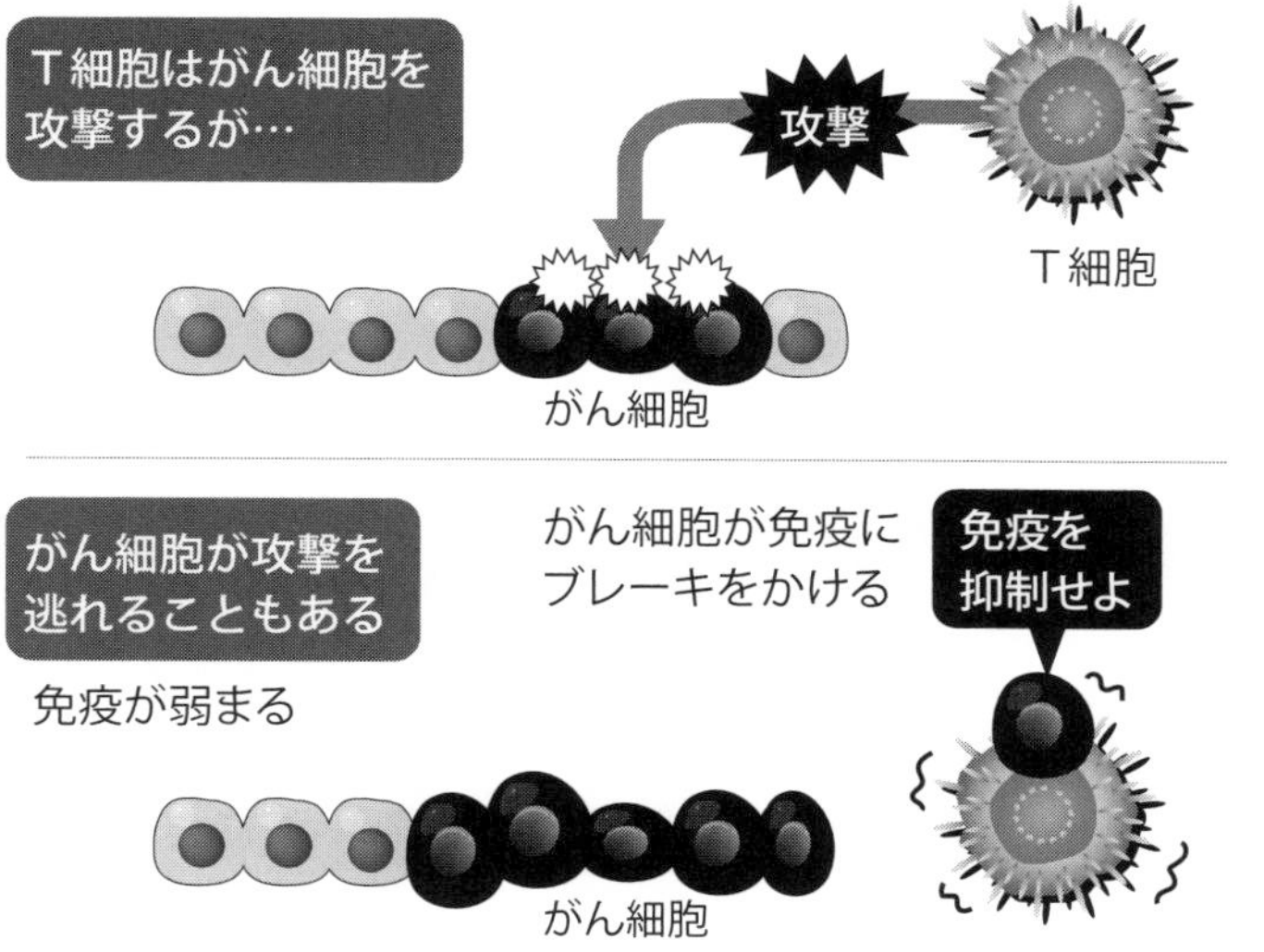
T細胞はがん細胞を攻撃するが…
攻撃
T細胞
がん細胞
がん細胞が攻撃を逃れることもある
免疫が弱まる
がん細胞が免疫にブレーキをかける
免疫を抑制せよ
がん細胞

性質があります。**免疫による攻撃から巧みに逃れる**という性質です。

がん細胞が免疫から逃れて増殖を繰り返すと、一定以上のかたまりになってしまいます。これが「がん」と呼ばれる状態です。

がん細胞の機能を封じる

がん細胞は、**免疫のはたらきにブレーキをかける**やっかいなものです。いったい、どのようにしてブレーキをかけているのでしょう？

じつは、本庶さんの研究はこの仕組みの解明から始まりました。

T細胞とがん細胞

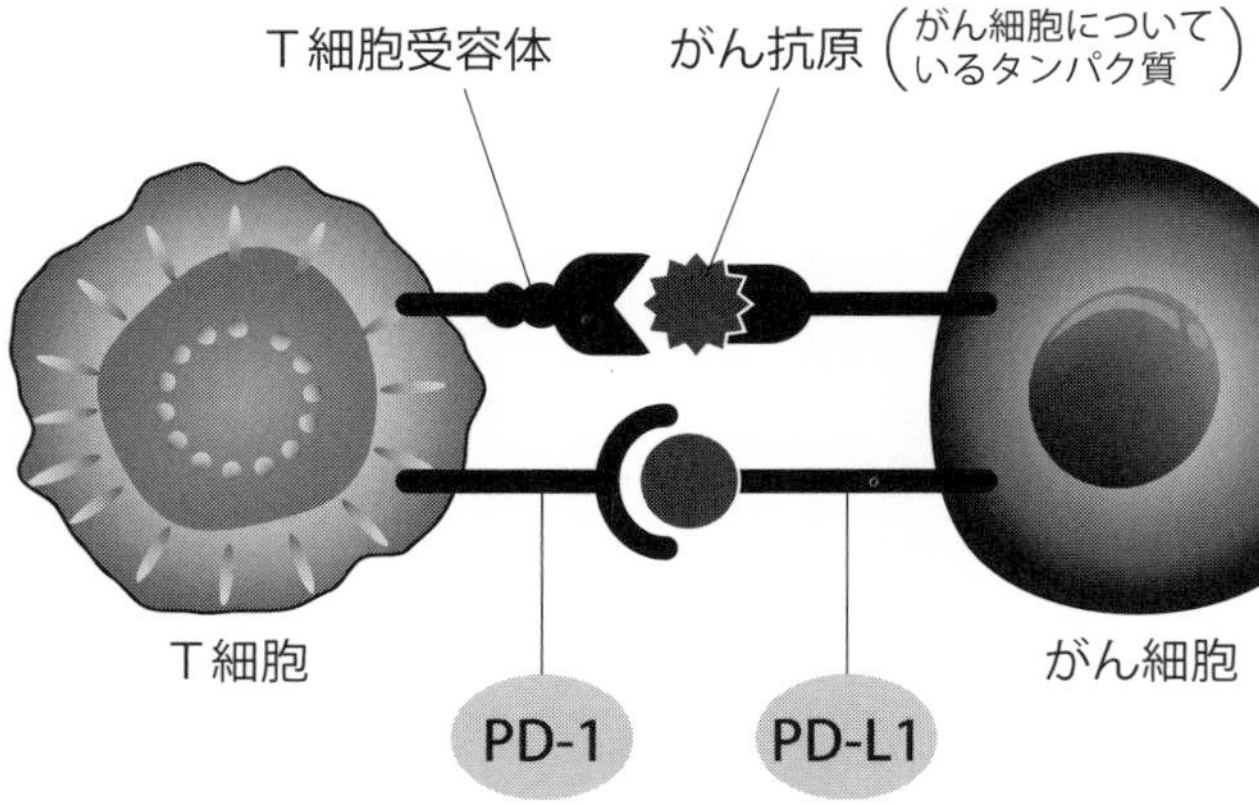

京都大学の本庶さんらの研究チームは、１９９２年に**「ＰＤ－１」**という分子を発見しました。がん細胞を攻撃するT細胞が、ＰＤ－１という分子を持っていることを見つけたのです。

そして、これががん細胞が免疫から逃れる仕組みに関わっているのだろうと目をつけ、研究を進めました。

その研究は、オプジーボを開発し販売することになった小野薬品工業という製薬会社と共同で進められました。

そして、１９９９年にはついにがん細胞が免疫から逃れる仕組みが解明されたのです。

次のような仕組みです。

T細胞には、ＰＤ－１という分子があります。

そして、がん細胞にはこれと結合することが

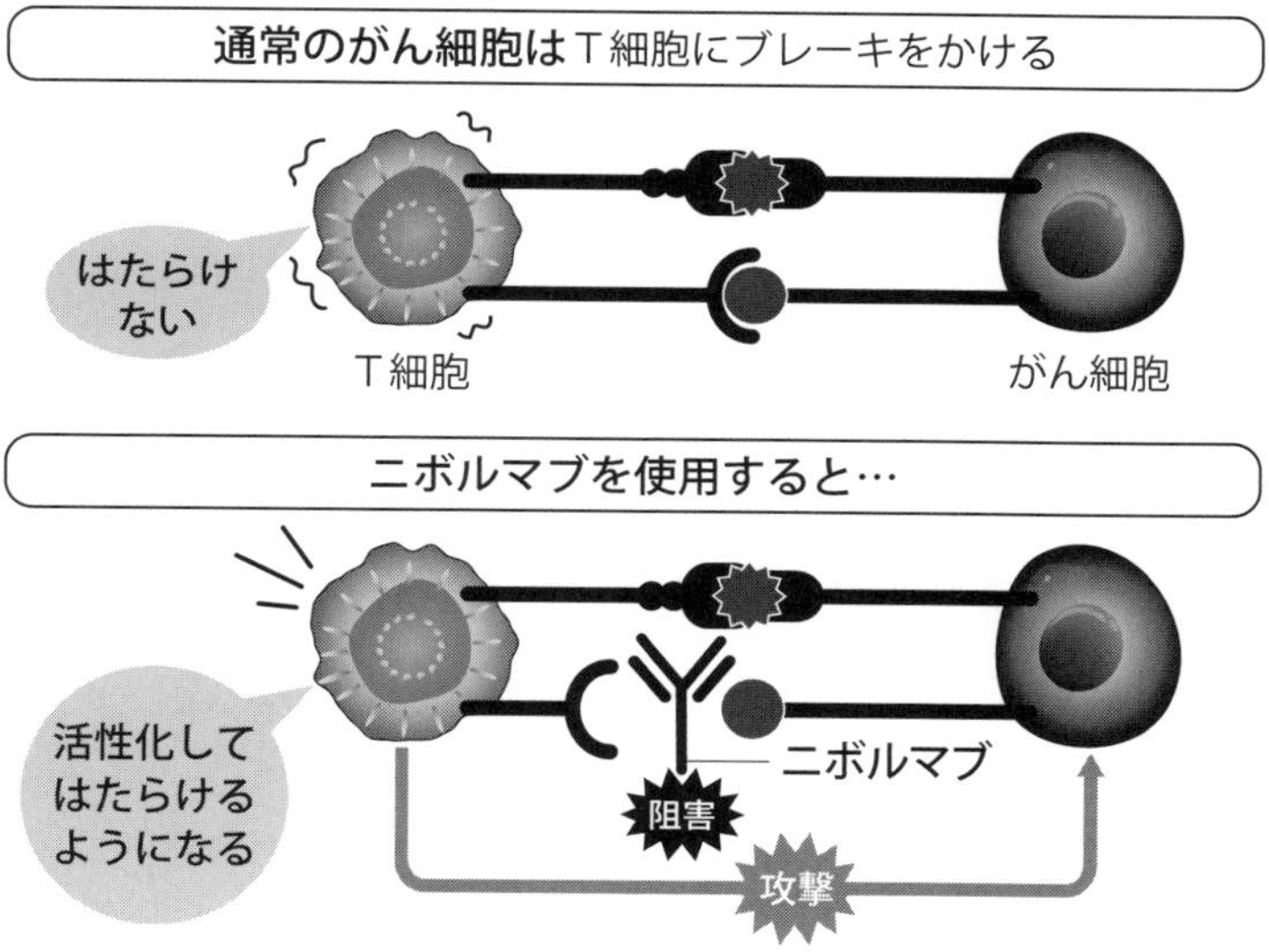

できる**「PD-L1」**という分子があるのです。

これらが結合すると、Ｔ細胞のはたらきにブレーキがかかってしまうことが分かったのです。

ＰＤ-1とＰＤ-Ｌ1の結合は、**「免疫チェックポイント」**と呼ばれています。この結合が免疫のブレーキ役となり、がん細胞の増殖につながってしまうのです。

免疫チェックポイントの阻害で増殖を防ぐ

それでは、Ｔ細胞のはたらきを再び活発にしてがん細胞を攻撃できるようにするには、どのような方法が考えられるでしょう？　この役割を果たすのが、オプジーボなのです。

じつは、オプジーボというのは商品名であり、物質名は**「ニボルマブ」**です。

この物質は**T細胞のPD-1にピンポイントで結合**できます。

ニボルマブは、PD-1とPD-L1の結合が起こらないよう、T細胞側にかぶせられるフタだと理解することができます。そのおかげでPD-1とPD-L1の結合（免疫チェックポイント）が阻害されるというわけです。

実績を積んで実現化へ

本庶さんらがPD-1を発見したのは1992年でしたが、その成果を活かした免疫療法薬であるオプジーボが発売に至ったのは、2014年のことでした。たいへん長い年月がかかっています。その間、本庶さんらのチームと小野薬品工業との共同研究は、苦難の連続だったそうです。

がん細胞が免疫から逃れる仕組みが解明されて、オプジーボが開発されたのは2005年のことでした。しかし、販売するには患者を対象とした臨床試験が必要です。

当時、小野薬品工業はがん専門の病院などへオプジーボを持ち込み、臨床試験の依頼をしました。しかし、興味さえ持ってもらえないという状況だったそうです。

免疫チェックポイントの阻害という仕組みでがん治療ができるなど、当時は信じてもら

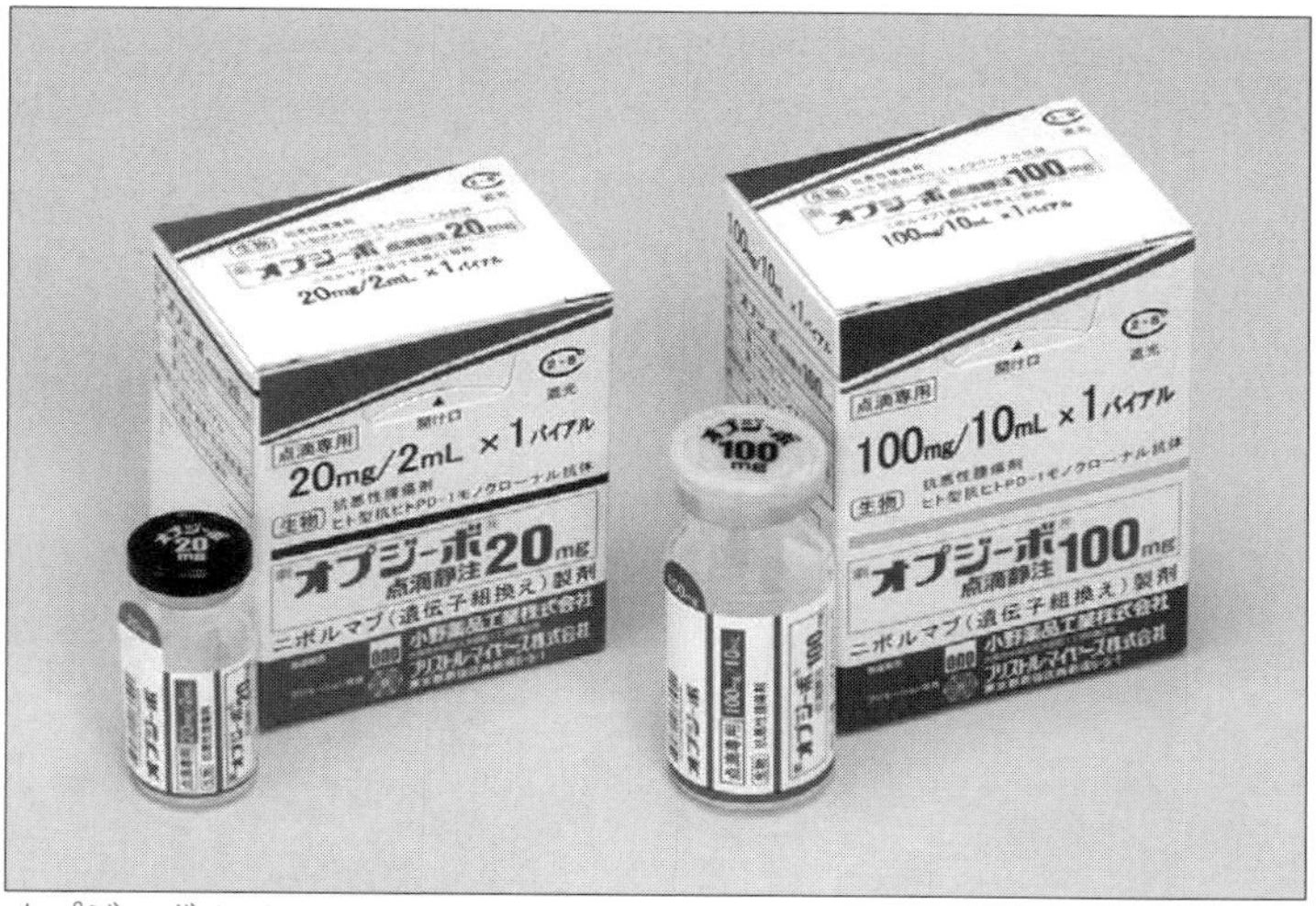

オプジーボ（写真提供：共同通信社）

えなかったのです。

それでも熱心に説明を繰り返し、優先度は最下位という状態ではありながら何とか臨床試験に至りました。すると、初期段階から劇的な効果を示す症例が出始めました。それで、医師たちの見る目が変わったのです。

このような経緯を経て、２０１４年の販売開始に至りました。

最初は悪性黒色腫だけが対象でしたが、現在では肺がん、腎細胞がん、頭頸部がん、胃がん、悪性胸膜中皮腫、ホジキンリンパ腫などに広がっています。

がん治療には手術、放射線治療、抗がん剤などがあります。免疫療法薬が、治療法の新たな選択肢としてこれから多くのがん患者を救ってくれることが期待されています。

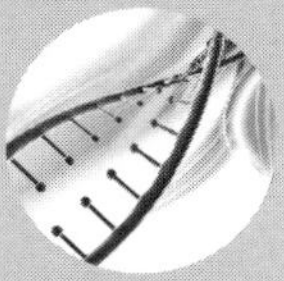

iPS細胞を活用した再生医療

生物を構成する無数の細胞

生物の身体は、たくさんの細胞が集まってできていることがわかっています。人間の場合、大人1人にある細胞はおよそ37兆個にもなります。

細胞の大きさは、身体の場所によって違いますが、およそ0・01〜0・02ミリメートルです。肉眼では見えませんが、顕微鏡を使えば観察できます。理科の授業で細胞の観察をしたという記憶がある方も多いのではないでしょうか。

人間以外のどんな生き物も、細胞からできています。細菌の細胞は0・0002〜0・0005ミリメートルととても小さいのですが、鳥類の卵も1個の細胞だということを考

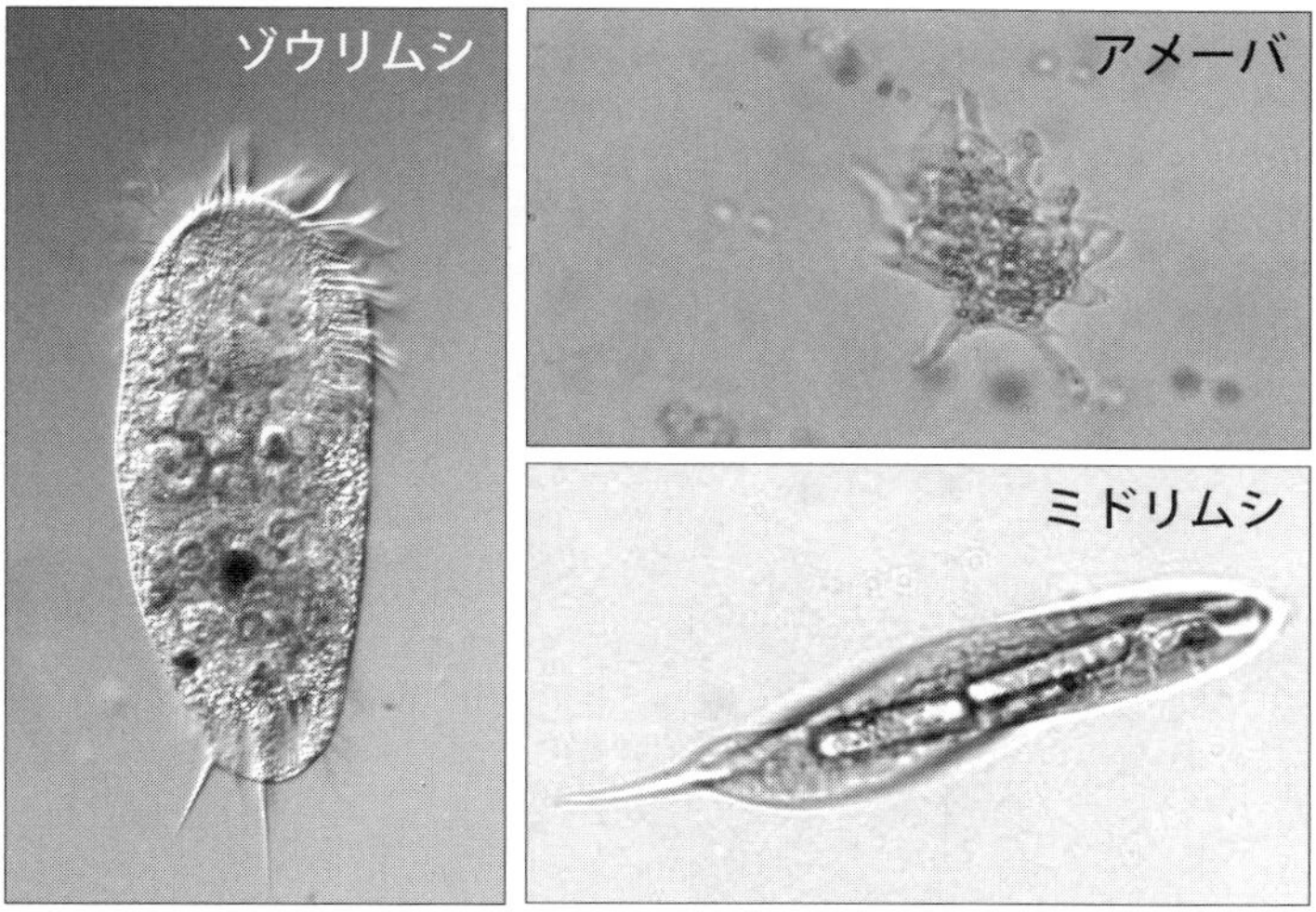

単細胞の生物の例

えると、とても大きな細胞もあることが分かります。

また、クジラの細胞の大きさは人間の細胞と同程度ですから、人間よりずっと多くの細胞が集まっていると分かります。

さて、生物の中には1つだけの細胞できているものもあります。上の図のようなものです。

これらは**単細胞生物**と呼ばれています。

じつは、今から10億年ほど前までは、地球には単細胞生物しか存在しなかったと考えられています。

地球に最初の生命が誕生したのは38億年ほど前のことですが、それから28億年ほどの間は単細胞生物だけが暮らす世界だったということです。

役割分担する細胞たち

単細胞生物はどうして**多細胞生物**へと進化したのでしょう?

それは、多くの細胞を持つことにメリットがあるからです。

多細胞生物に進化したことで生まれた最大のメリットは、**「役割分担」ができる**ことです。

植物なら、生きていくために呼吸、栄養の生成(光合成)、栄養の吸収、水分の吸収、水分の放出(蒸散)などをしなければなりません。

動物の場合は、食べる、食べたものを消化・排出する、運動する、呼吸する、といったことが必要です。

単細胞生物の場合、これらの仕事をすべて1つの細胞が担っているのです。

これはとても大変なことですし、実際には限界がありますから能力が限られているわけです。

多細胞生物の場合も、最初から細胞の役割分担が決まっているわけではありません。人間の場合、最初は1つの受精卵からスタートします。それが、細胞分裂を繰り返しながら成長していきます。

その過程で、似た細胞が集まって筋組織や上皮組織などを作り、それらが組み合わさって心臓、肺、胃、小腸、大腸、目、耳、鼻……といったものを形成するわけです。

このように、成長にともなって細胞の役割分担が決まっていくことを**「分化」**といいます。

細胞の分化と身体のなりたち

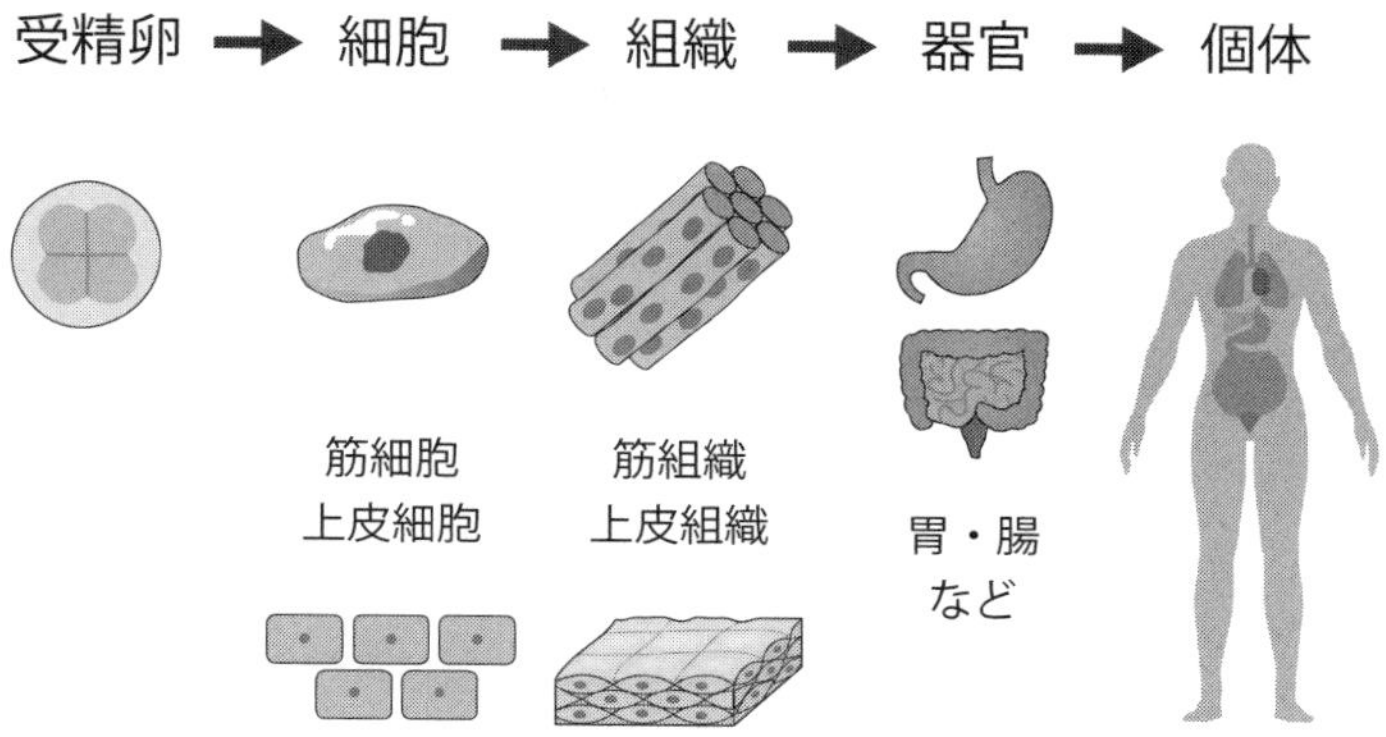

役割分担をリセットする技術

一度役割分担が決まった細胞が、その役割を変更することは困難です。それなのに、**役割分担が決まっていない状態に戻すこと**（「初期化」といいます）ができたらすごいことです。

じつは、そんなすごい技術を開発したのが、２０１２年にノーベル医学生理学賞を受賞した山中伸弥さんなのです。

初期化された細胞は、「**ｉＰＳ細胞**（人工多能性幹細胞・induced Pluripotent Stem cells）」と呼ばれます。

山中さんらの研究チームは、皮膚などの身体の一部になってしまった細胞に、ある４つ

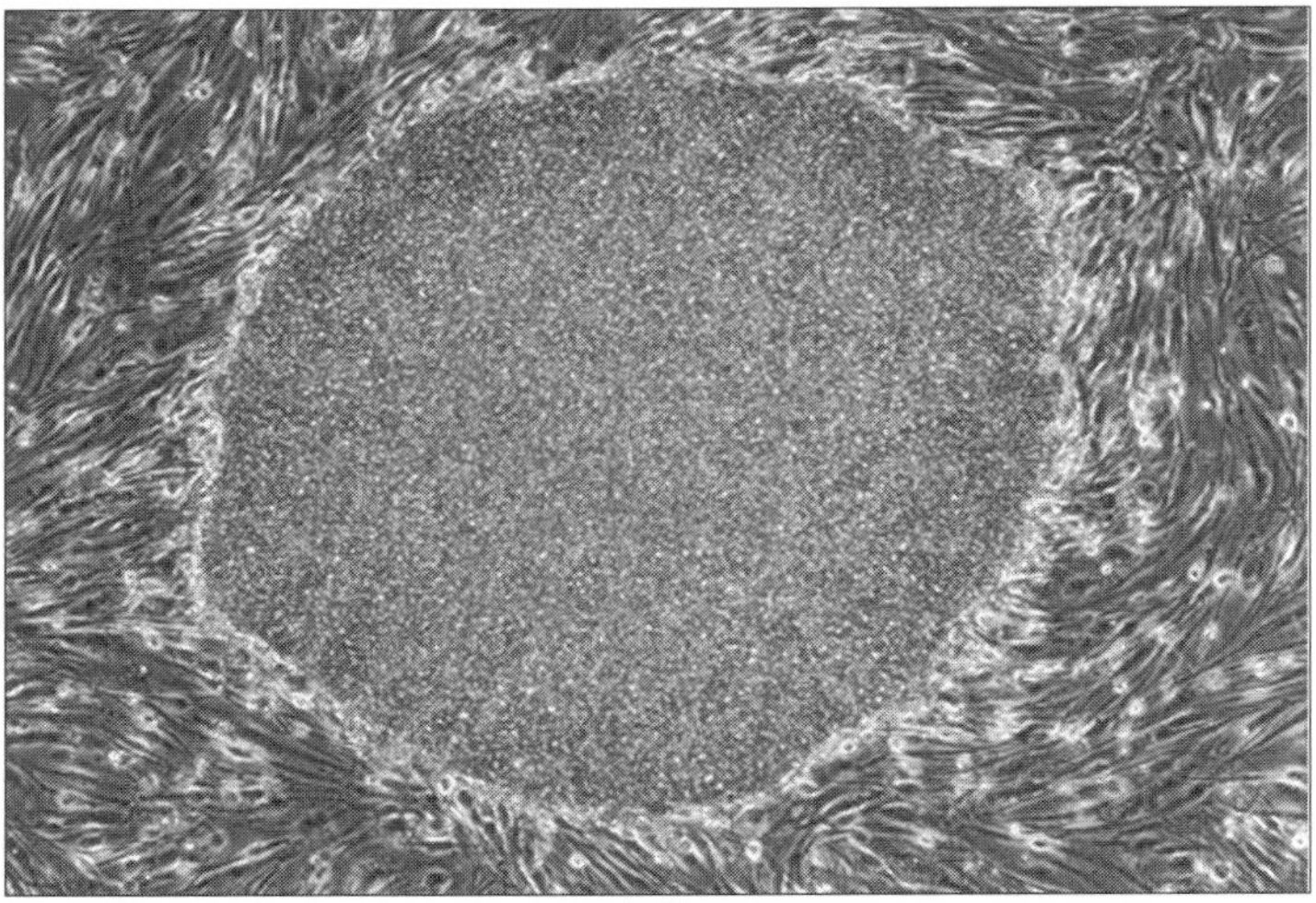

ヒトiPS細胞（写真提供：山中伸弥京大教授提供・時事）

の遺伝子を組み込んで育てることで初期化が可能になることを発見しました。初期化することで、もとの器官とは違うものに成長できるようになるのです。

このようにして、２００６年に世界で初めてｉＰＳ細胞の作製に成功しました。

ｉＰＳ細胞は、医療において大いに役立つと期待されています。ｉＰＳ細胞の大きな使い道は、「再生医療」と「薬の開発」です。

ｉＰＳ細胞を活用した臓器移植

まずは、再生医療におけるｉＰＳ細胞の活用を紹介します。

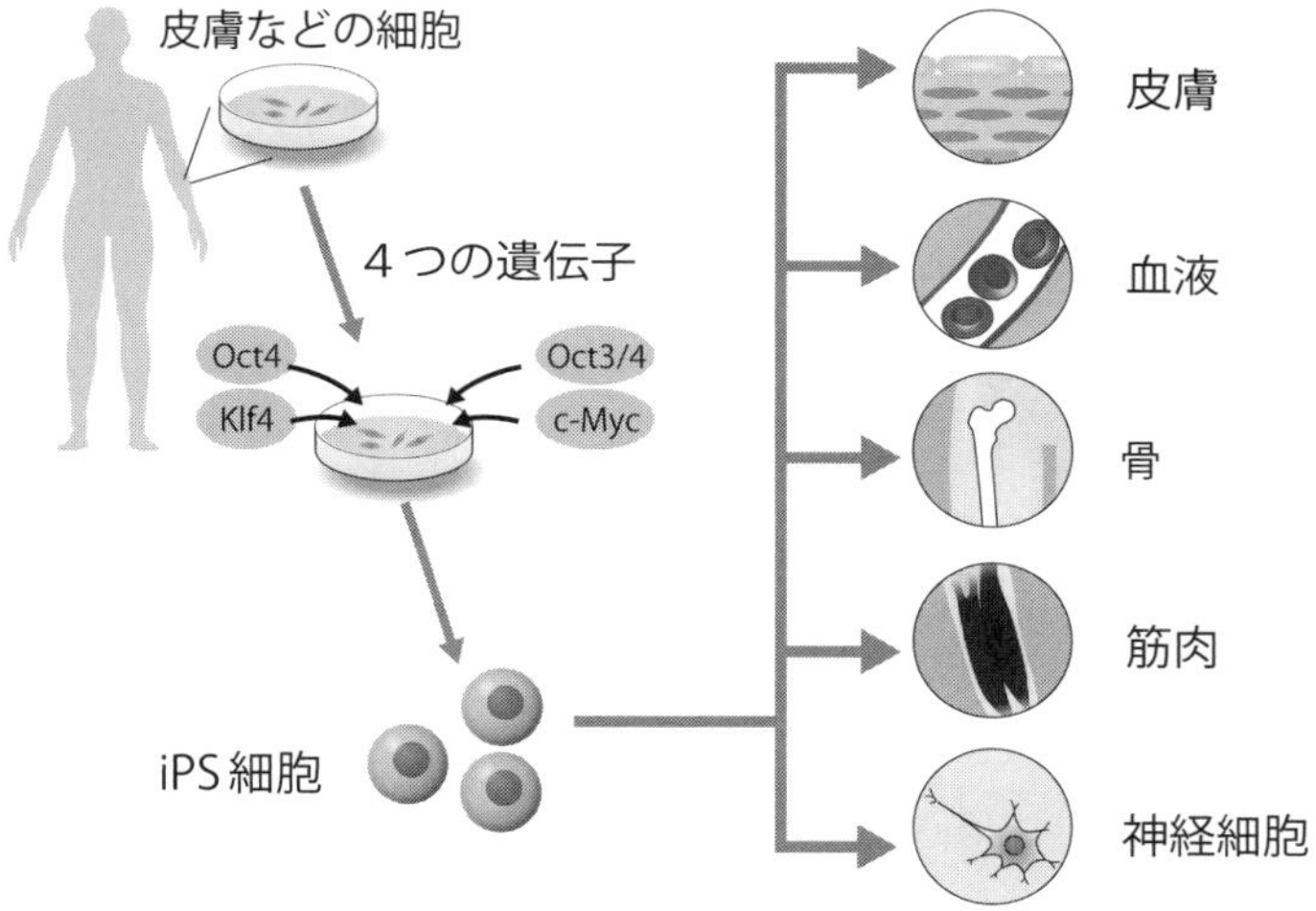

細胞から iPS 細胞が作られ、そこから体の各部位が作られる。

失われた臓器や身体の機能を修復させることを、**「再生医療」**といいます。

ｉＰＳ細胞は、心臓・皮膚・唇・神経・血液などのような細胞になることもできます。ｉＰＳ細胞から損傷した臓器を作ることで、再生医療が可能となるのです。

２０１４年に、日本の理化学研究所のチームが世界で初めてｉＰＳ細胞を使った再生医療を行いました。目の難病である加齢黄斑変《かれいおうはんへん》性《せい》の患者に、ｉＰＳ細胞から作った目の組織を移植したのです。

このときには、患者自身の細胞を初期化して（ｉＰＳ細胞にして）、それをもとに目の組織を作りました。つまり、自分自身の細胞がもとになっているということです。

このような方法は**「自家《じか》移植」**と呼ばれます。

自分自身の細胞をもとにすることで、拒絶反応を起こしにくくできるというメリットがあります。

ただし、これはオーダーメイドの治療法となるため、多大な時間と費用がかかってしまいます。そこで、あらかじめｉＰＳ細胞から組織や臓器の細胞を作っておき、病気や怪我をした人に移植するという方法の研究も進んでいます。こちらは他者の細胞がもとになるので**「他家《たか》移植」**と呼ばれます。

例えば、事故などで損傷した脊髄《せきずい》の神経細胞を修復するため、その細胞をｉＰＳ細胞から作る研究が行われています。

また、輸血用の血液の不足を補うため、ｉＰＳ細胞から血液成分を作る研究も行われています。

こういった他家移植の研究がいくつも進行しています。

他家移植においては、拒絶反応（免疫反応）が起こらないようにする工夫が必要となります。

人間の細胞には、免疫の特徴によっていくつかのタイプがあることが分かっています。タイプ別にｉＰＳ細胞をストックしておき、そこから移植用の細胞を作ることで、拒絶反応を起こさないようにしようと考えられているのです。

薬の開発に必要な人間の臓器を作る

次に薬の開発におけるｉＰＳ細胞の活用を

自家移植と他家移植

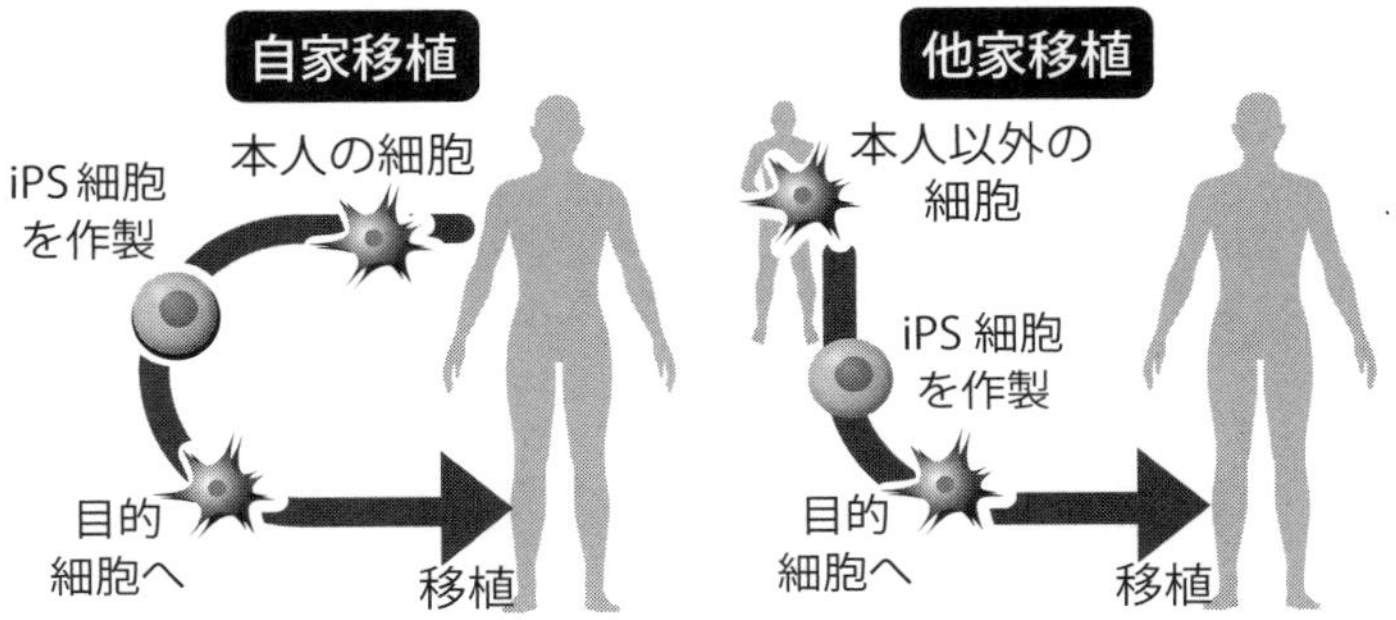

- ★ 拒絶反応がない
- ● つくるのに時間がかかる
- ● 高コスト
- ● 品質が不安定

- ● 拒絶反応の可能性あり
- ★ 短期でできる
- ★ 低コスト
- ★ 品質が安定

紹介します。

薬の開発への活用法には、**「薬の安全性と有効性の確認」**と**「難病の治療薬の発見」**の２つがあります。

薬を世の中へ普及させる前には、当然のことながらその安全性と有効性を確かめる必要があります。そのために、動物や人間の組織を準備し、実際に薬を作用させてどのような反応が起こるか確かめています。

ただし、特に人間の組織を使った実験は容易に行うことはできません。人間の心臓や肝臓といった臓器を簡単には準備できないからです。

そこで、ｉＰＳ細胞の登場です。ｉＰＳ細胞を使えば、**人間のいろいろな臓器を作ることができる**のです。そうして準備した臓器に

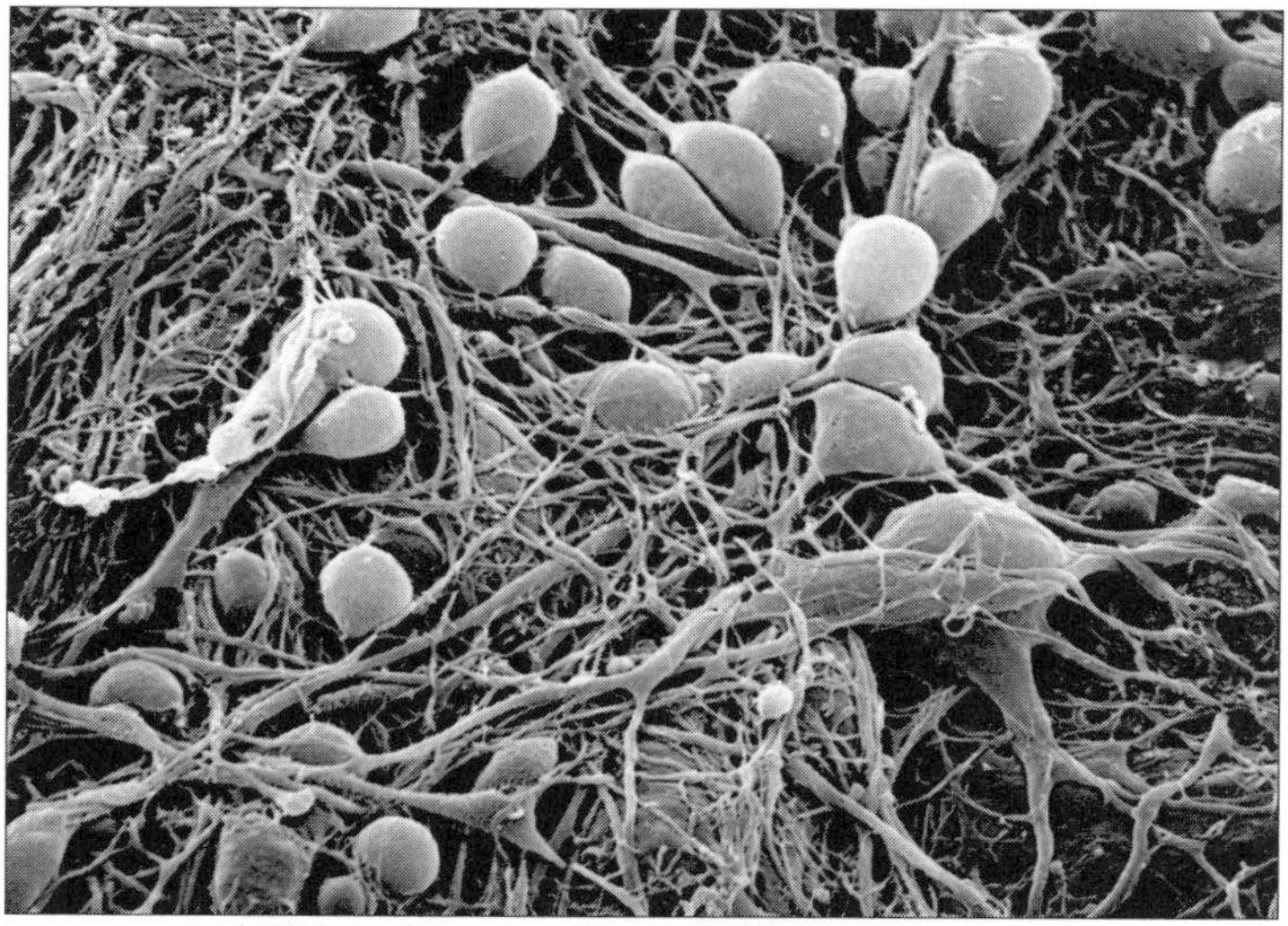

iPS 細胞から成長した人間の神経細胞（写真提供：dpa/ 時事通信フォト）

薬を作用させて、安全性と有効性を調べることができます。

「筋《きん》萎《い》縮《しゅく》性《せい》側《そく》索《さく》硬《こう》化《か》症《しょう》（ＡＬＳ）」「パーキンソン病」「アルツハイマー病」といった難病は、神経細胞が弱ったり死んでしまったりして正しく機能しなくなって起こると考えられています。

そこで、こういった難病になった患者の細胞からｉＰＳ細胞を作り、それをもとに神経細胞を作ります。そのとき、患者と同じような性質を持つ異常な神経細胞が作られることがあるのです。

このようにして作った異常な神経細胞に新薬の候補を作用させて実験し、反応を確かめます。こうすることで、新薬の候補を絞り込みやすくなるのです。

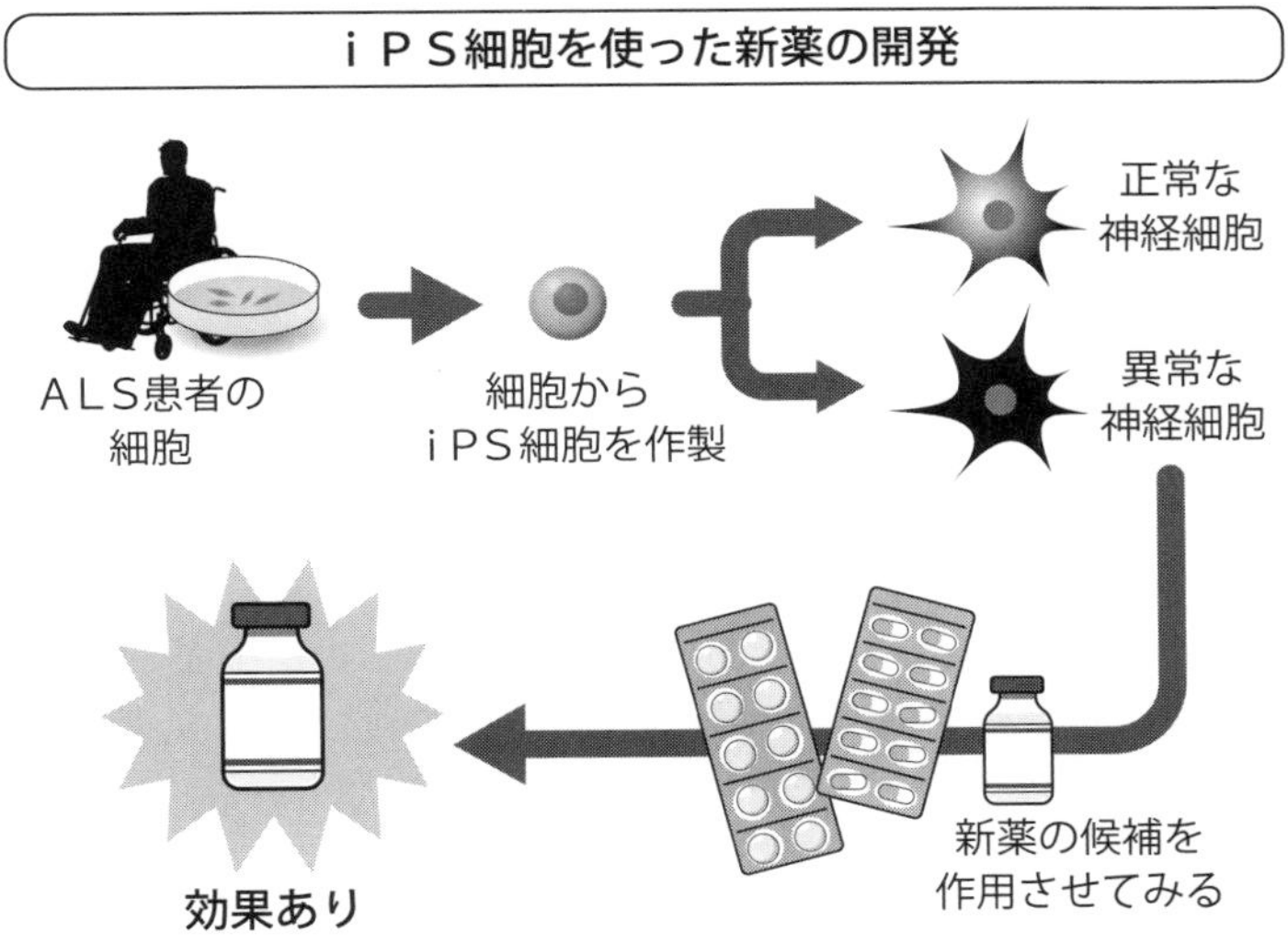

ここまでの話を理解していただけると、ｉＰＳ細胞が**医療の進化に光を当ててくれる**ものだということが分かると思います。ｉＰＳ細胞の作りかたが発見されたことにいかに価値があるか理解できます。

そして、今後はその活用に期待がかかっています。ｉＰＳ細胞をもとにした医療が、多くの病気を解決してくれることを願わずにはいられませんね。

実用化はどのくらい進んでいる？

さて、ｉＰＳ細胞の活用はどのくらい進んでいるのでしょう。

２０２１年5月、慶応大学らの研究チームはＡＬＳの人にパーキンソン病の薬を使うことで、病気の進行を遅らせる可能性があるとする治験の結果を発表しました。

この研究は、ＡＬＳ患者のｉＰＳ細胞をもとに作った神経の細胞を使って行われました。作った神経の細胞で病気の状態を再現し、約１２３０種類もの薬の効果を試したのです。その中で、パーキンソン病の既存薬に効果があることが発見されました。

もちろん、これほど多くの薬を実際の患者に試すことはできません。ｉＰＳ細胞を使うことで、効率よく薬の効果を調べることが可能になるのです。

今回の研究では、すでに販売されている薬から効果のあるものを探しました。安全性が確かめられている既存薬であれば、動物実験に何年も費やす必要もありません。実用化を早めることが期待できるのです。

この研究では、最終的には実際の患者が治験に参加し、効果が確かめられています。今後もｉＰＳ創薬が発展することが期待されています。

4章

元素と素粒子の研究

日本で生まれた新しい元素「ニホニウム」

元素とは何？

2016年11月、新しい元素として「ニホニウム」が国際的に発表されました。

ニホニウムを発見・命名したのは日本の理化学研究所の研究チームです。新元素の発見は、日本はおろかアジアでも初めてのことでした。

まずは、そもそも「元素」とは何なのかということから説明します。これが分かると、新元素の発見がどれほどすごいことかも理解できると思います。

この世にあるすべてのものは、**「原子」**という目に見えない小さな粒が集まってできています。地球も、地上の空気も、私たちの身体もすべて原子の集合です。

原子とは…

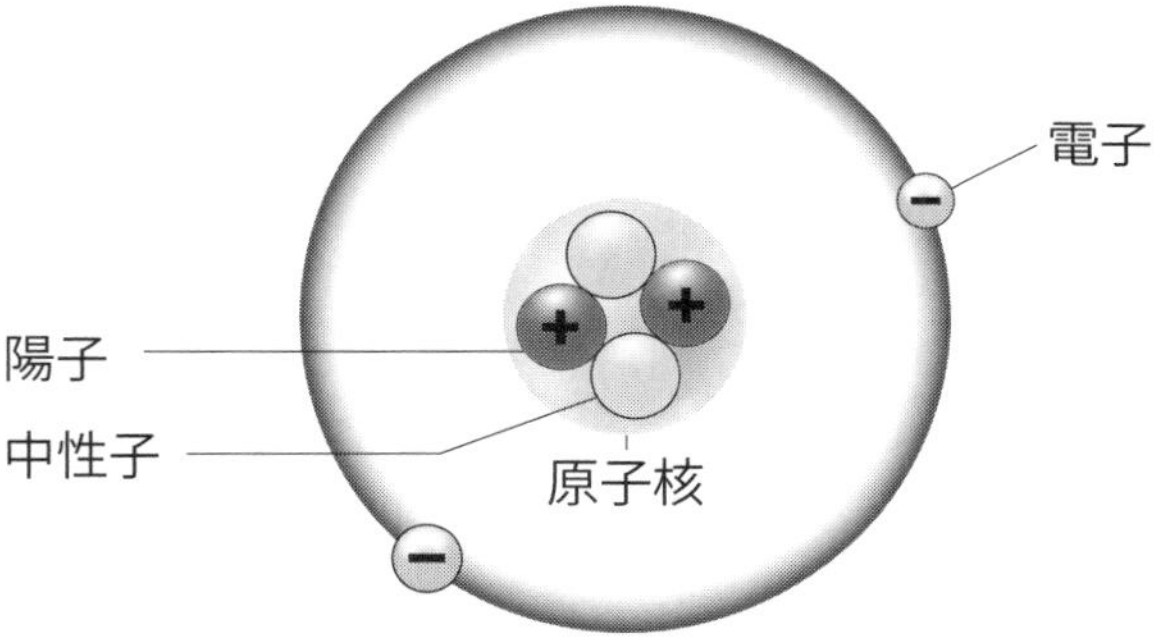

元素 ＝ 原子の種類　原子番号（原子中の陽子の数）で区別される

原子が集まっていろいろなものができるのは、原子には種類があるからです。

じつは、原子には中身があり、図のようになっています。

原子の中心には、プラスの電気を持つ陽子と、電気を持たない中性子が集まっています。この部分を**原子核**といいます。そして、マイナスの電気を持つ**電子**が周囲を回っています。

原子に含まれる陽子・中性子・電子の数は、原子によって異なります。

そこで、「陽子の数」に着目してこれを「原子番号」と名づけます。陽子が1個しか含まれない原子の原子番号は1、陽子が2個あれば原子番号は2……という具合です。

この「原子番号」が、原子の種類を表す数字となります。そして、この原子の種類のこと

元素周期表（166ページに拡大版あり）

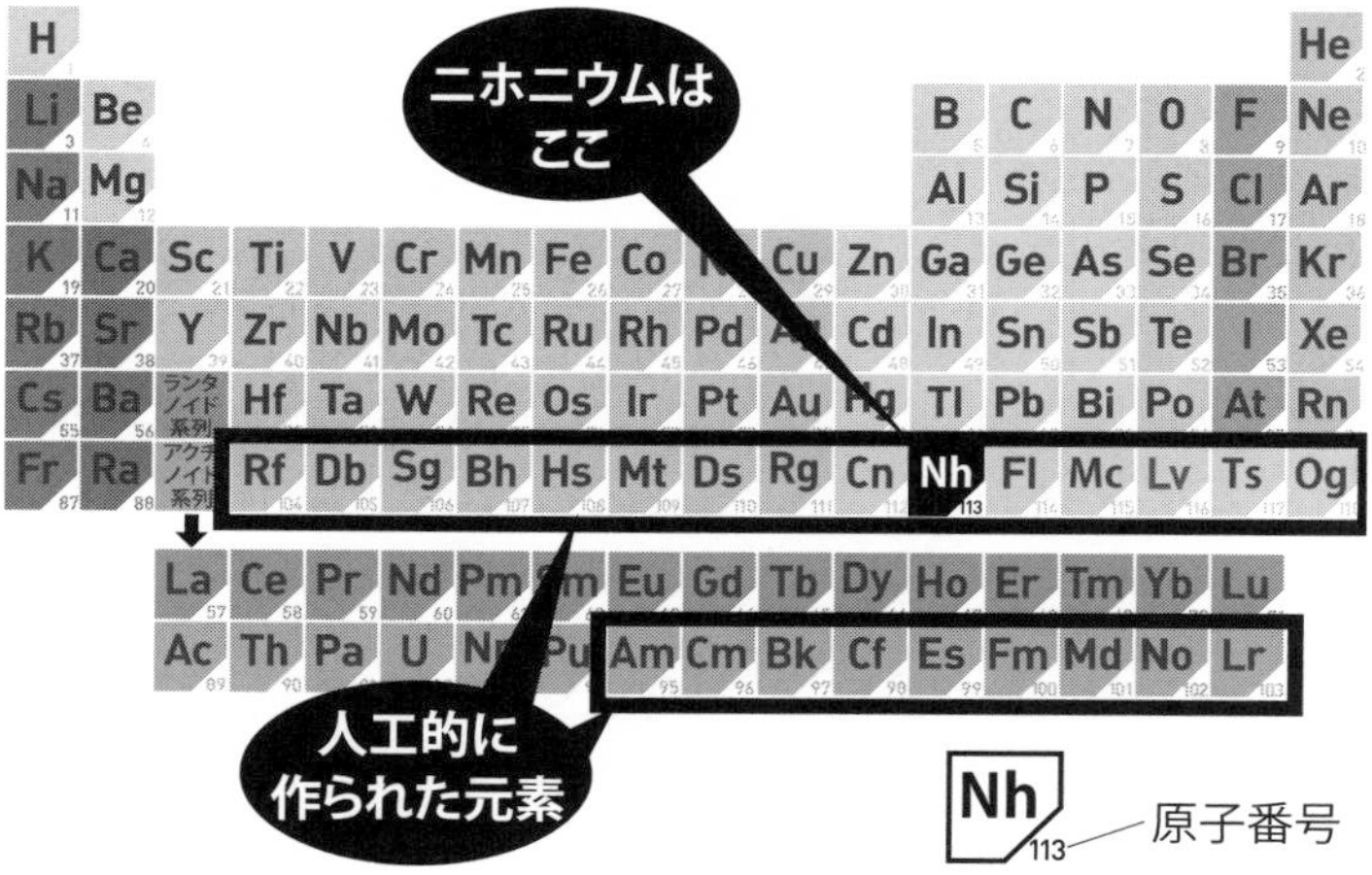

を**「元素」**というのです。

さて、世の中にはどれだけの数の元素があるのでしょう。

自然界には、原子番号1～94の94種類の元素が存在することが確認されています。周期表を見ると、具体的に分かります。

周期表は、元素の一覧表に相当します。これを見ると世の中にある元素がすべて分かるのですが、ここには原子番号が95以上のものも記されていることに気づくと思います。自然界には94までしかないのに、どうしてそれより大きなものがあるのでしょう?

じつは、元素の中には自然界には存在しないけれども**人工的に合成することに成功したもの**もあるのです。原子番号が95以上のものは、人工的に作られたものなのです。

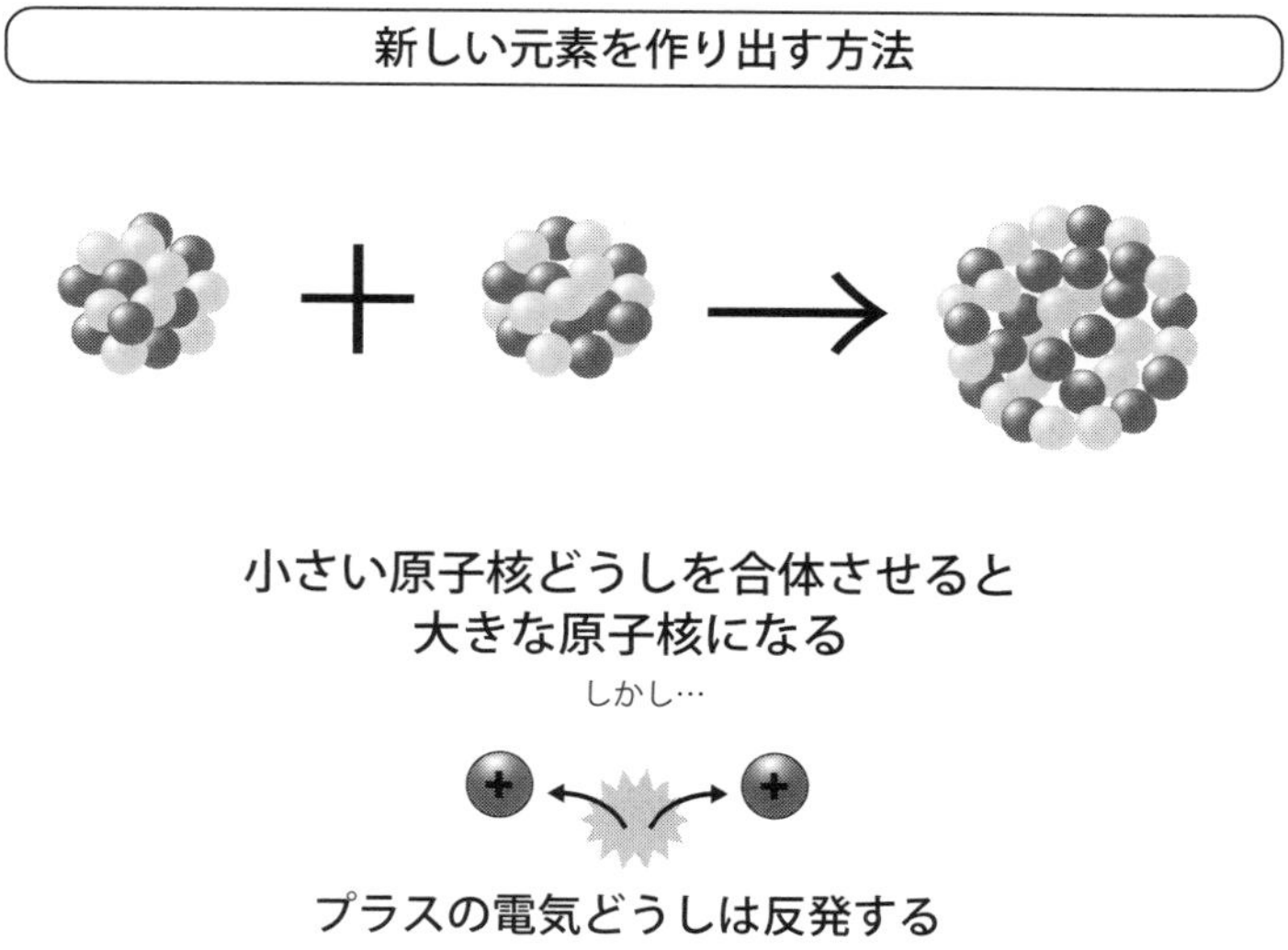
新しい元素を作り出す方法
小さい原子核どうしを合体させると
大きな原子核になる
しかし…
プラスの電気どうしは反発する

新しい元素を作り出す方法

「元素を作り出す」というのは驚きですが、どうしてそんなことが可能になるのでしょう。

作り出したいのは、**自然界に存在するものより大きな元素**です。

大きいものを作る方法として、**小さいものどうしを合体させる**ことが考えられます。自然界に存在しない大きな元素は、自然界に存在する小さい元素どうしを合体させて作り出されるのです。

とはいえ、原子どうしを合体させるのは簡単ではありません。原子核には、プラスの電気を持つ陽子が含まれています。そのため、原子核はプラスの電気を持ちます。

プラスの電気どうしは、反発します。しかも、その反発力は接近するほど強くなります。これに逆らって2つの原子核を合体させるのは、容易なことではないのです。

それでも、**原子核を超高速にしてもう1つの原子核にぶつけると、合体が起こります。**

理化学研究所では実験を繰り返し、原子核のスピードを光速の10％にするのが原子核どうしを合体させるのに最適だと発見しました。

光の速さは秒速30万キロメートル（1秒で地球を7周半する速さ）です。この10％（秒速3万キロメートル）ですから、いかにすごいスピードか分かります。

理化学研究所にある加速器（電気の力を使って粒子を加速する装置）を使うと、このようなことが可能になるのです。

原子核がこれほどまでに加速されると、プラスどうしの反発に逆らって原子核どうしが合体できます。

なお、原子核をさらに速くしてもよさそうですが、あまりに速くしすぎると原子核が壊れてしまうためうまくいかないのです。

新元素合成の材料に選ばれた元素

理化学研究所の研究チームでは、光速の10％まで加速した**亜鉛**の原子核を**ビスマス**の原子核に衝突させるという方法で、新元素合成に成功しました。

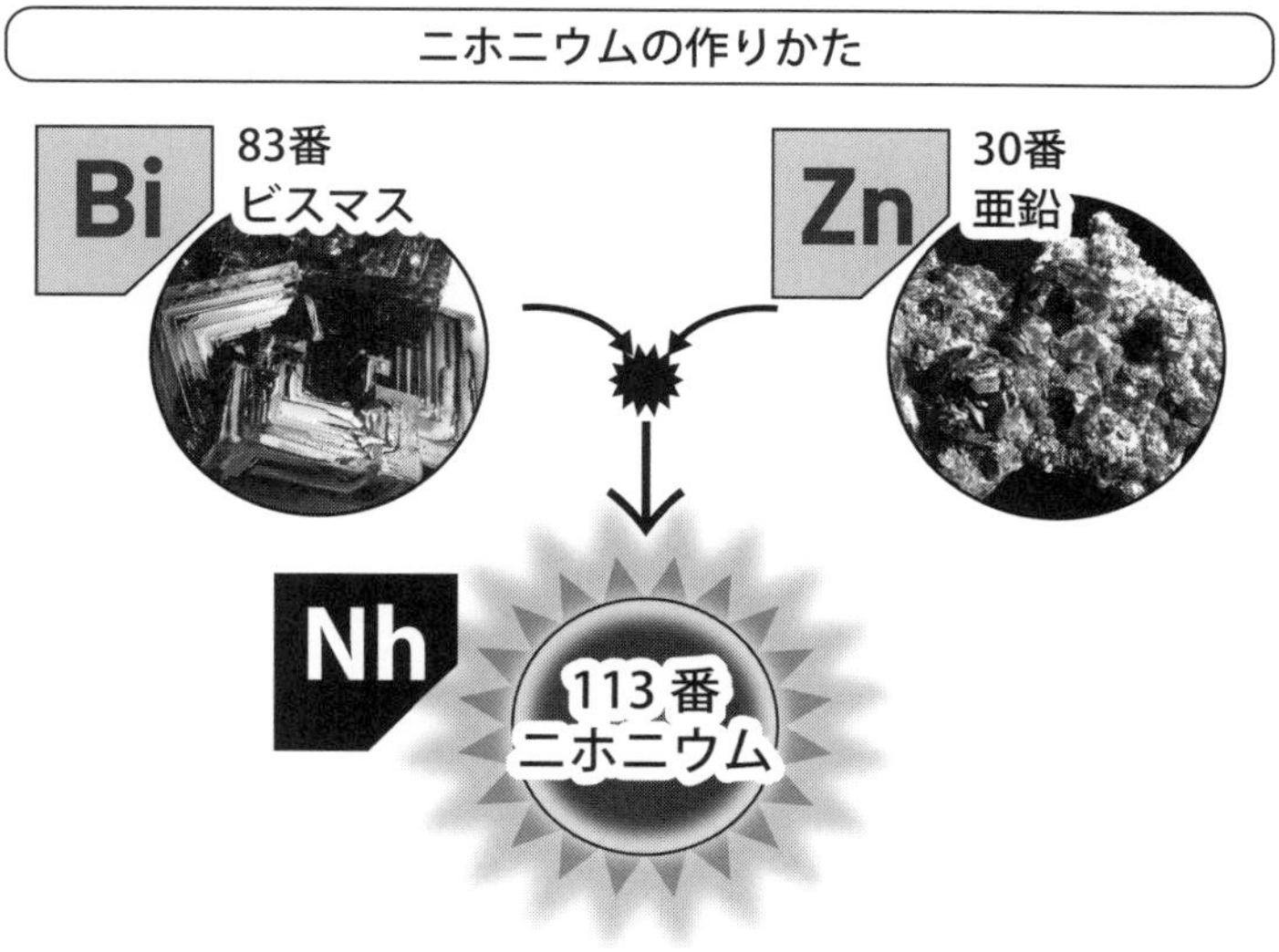

亜鉛は原子番号30（陽子が30個）、ビスマスは83（陽子が83個）です。両者を合体させて、原子番号113（陽子が113個）の原子核を生み出したのです。

つまり、研究チームは113番元素の合成を目指していて、その材料として亜鉛とビスマスを選んだわけです。112番までの元素は他国ですでに合成に成功しており、未発見だった113番元素を狙ったわけです。

さて、113番元素を作る材料の組み合わせは、他にも考えられます。例えば原子番号1（水素）と原子番号112（コペルニシウム）を合体させても、113番元素は誕生します。

どうして、亜鉛とビスマスを選んだのでしょう？

説明した通り、新元素合成には原子核どう

しの反発に打ち勝って合体させるという関門があります。

うまく合体させるためには、反発力はなるべく小さくする必要があります。

原子核どうしの反発力の大きさは、２つの原子番号（陽子の数）をかけた値《あたい》によって決まります。例えば1番と１１２番の合体なら１×１１２＝１１２、2番と１１１番なら２×１１１＝２２２、ということです。

足して１１３になる２つの数字で、かけた値が最小になるのは1と１１２です。２と１１１、3と１１０というように2つの数字が近づくにつれて、かけた値は大きくなっていきます。ですので、反発力を抑えるには1番（水素）と１１２番（コペルニシウム）の組み合わせが最適なのです。

しかし、１１２番のコペルニシウムは不安定で寿命がものすごく短い（１０００分の1秒ほど）原子核です。

では１１１番は、となるとやはり短寿命です。このように原子番号が大きいものには不安定なものが多いのです。

安定な原子核の中でももっとも原子番号が大きいのが、83番のビスマスなのです。だから、ビスマスと（83と足して１１３になる）30番の亜鉛が選ばれたのです。

核単位の試行錯誤の繰り返し

理化学研究所の装置では、たった1秒間で

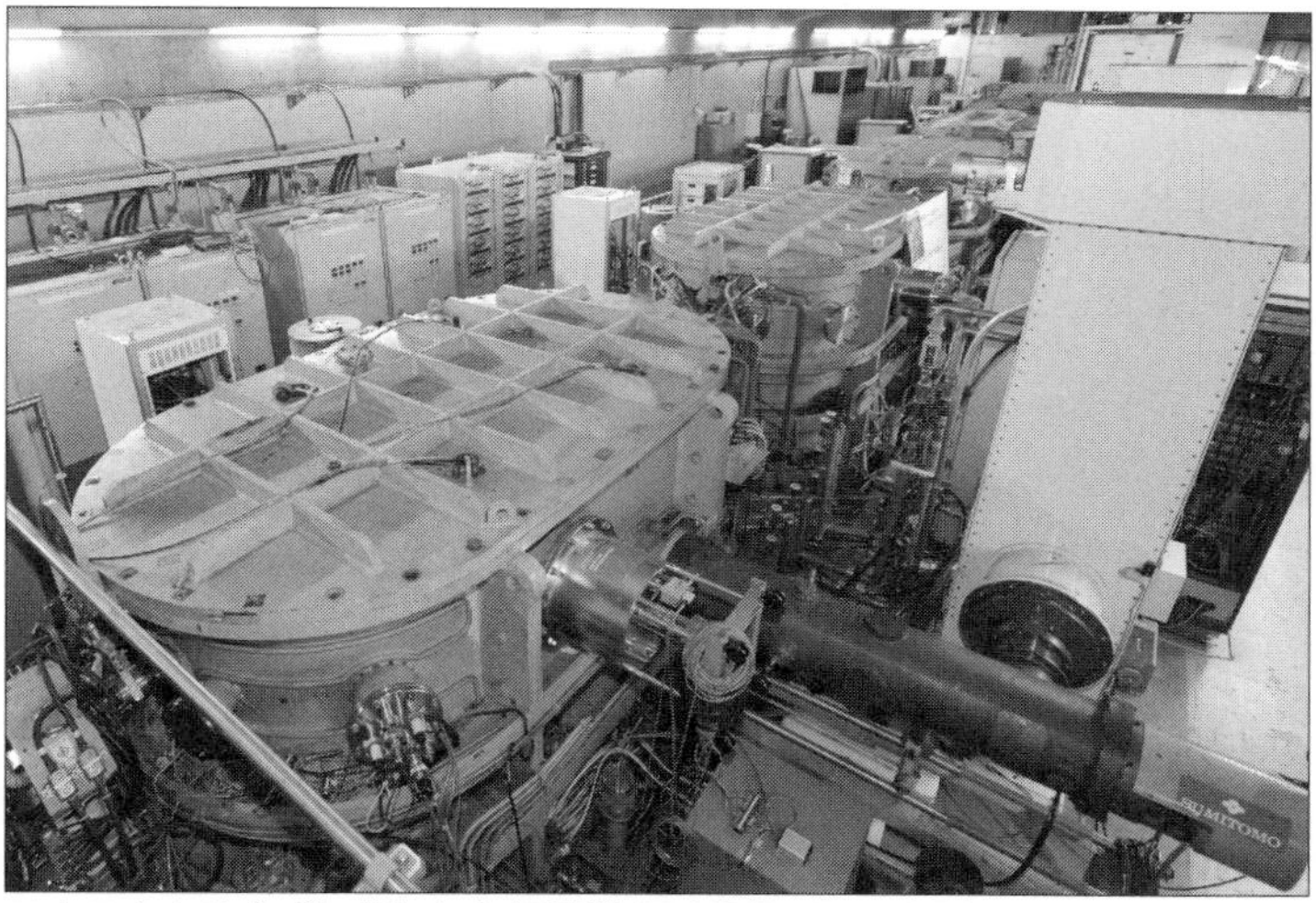

ニホニウムの合成に使われた加速器（写真提供：共同通信社）

２兆５０００億個もの亜鉛の原子核をビスマスにぶつけました。

　ものすごい数ですが、これだけぶつけても元素合成は簡単には起こりません。研究チームでは、９年間で垓《がい》（１兆の１億倍）単位の回数、衝突を試みました。電気代だけでも、３億円もかかったそうです。それでも、**合成に成功したのは3回だけ**だったのです。

　実験を続けるには、試行錯誤が必要です。原子核の合成を起こすためには、標的のビスマスを０・５マイクロメートル（１０００分の０・５ミリメートル）の薄さにする必要があります。それほど薄いものに高速で飛んでくる亜鉛の原子核が衝突すると、一瞬で高温になります。

　ビスマスの融点は約２７２℃なので、すぐ

に融けてしまうことになります。

そこで、標的のビスマスを毎分3000～4000回転という高速で回転させました。同じ場所にたくさんの亜鉛原子核が衝突しないようにするためです。さらに、実験中には冷却を行いました。そうすることで、ビスマスが高温になるのを防いだのです。

短命な元素を観察する方法

新元素合成を試みた実験は、2003年にスタートしました。すると、2004年と2005年に相次いで113番の新元素の合成に成功したのです。


ただし、この**新元素の寿命は0・002秒ほど**しかありません。ごくわずかな時間で、別の原子に変身してしまうのです。そのため、113番元素自体を観察して存在を確かめることは不可能なのです。

では、どうやって合成されたことが確かめられたのでしょう。

113番元素は、放射線を出して別の原子に変わります。そのようなことが何回も連続していくのです。

この過程で**「何回α線（放射線）を出して、何に変わったか」を調べる**ことで、（α線を出す前の）もとの元素が113番だったことが分かったのです。

2004年と2005年の発見では、このような113番元素が合成されたことを示す

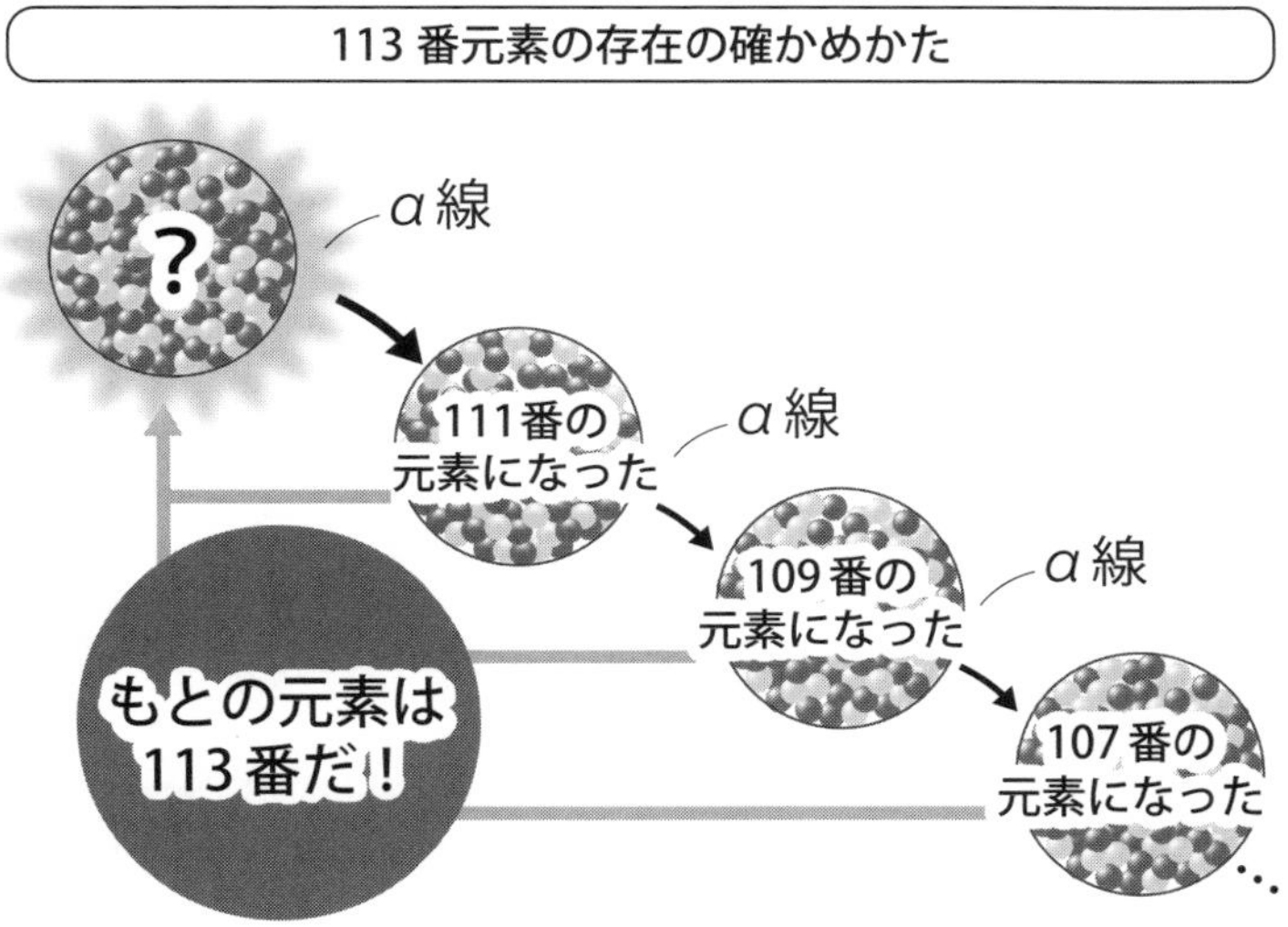
113番元素の存在の確かめかた
α線
?
111番の
元素になった
α線
109番の
元素になった
α線
107番の
元素になった
もとの元素は
113番だ！

データが不十分だとして、新元素として認められませんでした。それで、理化学研究所のチームはその後も実験を続け、2012年に3回目の合成に成功したのです。そして、ついに新元素発見が国際的に認められ、命名権が与えられたのです。

新元素は、日本にちなんで「ニホニウム」と名づけられました。

じつは、113番元素の合成を試みていたのは日本のチームだけではありませんでした。アメリカ・ロシアの研究チームもこれを目指して実験を行っていたのです。

こちらのチームも、113番元素の合成に成功したと主張していましたが、合成の証拠となるデータの質から日本のチームに軍配があがりました。

地上に太陽を再現してエネルギー問題を解決する

太陽のエネルギーが生まれる仕組み

私たち地球上の生物が生きられるのは、太陽があるおかげです。太陽がなかったら、そこには極寒の世界が待っています。

また、太陽光を利用して植物が光合成をするおかげで、食糧を得られるのです。当たり前のようにその恩恵を享受していますが、私たちが生きていくのに太陽はなくてはならない存在なのです。

太陽の表面は、６０００℃の高温になっています。それは、太陽の中心部分で常にエネルギーが生み出されているためで、中心部分はなんと１５００万℃もの超高温になっているのです。

これほどのエネルギーを生み出している源

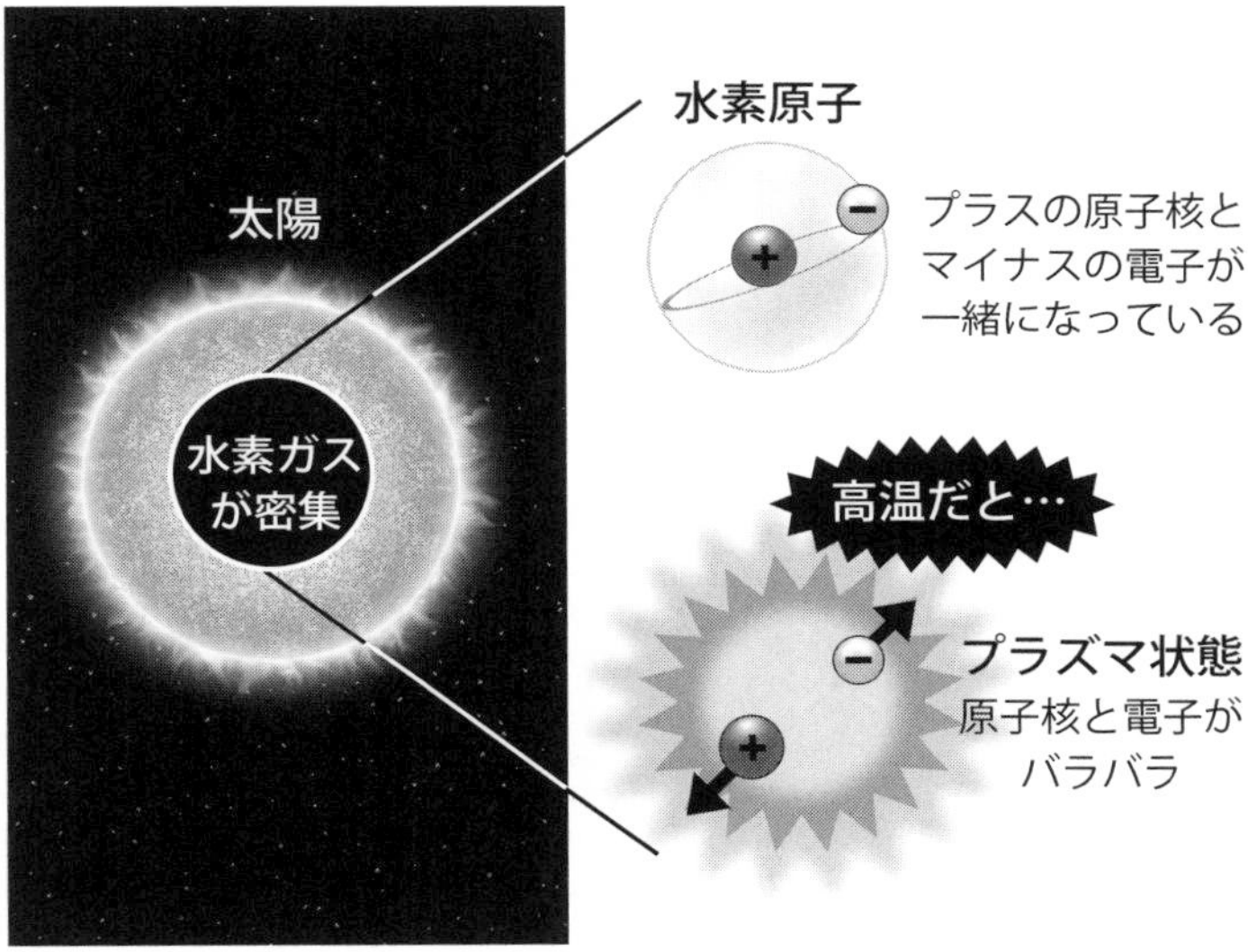
水素原子
太陽
プラスの原子核と
マイナスの電子が
一緒になっている
水素ガス
が密集
高温だと…
プラズマ状態
原子核と電子が
バラバラ

は何でしょうか？

太陽は、ガスのかたまりです。地球のような岩石でできた星とは違うのです。そして、ガスのほとんどは**水素**です。

太陽の中心には水素ガスが密集しています。そして、1500万℃という高温のため、水素は**プラズマ状態**になっています。プラズマ状態とは、図のような状態のことです。

プラズマ状態では、高温になることで原子核も電子も激しく動くようになり、バラバラになってしまうのです。太陽の中心は、激しく動き回る原子核と電子が密集している状態なのです。

そのような状況では、**原子核どうしの合体**が起こります。原子核はプラスの電気を持っているので、本来原子核どうしは反発して近づけません。しかし、非常に激しく動いている場合には反発に打ち勝って合体することがあるのです。

このような反応を**「核融合」**といいます。

太陽にある水素は、いくつかの過程を経て最終的にヘリウムへと変わります。その速さは、たった1秒間で6・5億トンもの水素が核融合するほどです。

そんなペースで核融合が進んだらあっという間に水素がなくなってしまいそうですが、太陽には膨大《ぼうだい》な量の水素があるため、今後何十億年も核融合を続けることができると考えられています。

原子核は、核融合するとわずかに軽くなります。合体するだけなのに質量が減少するのは不思議ですが、じつは**質量を減らすことでエネルギーを生み出している**のです。

太陽は、1秒経つごとにおよそ45億キログラムずつ軽くなっています！　それほどのペースで、質量を膨大なエネルギーへと変換し続けているのです。

原子核の2通りの反応

太陽は、核融合反応によって膨大なエネルギーを生み出していることが分かりました。そこで、**「巨大なエネルギーを生み出す核融合を地上で再現しよう」**。そうすれば、エネルギー問題を解決できるはずだ」という発想が生まれるわけです。

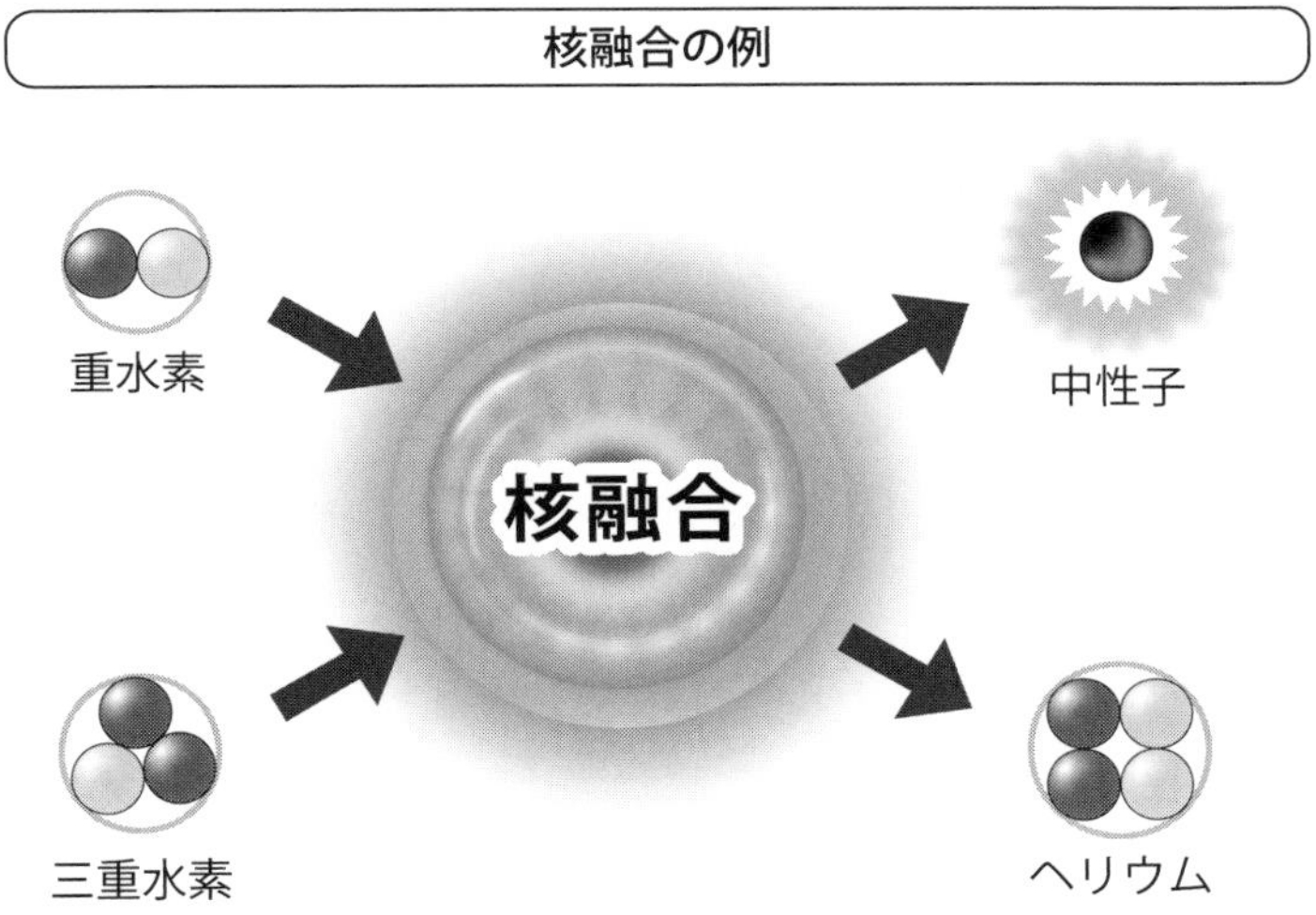

ここで、「あれ、原子力発電は原子核のエネルギーを利用しているんじゃなかったっけ？だから、核融合はすでに地上で実現されているのでは？」と思われた方もいるかもしれません。

この疑問は、原子核の反応には「核融合」と「核分裂」があることを理解すれば解消されます。

太陽にある水素の原子核は、とても小さな原子核です。そのような**小さな原子核どうしが合体してエネルギーを生み出すのが「核融合」**です。

それに対して、**大きな原子核が2つに分裂するのが「核分裂」**という反応です。このときにもわずかな質量の減少が起こり、それと同時に膨大なエネルギーが生み出されるのです。

原子力発電では、「核融合」ではなく「核分裂」を利用しています。

ウランという非常に大きな原子核を燃料とし、これを核分裂させて生まれるエネルギーを使って発電しているのです。

つまり、私たちはすでに「核分裂」による発電は実現しているのです。

核分裂による発電の課題とメリット

ただし、核分裂を使った発電にはいくつかの課題があります。

まずは、原発事故で経験したように放射性物質（放射線を出す物質）が漏《も》れ出してしまう危険性です。

核分裂が起こると、放射性物質が生まれます。これが漏れ出すのは最悪ですが、そのようなことがなくても管理は必要です。

放射能（放射線を出す能力）がなくなるまでには長い年月を要しますから、管理は大変なのです。

さらに、燃料のウランに限りがあるという課題もあります。

もしも地上で「核融合」が実現できたら、これらの課題がクリアされます。核融合では、核分裂と違って放射性物質は生まれません。

そして、核融合発電は反応を持続させるのに必要な分だけ燃料を供給しながら進めるので、燃料の供給を止めればすぐに反応をストップさせることができるのです。

核分裂

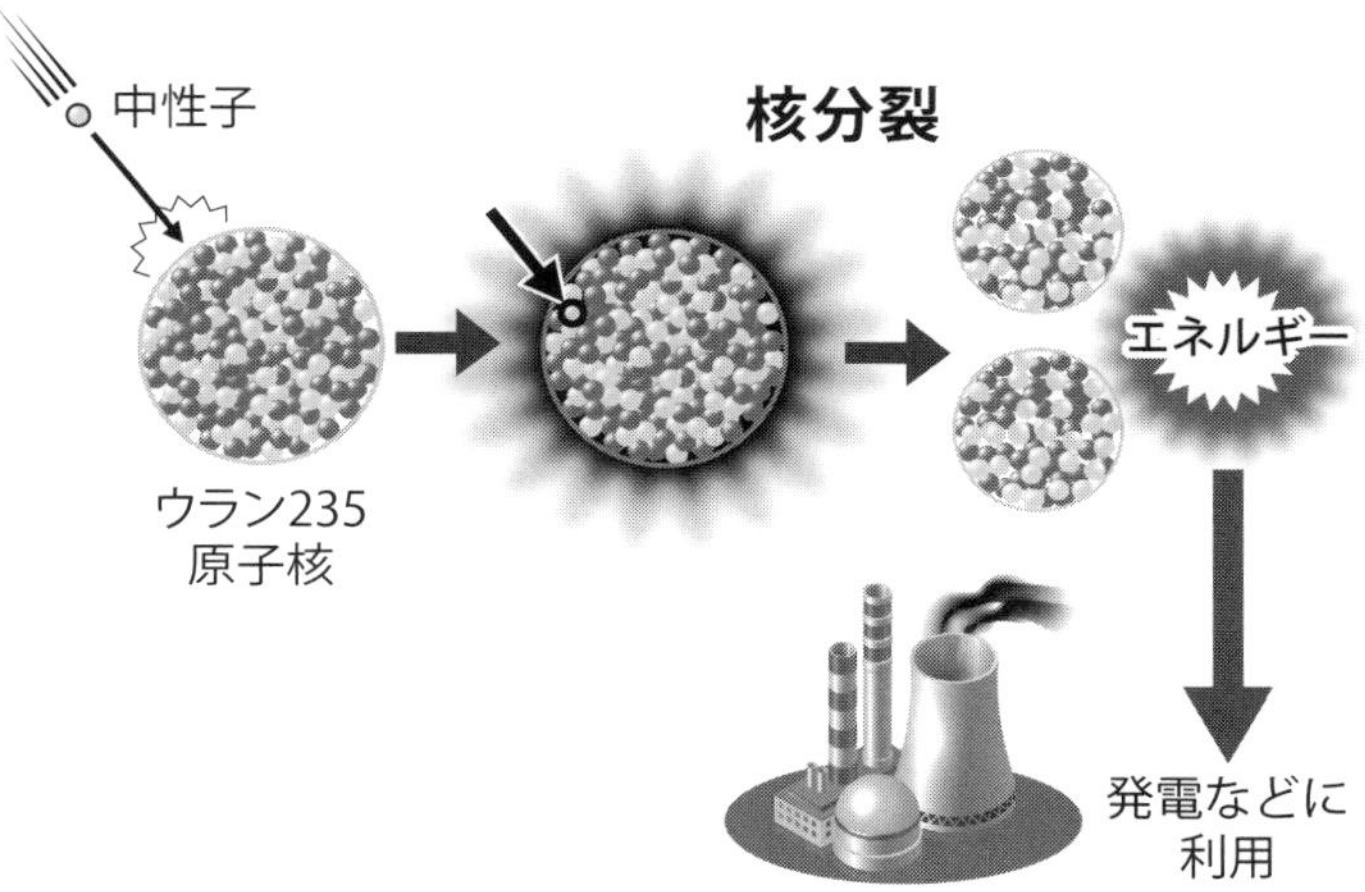

核分裂を利用する原子力発電では、そうはいきません。

原子力発電では、原子炉の中に数年分の燃料を入れ、それを制御しながら少しずつ反応させていくのです。そのため、暴走の危険がともないます。

さらに、核融合発電に必要な水素の原子核は水から取り出すことができます。わずかな水からでも十分な水素原子核を得られるので、燃料は無尽蔵といってよいでしょう。

このように、核融合を利用した発電には、他の発電方法にはないさまざまなメリットがあることが分かります。

二酸化炭素を出すこともありません。燃料が無尽蔵に入手できるだけでなく、温暖化抑制にも貢献するというわけです。

地上での核融合発電実現に必要なこと

核融合発電は、重水素・三重水素と呼ばれるものの原子核どうしを核融合させて実現することが想定されています。

普通の水素の原子核は、陽子1つだけです。つまり、「水素の原子核＝陽子」といえるわけです。それに対して、中性子が1つ加わって「陽子＋中性子」となったのが重水素です。さらに、「陽子＋中性子2個」となれば三重水素です。

これらを超高温にして密集させることで、核融合させることができるのです。

このような燃料をたった1グラム核融合させることで、石油8トンを燃やしたときと同じだけのエネルギーが生まれるのです。エネルギー問題を解決する夢のような方法だと分かりますね。

では、どのような条件が揃えばこのような核融合が実現するのでしょう?

じつは、核融合の実現には多くの課題があるため、実用化に至っていないのです。

まずは、プラズマ状態を作ることが必要です。そのために、原子を高温にする必要があります。

ただし、プラズマ状態でありさえすれば核融合が起こるわけではありません。**原子核どうしが反発に打ち勝って合体するだけの速度**を与える必要があるのです。

水は、1万℃を超えるとプラズマ状態になります。しかし、それでは原子核のスピード

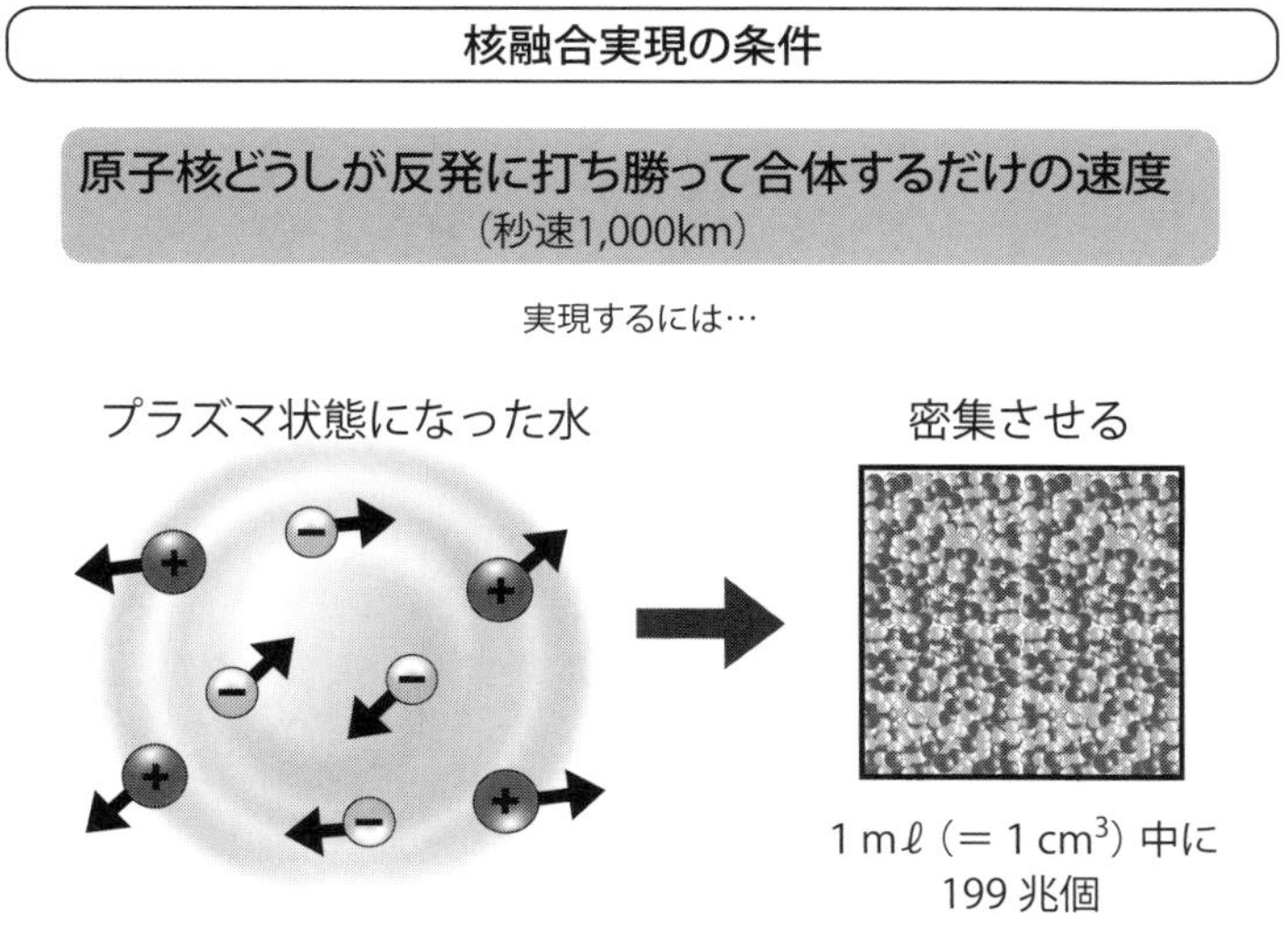

が不十分なため核融合は起こらないのです。核融合を起こすには、１億℃以上のプラズマを準備する必要があります。

　そうすると、原子核は秒速１０００キロメートルというすごいスピードになり、合体するのです。そして、**高温にしたプラズマを密集させる**ことも核融合を起こすために必要です。１ミリリットル（＝１立方センチメートル）の中に１９９兆個ものプラズマを閉じ込めると、核融合が順調に進むのです。

国際プロジェクト「ITER（イーター）」

核融合を起こすためのこれらの課題は、容

易にクリアできるものではありません。

例えば日本の研究所で5・2億℃のプラズマを作ることに成功したりと、1つずつの課題はクリアされつつあります。それでも、核融合発電が実現するのはまだまだ先のことと考えられています。

それは、いくつもの条件を同時にクリアすることが困難だからです。

われわれ人類は、いくつもの困難を乗り越えて核融合発電を実現するために国際プロジェクトに取り組んでいます。

フランス南部のサン・ポール・レ・デュランスに建設が進められている**「ITER《イーター》（国際熱核融合実験炉）」**です。日本、EU、アメリカ、ロシア、中国、韓国、インドが連携して取り組んでいます。

この中で、まずはプラズマを1億℃という超高温に加熱します。これは、普通の加熱ではとても無理です。例えば、ガスコンロで火を燃やすと1900℃くらいになります。この値《あたい》は1億℃には遠く及びません。

プラズマの加熱は、電気の力を使って行われます。プラズマは電気を持っているので、電圧がかかると動き出すのです。

特にプラズマ中の電子は軽いため簡単に加熱（加速）されます。そして、これが原子核に衝突することで原子核の温度も上がるのです。

さらに、高温にしたプラズマを容器の中に閉じ込めることも必要です。、核融合を起こすには、密集させることが必要だからです。

容器内へのプラズマ粒子の閉じ込めは、じつは日本が担っています。**超電導コイル**によっ

ＩＴＥＲの模型
（©IAEA/CC BY-SA 2.0）

て強力な磁場を生み出して、プラズマ粒子を閉じ込めようとしているのです。

プラズマ粒子のような電気を持った粒子には、磁力線に巻きつくという特徴があります。例えば、北極や南極の付近でオーロラが見られるのは、地球の磁力線に巻きついた太陽風（太陽から飛来する電気を持った粒子）のなせるわざです。核融合炉でも同じように磁力線を作り出すことで、プラズマ粒子を閉じ込められるのです。

日本の東芝などの企業は、ＩＴＥＲ用の超電導コイルの製作に携わっています。ＩＴＥＲでは高さ16・５メートル、幅９メートル、総重量３００トンという超巨大な超電導コイルが必要とされるのです。その製作が容易でないことは、想像がつくかと思います。

ニュートリノの振動から反粒子の謎に迫る

素粒子はそれ以上分解できない究極的な粒子

この世の物質を、細かく細かく分解することを考えます。どんどん小さくしていくと、やがて原子という目に見えない小さな粒子にたどり着きます。すべての物質は、**原子**が集まってできているのです。

ただし、原子は分解の終着点ではありません。127ページでも見たように、原子は原子核と電子からできています。このうち、電子は「**素粒子**」と呼ばれ、**それ以上分解できない究極的な粒子**だと考えられています。それに対して、原子核はまだまだ分解可能です。

原子核は、陽子と中性子がいくつかずつ集まってできています。陽子や中性子の数は、原子の種類によって違います。水素の原子核

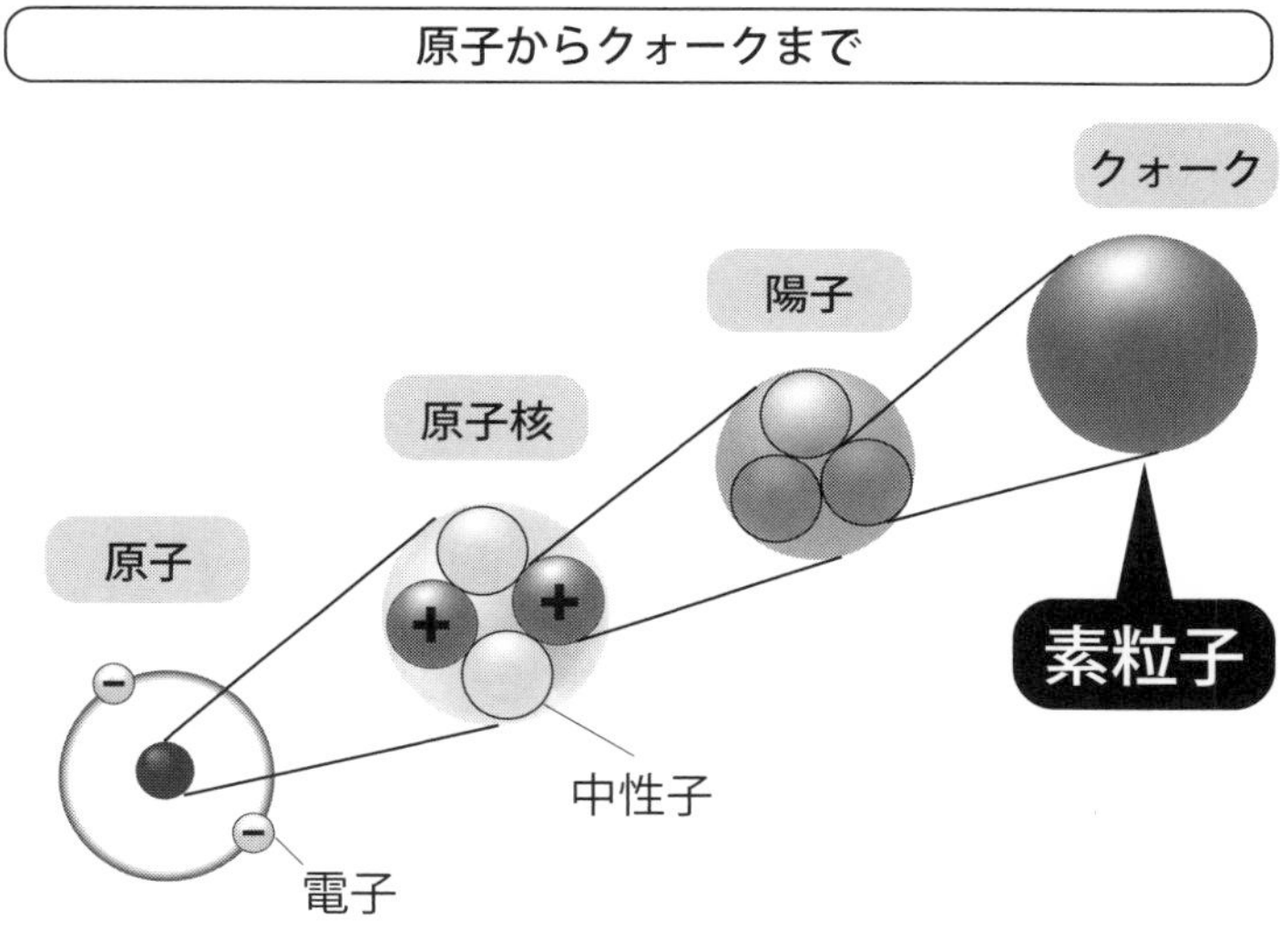

は最小で、陽子1個だけでできています（中性子はなし）。そして、その陽子も中性子も素粒子ではありません。どちらも、**「クォーク」**というさらに小さな粒子が3つずつ集まってできているのです。

陽子と中性子の違いは、集まるクォークの種類の違いから生まれます。クォークは、素粒子です。つまり、それ以上分解することはできない粒子なのです。

ニュートリノの2つの特徴

素粒子について説明しましたが、素粒子にはいくつもの種類があります。この項目では、その中の**ニュートリノ**という素粒子にまつわる話題を紹介します。**「ニュートリノ振動の発見」**です。2015年、梶田隆章《たかあき》さんはこの功績によってノーベル物理学賞を受賞しています。

梶田さんは、ニュートリノを「電子から電気を取り除き、質量をほとんど取ったもの、そして弱い相互作用しかしないもの」と説明しています。

ニュートリノには次の2つの特徴があることを理解しておくと、ここからの話をスムーズに理解できるでしょう。

・物質を簡単にすり抜けていき、物質とぶつかることは滅多にない
・とても軽い

1秒間に100兆個のニュートリノが飛来している

ニュートリノは、私たちの身体に飛んできても何も反応することなく、通り抜けていきます。そのためニュートリノの存在を感じることはないのですが、じつは私たちは常に大量のニュートリノを浴びているのです。

ニュートリノは、いろいろなところで発生します。

例えば、太陽中心で起こっている核融合反応(139ページ参照)では、大量のニュートリノが生まれています。

生み出されたニュートリノは、宇宙空間を飛んでいきます。それは遠く離れた地球へも

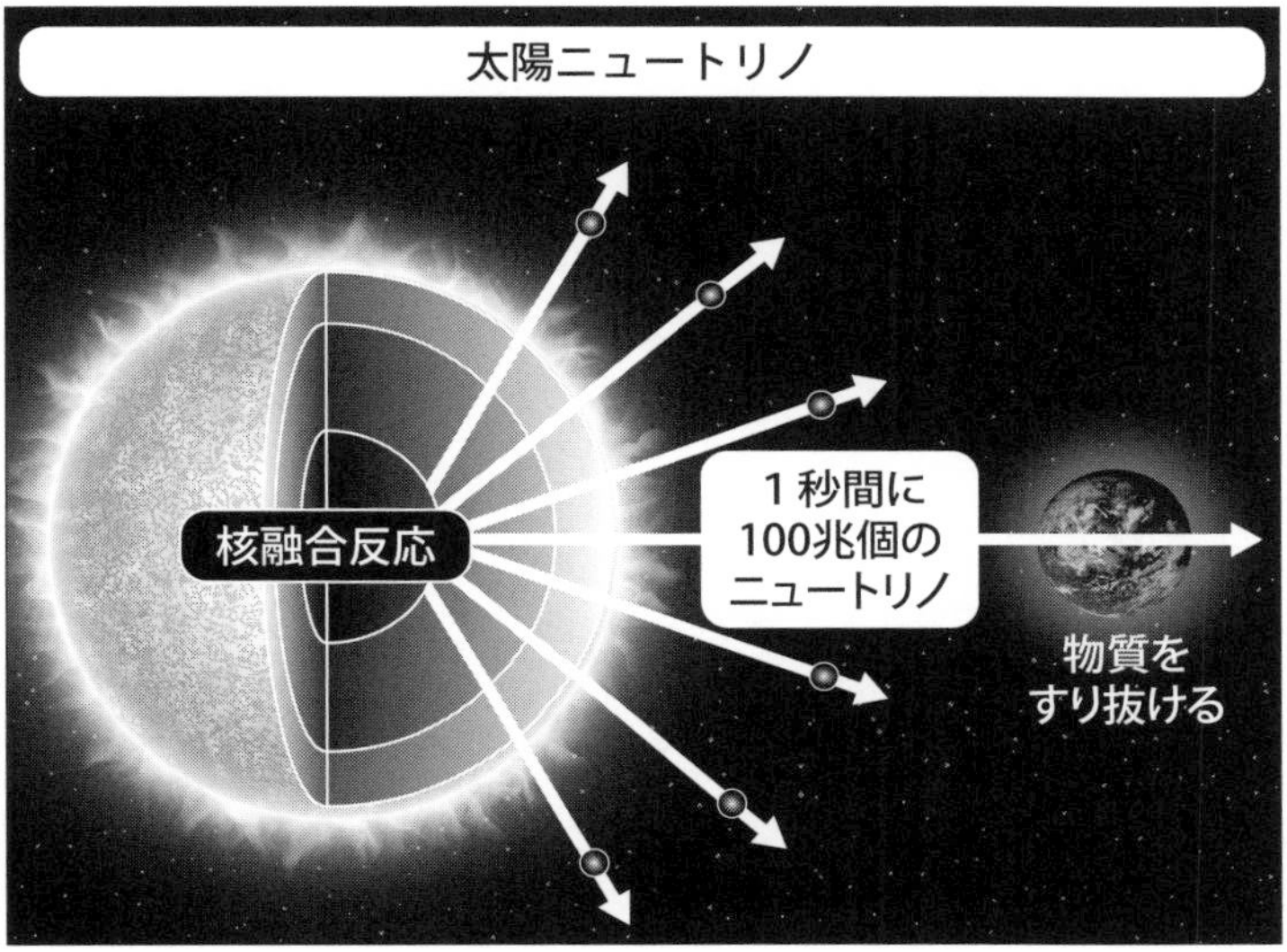

飛来し、地上にいる私たちはたった**1秒間に100兆個ものニュートリノを浴びている**のです！　ものすごい数のニュートリノが宇宙空間を飛び、地球にも達していることが分かります。

太陽中心の核融合反応では、光も発生します。しかし、その光を地球から観測することはできません。発生する光が、太陽の熱くて濃いガスを通過できないからです。

それに対して、ニュートリノであれば太陽のガスを容易に通過します。そのため、私たちは飛来するニュートリノを通して太陽中心で起こっている核融合の様子を知ることができるのです。核融合によって太陽が1秒間に45億キログラムずつ軽くなっていることも、ニュートリノの観測から分かったことです。

ニュートリノは、地上の大気中でも生成されています。これは、**宇宙線**という宇宙から飛んでくるビームのようなものによって起こる現象です。

宇宙線の90パーセントは、原子の中身の1つであるプラスの電気を持った**陽子**です。これが大気に衝突して起こる反応によって、ニュートリノが発生します。

宇宙線は太陽からも飛来しますが、遠い宇宙からも飛来しています。ですので、大気では昼夜問わずニュートリノが発生しているのです。

他にも、ニュートリノの発生源はあります。原子力発電での核分裂でも発生しますし、地球の中で放射性物質が放射線を放つときにも発生します。カリウムなどの放射性物質は私たちの体内にも取り込まれていますので、体内でも常にニュートリノは発生しています。その数は1秒間に5000個ほどです。

宇宙から飛来するニュートリノを観測

超新星爆発が起こるとき、ニュートリノは大量に発生します。超新星爆発は、太陽よりもずっと巨大な星がその一生を終えるときに起こす爆発です。

超新星爆発で発生したニュートリノの観測に成功したのが、岐阜県飛騨市神岡町に建設されたカミオカンデです。

観測したのは、太陽系からおよそ16万光年

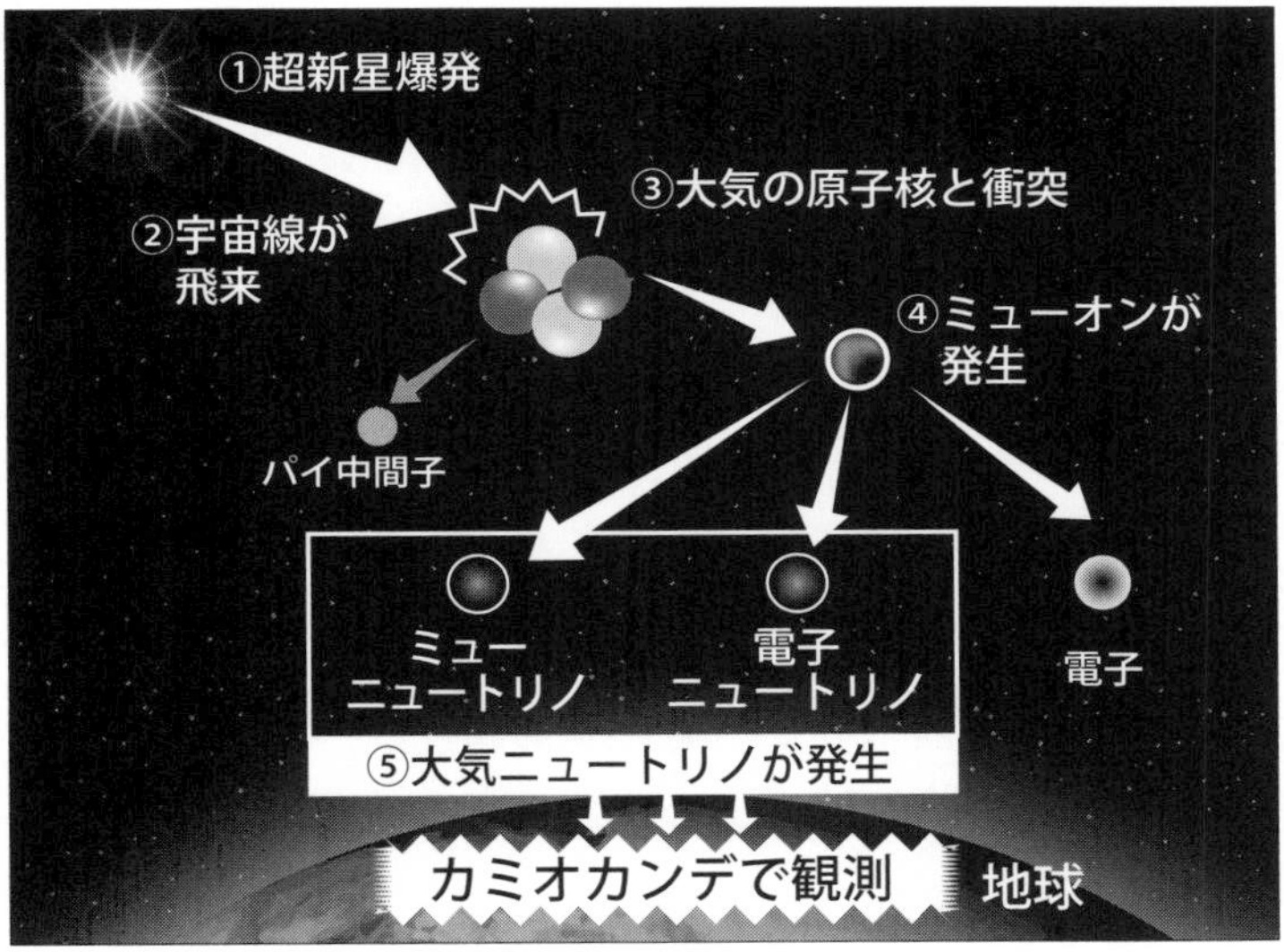

も離れたところにある大マゼラン星雲で起こった超新星爆発によるニュートリノです。

カミオカンデは、巨大な水がめにきわめて純度の高い水を満たした装置です。ニュートリノは物質を通過していきますが、大量の水を通過するときにその中のどれかの水（の素粒子）と衝突することがあります。そのとき、光が発生します。

カミオカンデでは、この光をとらえることでニュートリノの観測を行いました。そして、1987年に史上初めて、超新星爆発によるニュートリノを観測したのです。

ニュートリノは非常に軽いため、ほぼ光と同じ速さで飛んでいきます。16万光年離れたところから、16万年かけて地球までやってきたニュートリノを、カミオカンデで観測したのです。この功績によって2002年にノーベル物理学賞を受賞したのが、小柴昌俊さんです。

カミオカンデの装置をより大きくし、観測性能を20倍以上に高めたのがスーパーカミオカンデです。スーパーカミオカンデでは、先ほど説明した太陽中心の核融合で発生するニュートリノの観測に成功しました。この観測は、**太陽で核融合が起こっていることの証拠**ともなったのです。

ニュートリノ振動とは？

さて、本項のテーマである**「ニュートリノ振動」**とはどのような現象でしょうか。ここから解説していきます。

じつは、ここまで説明したニュートリノには種類があります。図の3種類です。

例えば、太陽の核融合で発生するのは電子ニュートリノです。大気中では、電子ニュートリノとミューニュートリノが発生します。また、超新星爆発では3種類すべてのニュートリノが発生します。

梶田隆章さんは、小柴昌俊さんのもとでニュートリノの観測をした研究者です。梶田さんらのグループは、地球の大気で発生するニュートリノの観測を行いました。大気ニュートリノのエネルギーは太陽ニュートリノの100倍ほどと大きいため、観測しやすかったのです。

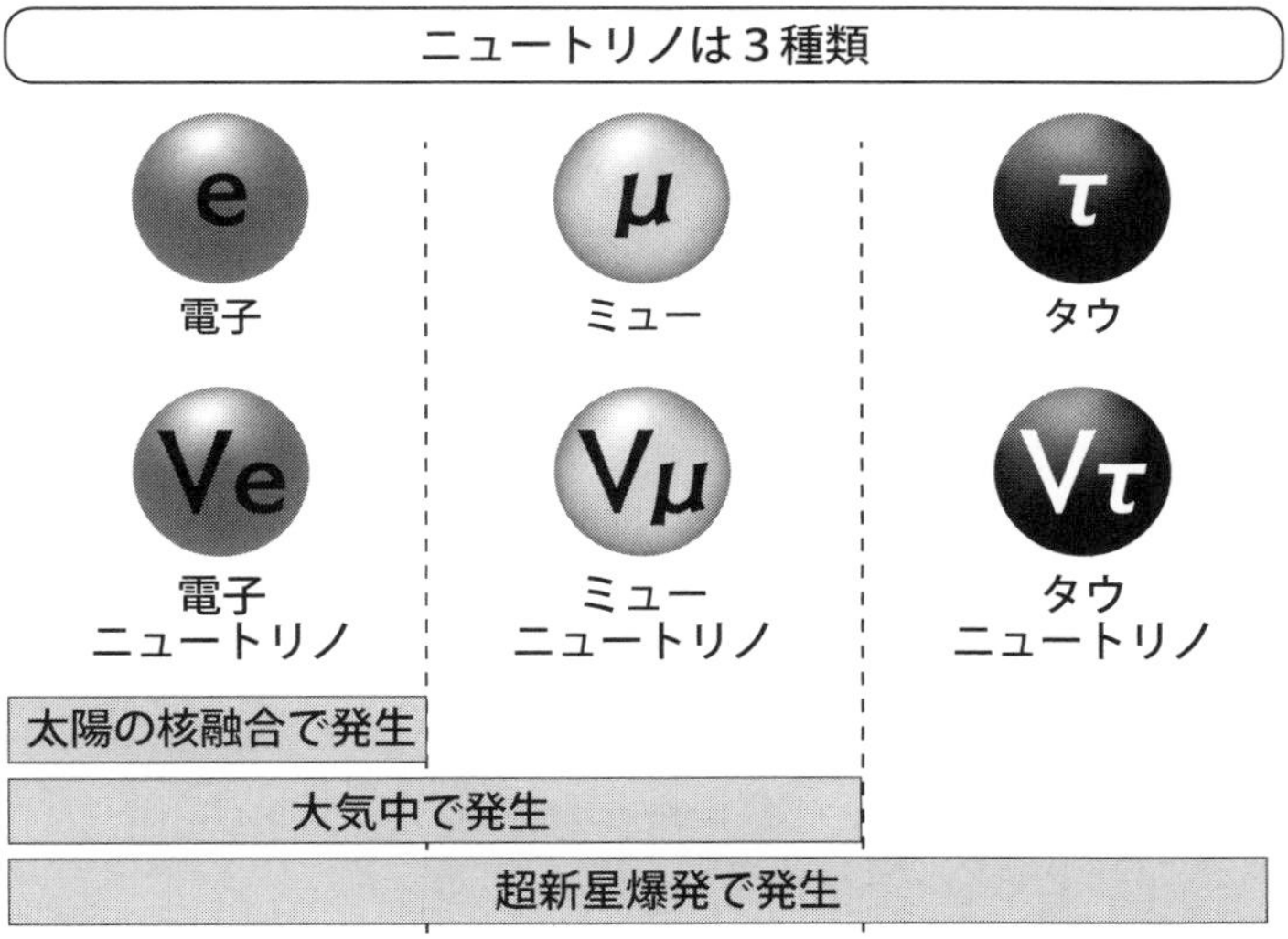

このとき、観測所の上空から降り注ぐニュートリノはもちろんですが、地球の裏側の大気で作られたニュートリノも観測することができます。ニュートリノは地球内部を通過して飛んでくるからです。

大気中で発生するのは、電子ニュートリノとミューニュートリノです。そのうち、ミューニュートリノの割合が上空から飛来するものと地球の裏側から飛んでくるものとで違うことに、梶田さんらは気づきました。地球の裏側からやってくるミューニュートリノの割合が、上空からやってくるものの半分ほどしかなかったのです。

ニュートリノは地球を貫通できるので、地球の裏側からも同じ割合でミューニュートリノが飛んでくるはずです。それなのに観測さ

ニュートリノ振動

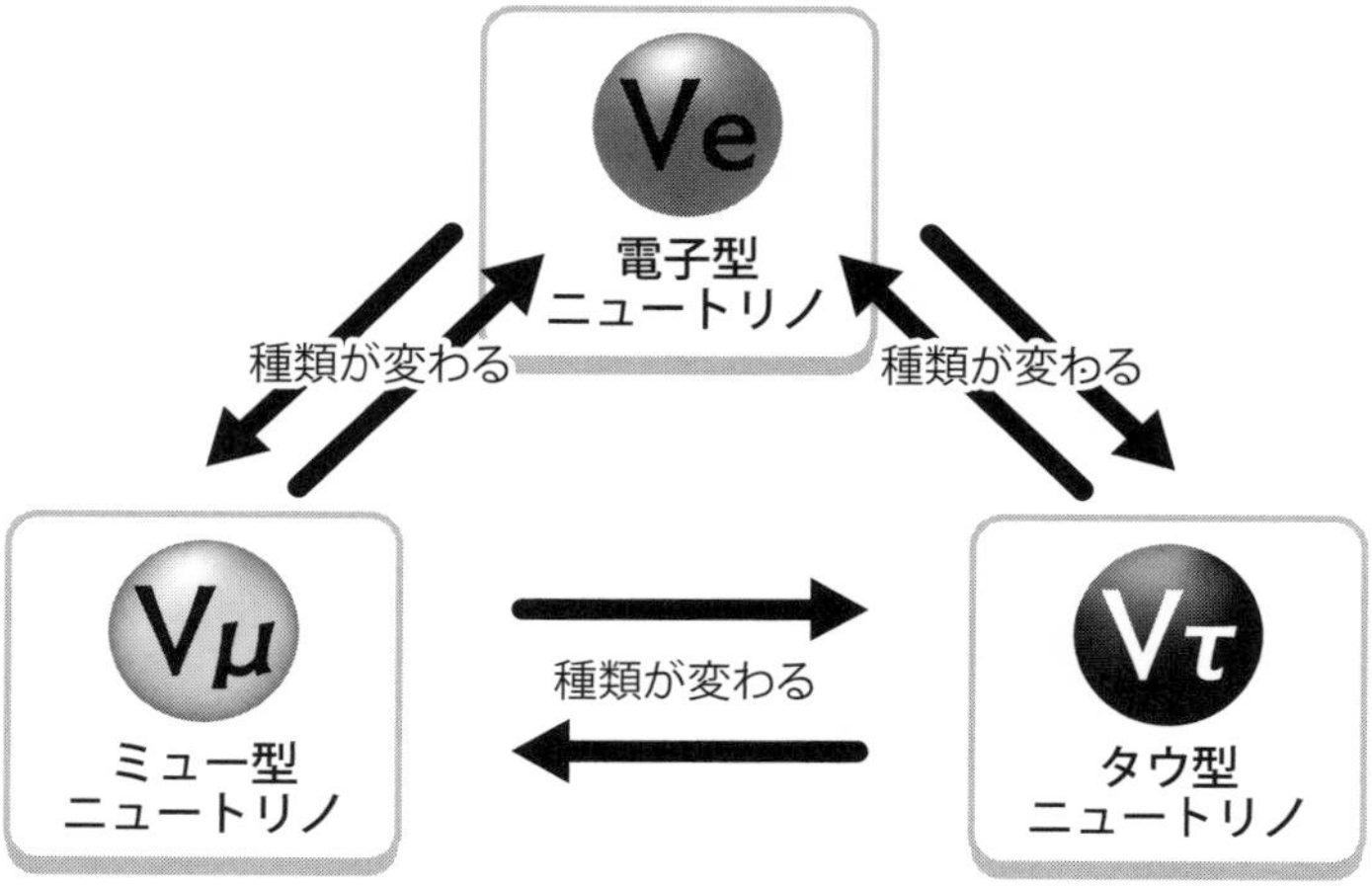

れるミューニュートリノが減っているのは、なぜでしょう？

梶田さんらは、「ミューニュートリノが、地球内部を通過する間にタウニュートリノに変身したからだ」と考えました。このように**ニュートリノが種類を変えることを、「ニュートリノ振動」といいます。**

梶田さんが最初にこのような観測結果を発表し、ニュートリノ振動が起こっているのではないかと提唱したのは1988年でした。

しかし、当時この考えは容易には受け入れられませんでした。

そこで、地上でニュートリノを発生させ、それをスーパーカミオカンデで観測してニュートリノ振動を確かめる試みがなされました。

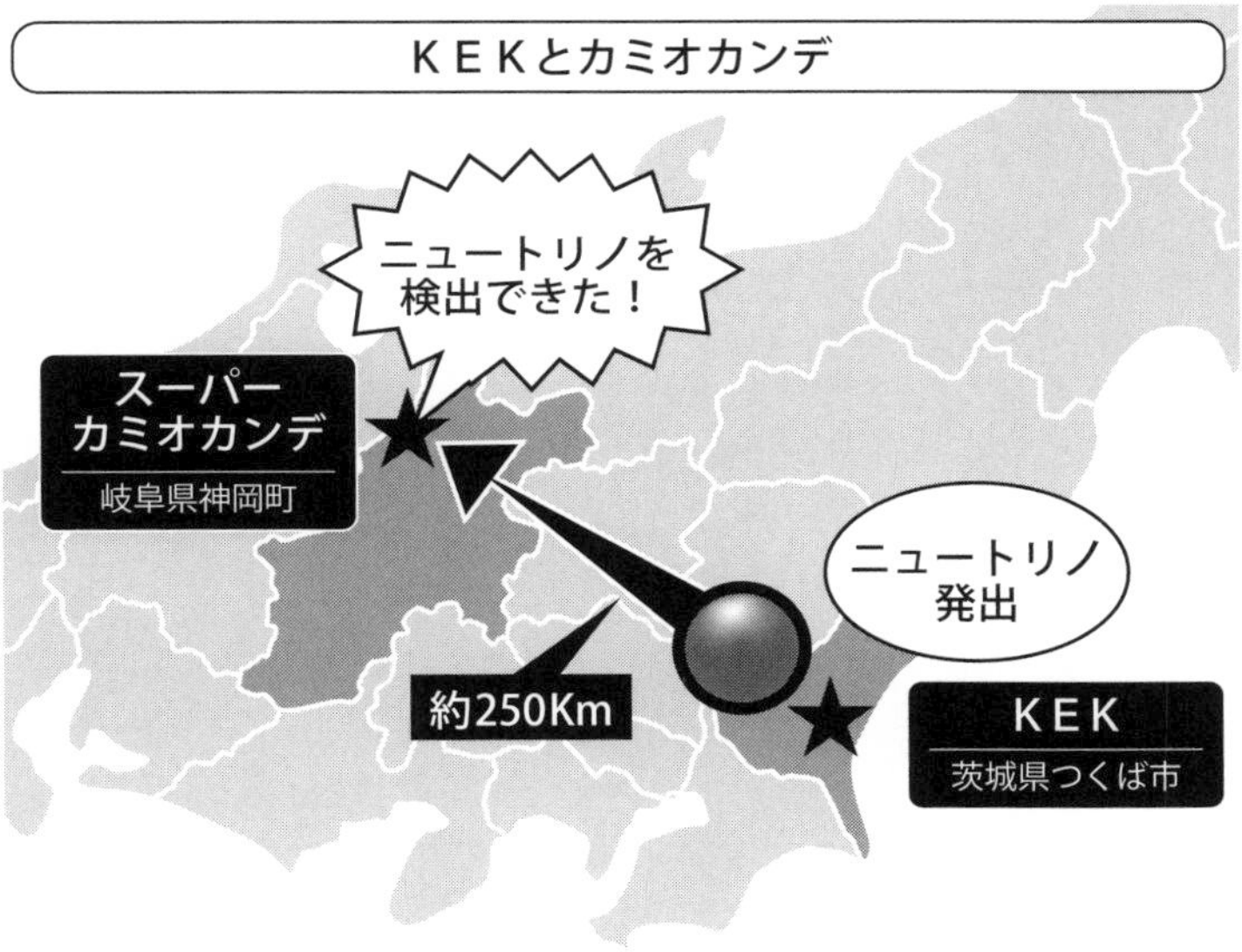

まずは、茨城県つくば市にあるＫＥＫ（高エネルギー加速器研究機構）とスーパーカミオカンデによる実験です。

ＫＥＫの加速器という装置を使うと、ミューニュートリノを発射することができます。これを、２５０キロメートル離れたスーパーカミオカンデで観測するのです。

１９９９〜２００４年にかけて実験が行われ、たしかに**ミューニュートリノがタウニュートリノに変身することが確認された**のです。

では、ミューニュートリノが電子ニュートリノに変身することはないのでしょうか？

それを確かめるため、今度は茨城県東海村にあるＪ‐ＰＡＲＣ（大強度陽子加速器施設）という施設を使いました。ここで、より高エネルギーのミューニュートリノを、より多数発射させたのです。

その結果、**ミューニュートリノが電子ニュートリノに変身することを観測した**のです。

このときも、観測したのはスーパーカミオカンデです。

こうして、3種類のニュートリノはお互いに変身できることが確かめられました。

太陽ニュートリノも変身する

2015年のノーベル物理学賞は、日本の梶田隆章さんとカナダのアーサー・マクドナルドさんの共同受賞となりました。

マクドナルドさんも、やはりニュートリノ振動を発見した研究者です。

ただし、観測対象が違います。マクドナルドさんは、**太陽ニュートリノが変身する**ことを発見しました。マクドナルドさんらは、水の代わりに重水を用いて観測しました。

重水は、水の分子に含まれる水素を重水素というものに置き換えた水です。重水を使うと、3種類すべてのニュートリノを観測できるようになるのです。

太陽の核融合では、絶対に電子ニュートリノしか生まれません。しかし、マクドナルドさんらの実験では、検出された太陽ニュートリノのうち電子ニュートリノは30パーセントだけでした。

この結果は、電子ニュートリノが別のニュートリノに変身したことを示しているのです。

J-PARC の陽子加速器（写真提供：EPA ＝時事）

ニュートリノ振動の発見はどんな意味を持つか

人類は、ニュートリノという目に見えない小さな素粒子には種類があり、変身することを知りました。

このことは、ニュートリノに関するどのような知見を与えてくれるのでしょう?

ニュートリノが振動することは、**ニュートリノに質量がある**ことの証拠となります。もしもニュートリノに質量がなかったら、振動することはあり得ないのです。

このことは、相対性理論から理解できます。詳細は割愛しますが、相対性理論によると光の速さで動くものの時間は止まってしまいます。

質量がゼロの粒子は、光速で進みます。もしもニュートリノに質量がなければ、光速で飛行することになるのです。そして、ニュートリノの時間は止まります。時間が止まったら、変身することはできません。変身には前後があるわけで、**変身することは時間が流れていることの証拠**なのです。

ニュートリノに質量があることが分かりましたが、それは非常に小さなものです。電子の質量の100万分の1以下であることが分かっています。

それほど質量が小さいため、ニュートリノはほぼ光速で飛行します。そのため、ニュートリノに本当に質量があるのか、はっきりとは分かっていませんでした。

ニュートリノが振動することが確かめられたことで、ニュートリノには確かに質量があるのだと分かったのです。

反粒子の謎に迫る

ニュートリノが振動することが確認されましたが、今後はどのような研究が考えられているのでしょう。

すべての素粒子には、**反粒子**というものが存在します。ほとんどの性質は同じだけれども、持っている電気などが逆のものを反粒子といいます。

じつは、**この宇宙が誕生したときには粒子と反粒子が同数存在したはず**なのです。そし質量は同じだけど電気が反対な物質「反粒子」

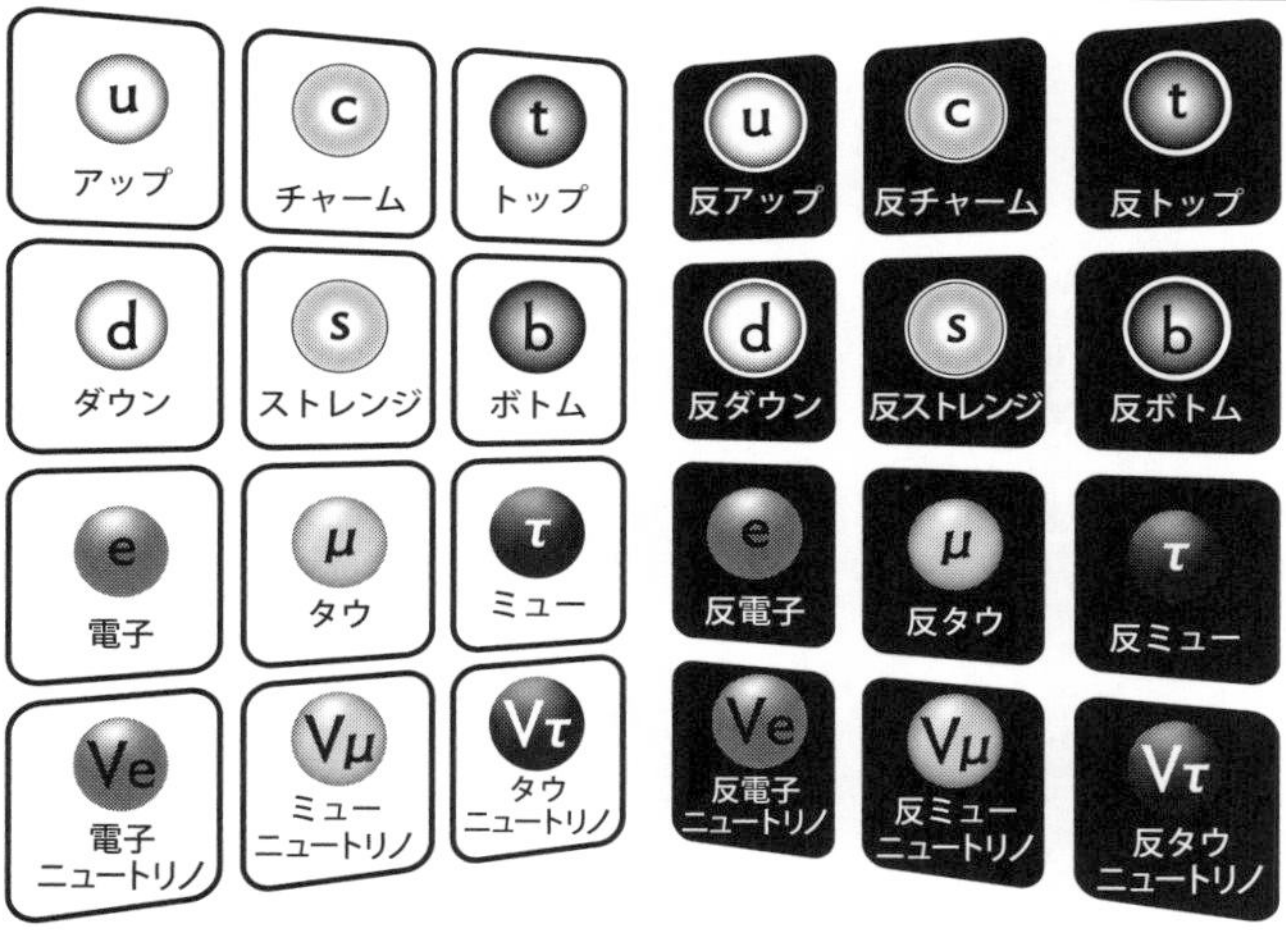

て、粒子と反粒子が出会うと消滅してしまいます。同数なら、すべて消えて何も残らなかったはずです。それなのに現在宇宙が存在しているのは、**粒子と反粒子で成り立つ法則に違いがあるため**だと考えられています。

その違いは、例えばクォークで確認されています。クォークと反クォークでは成り立つ法則に違いがあるのです。

しかし、それだけでは宇宙が存在していることを説明しきれません。そこで、ニュートリノと反ニュートリノで振動に違いが見つけられれば、**宇宙誕生の謎に迫れるのではないか**と考えられています。

現在建設が進められているハイパーカミオカンデなら、この違いを検出できるかもしれないと期待されています。

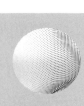

宇宙線を使ってピラミッドを透視する

ピラミッド内に見つかった巨大空洞

エジプトにあるピラミッドは、世界最古の石造建築です。最大のものは、高さが約150メートルのクフ王のピラミッドです。

2017年、名古屋大学などの研究グループはクフ王のピラミッドの中に長さ30メートルもの巨大な空間を発見したと発表しました。

どうして、それまで知られていなかった空間を見つけられたのでしょう?

研究チームは、**ミューオン**という宇宙線を利用してピラミッド内部を「透視」したのです。

宇宙空間では、たくさんの**宇宙線**(一次宇宙線)が飛び交っています。地球にも大量の宇宙線が降り注いでいます。

地球に衝突する宇宙線は、大気と反応しま

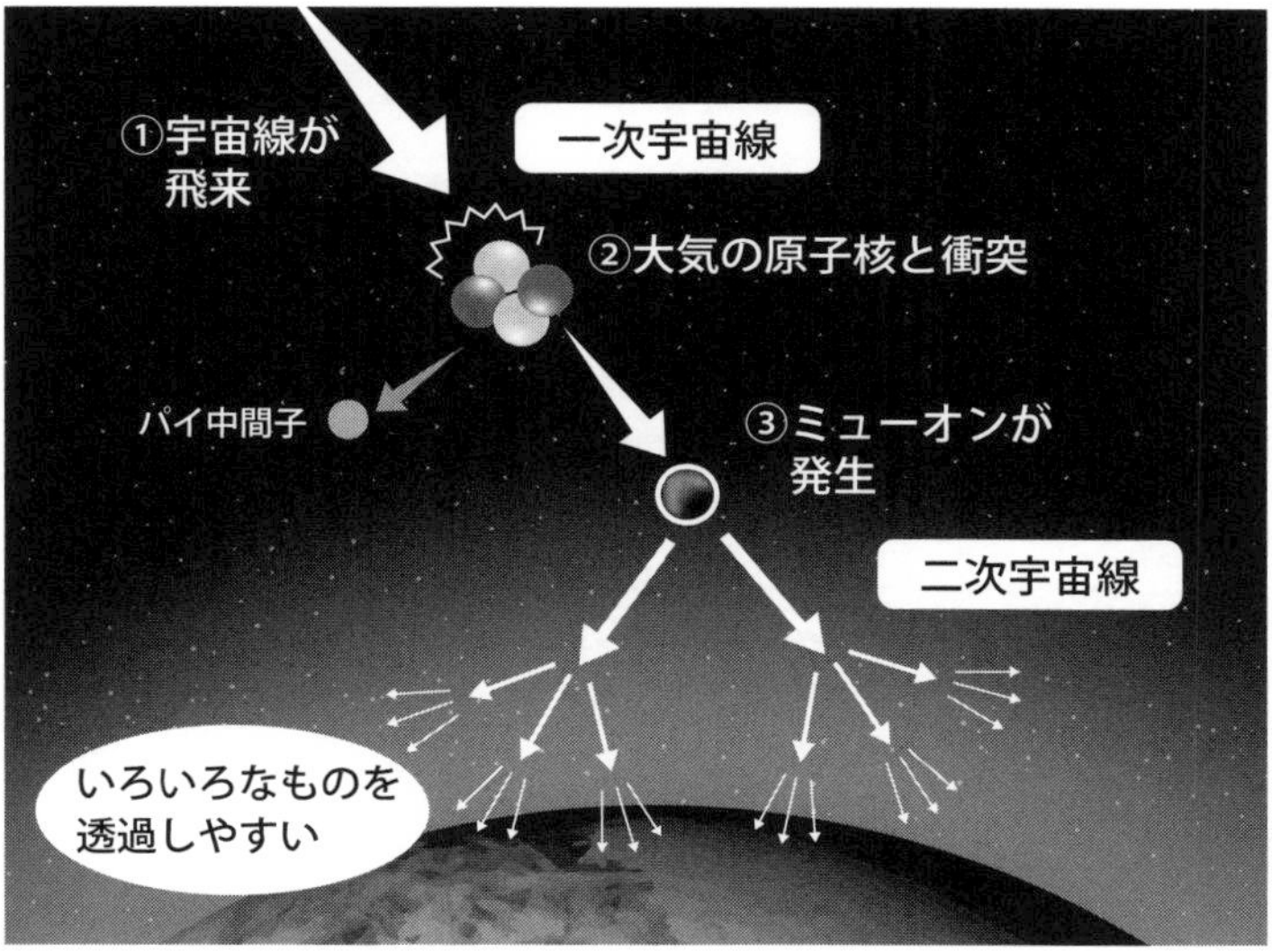

す。この反応により、新たな宇宙線（二次宇宙線）が生み出されるのです。ミューオンは、その中に含まれています。

ミューオンには、いろいろなものをとても透過しやすいという性質があります。例えば、1キロメートルもの厚さのある岩盤でも透過してしまいます。

ミューオンのこの性質を利用して、ピラミッド内部の空洞を発見することができました。

レントゲン撮影と原理は同じ

私たちの体内を検査する方法のひとつに、レントゲン撮影があります。X線を照射し、

レントゲン撮影

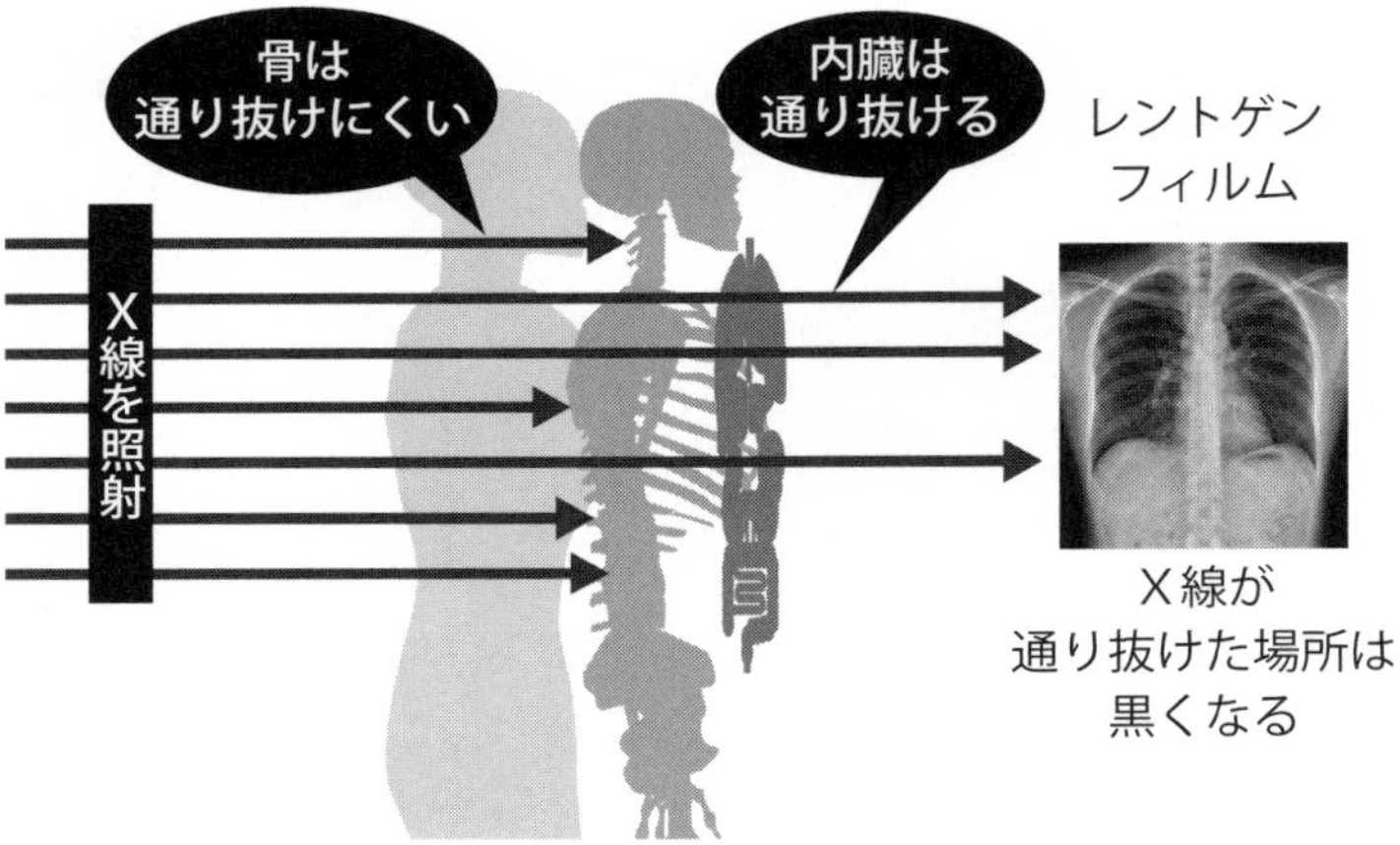
骨は
通り抜けにくい
内臓は
通り抜ける
レントゲン
フィルム
X線を照射
X線が
通り抜けた場所は
黒くなる

透過量の差を利用して写真を撮る仕組みです。

じつは、ミューオンを使った透視の原理はレントゲン撮影と同じです。

ミューオンには、X線よりもはるかに大きい透過力があります。そのため、人体よりもずっと巨大なものの中身を調べることができるのです。

ミューオンは、自然界に大量に存在します。地上のたった1平方センチメートルのところに、1分間で1回照射される割合です。

当然、ミューオンはピラミッドにも降り注ぎます。そして、巨大なピラミッドをも通過するのです。

ただし、すべてが透過するわけではありません。**通過するものの厚さや密度によって、透過量は変わる**のです。

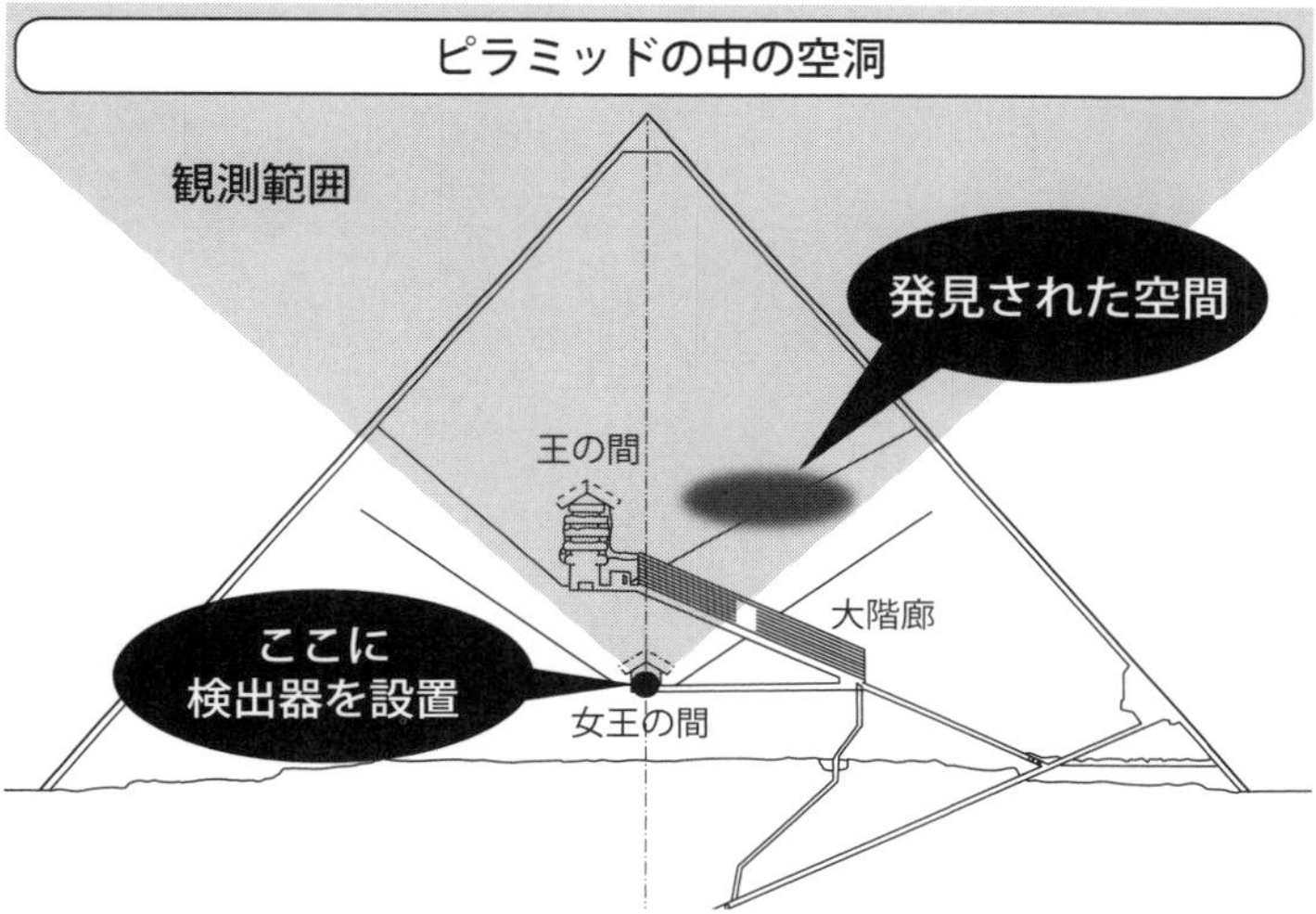

（名古屋大・科学技術振興機構ホームページを参考に作成）

研究チームは、ピラミッドの中心部にある「女王の間」に検出器を設置しました。そして、1100万回分ものミューオンの照射を記録しました。

すると、ミューオンが飛んでくる方向によって検出回数に差があることが分かりました。そして、飛んでくる回数が少ない方向に空洞があることがその原因だと突き止められたのです。

ピラミッドを建造したときにこのような巨大な空洞が作られた理由は、はっきりとは分かっていません。「空間を設けて石材の圧力を減らす、構造的な工夫ではないか」とも推測されています。

ミューオンを使った今回の発見は、ピラミッドの謎を解明する一歩となるかもしれません。

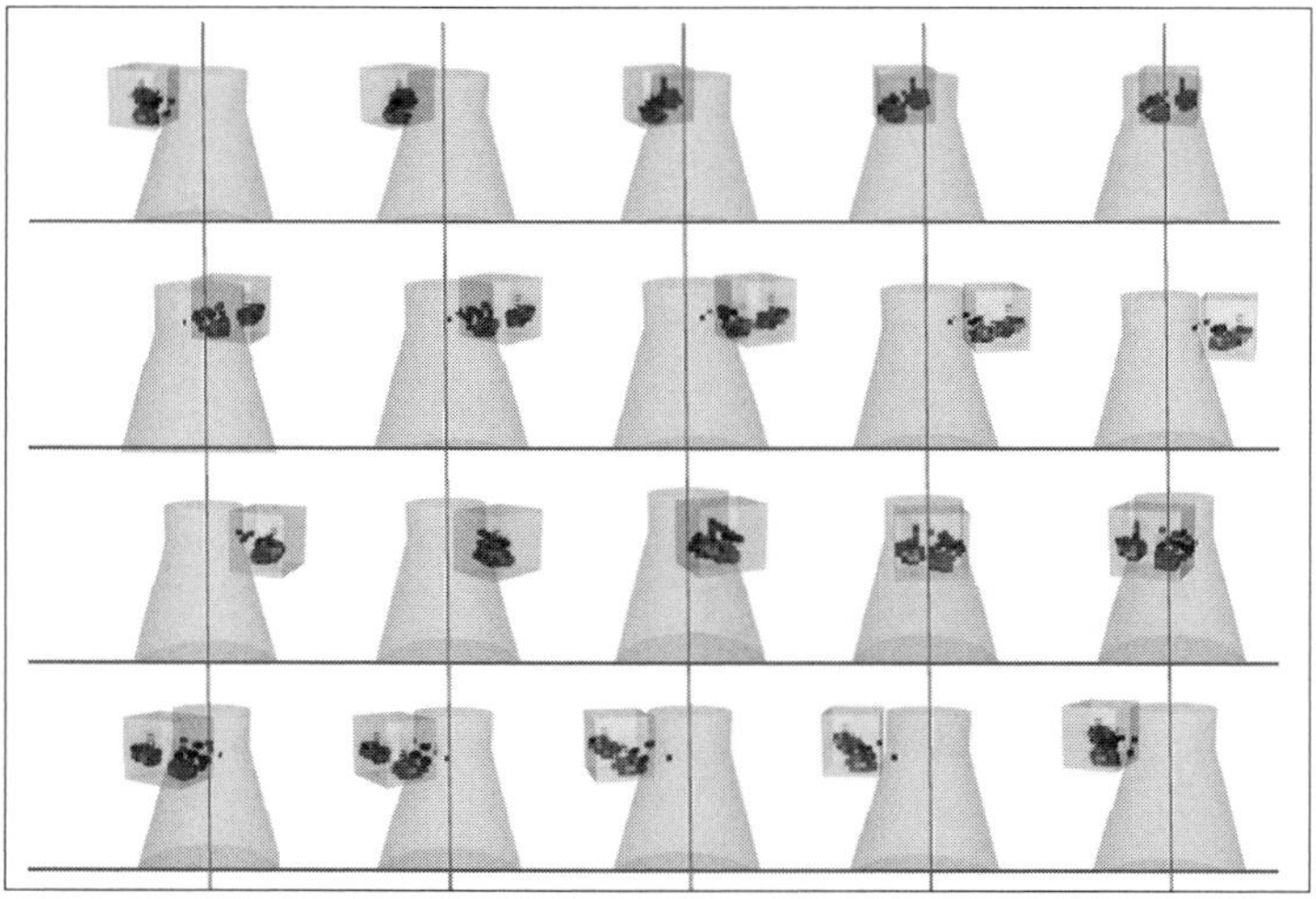

ミューオンで透視した原子炉建屋の３次元画像（写真提供：高エネルギー加速器研究機構提供・時事）

破壊せずにいろいろなものを調査できる

じつは、ミューオンを使った内部透視はいろいろなことに実用化されています。２０１１年に事故を起こした福島第一原子力発電所の原子炉の透視が、その一例です。

人が入って直接調べることは困難ですが、ミューオンの透過量を調べることで内部の様子を知ることができるのです。ミューオンによって、原子炉内部で炉心融解が起きていたことも確認されました。

また、火山の内部の調査にも活用されています。火山の中でマグマがどのように動いているか、ミューオンを使って監視できるので

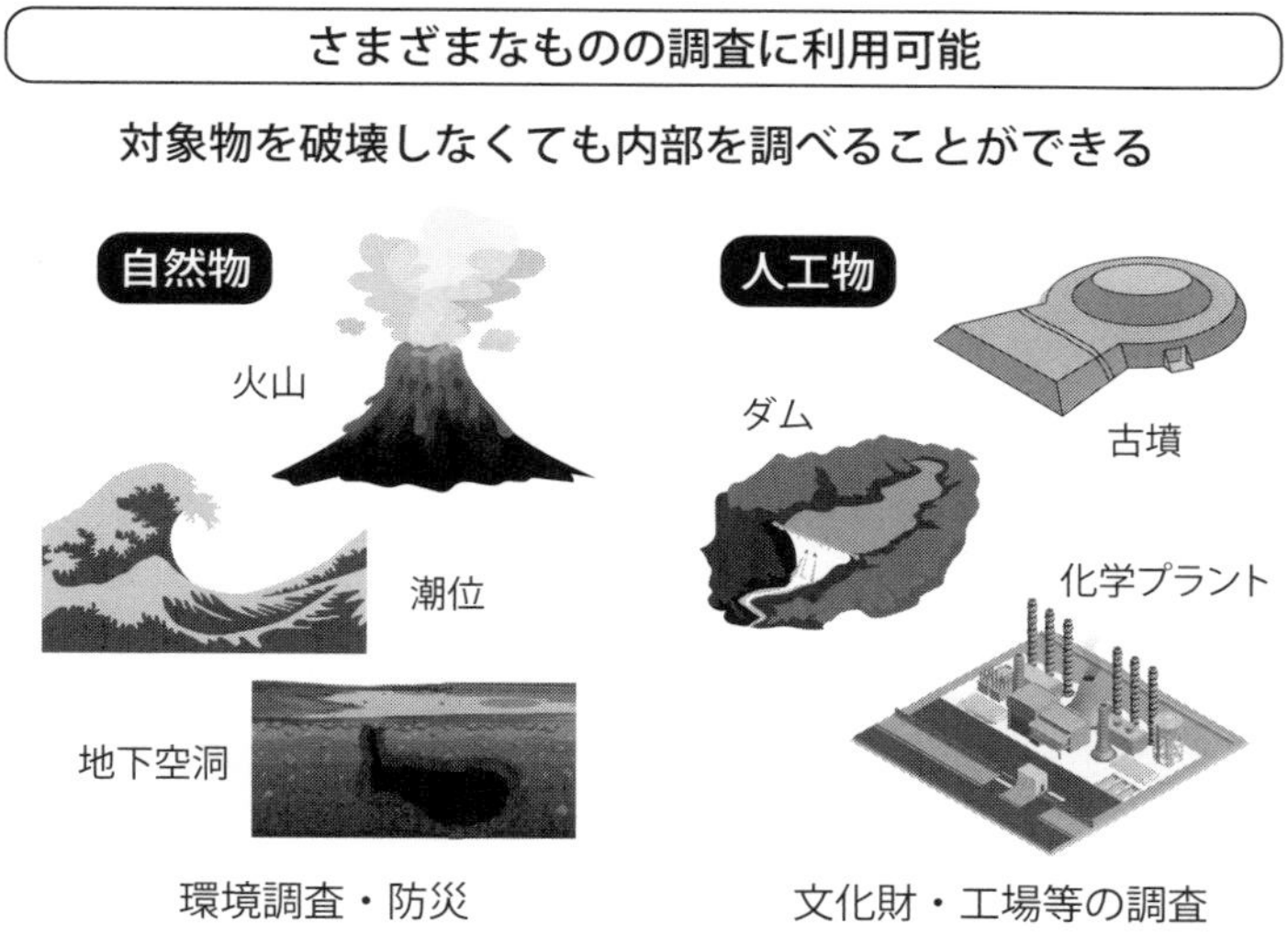

す。それを、噴火の予測に役立てようという研究もあります。

さらに、ミューオンを使って津波や高潮を検知しようとする研究もあります。海に降り注ぐミューオンが海水中を通過するとき、海面の高さによって通過量が変わります。東京大学らの研究チームは、東京湾アクアライン海底トンネル内に検知器を設置して、潮位のリアルタイム測定に成功しました。

他にも、建築物に手抜き工事などがないか調べたり、地下の空洞の様子を調べたりといったことにもミューオンが利用されています。

いずれの場合でも、**ものを破壊せずに中の様子を調べられる**のが特徴です。ミューオンを使って、巨大なものの非破壊検査を行うことができるのです。

元素周期表

- 水素 — 原子名
- H — 元素記号
- 1 — 原子番号

水素 H 1																	ヘリウム He 2
リチウム Li 3	ベリリウム Be 4											ホウ素 B 5	炭素 C 6	窒素 N 7	酸素 O 8	フッ素 F 9	ネオン Ne 10
ナトリウム Na 11	マグネシウム Mg 12											アルミニウム Al 13	ケイ素 Si 14	リン P 15	硫黄 S 16	塩素 Cl 17	アルゴン Ar 18
カリウム K 19	カルシウム Ca 20	スカンジウム Sc 21	チタン Ti 22	バナジウム V 23	クロム Cr 24	マンガン Mn 25	鉄 Fe 26	コバルト Co 27	ニッケル Ni 28	銅 Cu 29	亜鉛 Zn 30	ガリウム Ga 31	ゲルマニウム Ge 32	ヒ素 As 33	セレン Se 34	臭素 Br 35	クリプトン Kr 36
ルビジウム Rb 37	ストロンチウム Sr 38	イットリウム Y 39	ジルコニウム Zr 40	ニオブ Nb 41	モリブデン Mo 42	テクネチウム Tc 43	ルテニウム Ru 44	ロジウム Rh 45	パラジウム Pd 46	銀 Ag 47	カドミウム Cd 48	インジウム In 49	スズ Sn 50	アンチモン Sb 51	テルル Te 52	ヨウ素 I 53	キセノン Xe 54
セシウム Cs 55	バリウム Ba 56	ランタノイド系列	ハフニウム Hf 72	タンタル Ta 73	タングステン W 74	レニウム Re 75	オスミウム Os 76	イリジウム Ir 77	白金 Pt 78	金 Au 79	水銀 Hg 80	タリウム Tl 81	鉛 Pb 82	ビスマス Bi 83	ポロニウム Po 84	アスタチン At 85	ラドン Rn 86
フランシウム Fr 87	ラジウム Ra 88	アクチノイド系列	ラザホージウム Rf 104	ドブニウム Db 105	シーボーギウム Sg 106	ボーリウム Bh 107	ハッシウム Hs 108	マイトネリウム Mt 109	ダームスタチウム Ds 110	レントゲニウム Rg 111	コペルニシウム Cn 112	ニホニウム Nh 113	フレロビウム Fl 114	モスコビウム Mc 115	リバモリウム Lv 116	テネシン Ts 117	オガネソン Og 118

ランタン La 57	セリウム Ce 58	プラセオジム Pr 59	ネオジム Nd 60	プロメチウム Pm 61	サマリウム Sm 62	ユウロピウム Eu 63	ガドリニウム Gd 64	テルビウム Tb 65	ジスプロシウム Dy 66	ホルミウム Ho 67	エルビウム Er 68	ツリウム Tm 69	イッテルビウム Yb 70	ルテチウム Lu 71
アクチニウム Ac 89	トリウム Th 90	プロトアクチニウム Pa 91	ウラン U 92	ネプツニウム Np 93	プルトニウム Pu 94	アメリシウム Am 95	キュリウム Cm 96	バークリウム Bk 97	カリホルニウム Cf 98	アインスタイニウム Es 99	フェルミウム Fm 100	メンデレビウム Md 101	ノーベリウム No 102	ローレンシウム Lr 103

5章

化学の研究

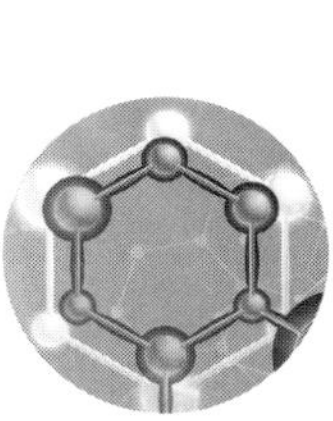

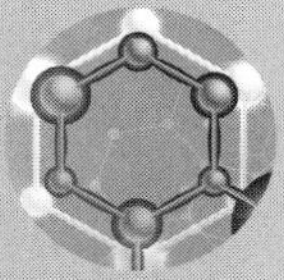

人工光合成を実現して温暖化問題を解決する

光合成は温暖化問題解決の切り札

地球温暖化は、深刻さを増すばかりです。近年の異常気象の多さも、温暖化に起因するのではないかと懸念されています。

これからも世界の人口は増加し、経済発展することが見込まれています。その中で、温暖化の原因となる二酸化炭素の排出を減らしていくことは容易なことではありません。

さて、太古より動物は酸素を吸って二酸化炭素を吐き出す呼吸を行ってきました。それでは二酸化炭素が増すばかりですが、植物が光合成することで二酸化炭素を減らしてきたのです。

現代では、呼吸だけでなく石油などの化石燃料の消費によっても二酸化炭素が排出され

伐採が進むアマゾンの森林（写真提供：AFP ＝時事）

ます。それを緩和してくれているのも、植物の光合成です。しかし、それには限度があります。植林が進められている地域もありますが、逆に森林伐採が深刻化しているところもあるのが現状です。

そこで、研究が進んでいるのが**人工光合成**という技術です。これは、光触媒というものを使って光合成を人工的に起こそうとするものです。いったい、どのようにして人工光合成は実現されるのでしょう？

人工光合成に必要な「光触媒」の役目

まずは、人工光合成に必要な**光触媒**について解説します。

光触媒は、光のエネルギーを利用していろいろなはたらきをするもののことです。代表的なのは酸化チタンという物質で、実用化されている光触媒の大半がこれです。

光触媒の主なはたらきは、以下の3つです。

・汚染物質を分解する
・薄い水の膜を作る
・水を水素と酸素に分解する

ひとつずつ説明します。

●汚染物質を分解する

光触媒は、建物の壁などに塗布されます。壁には汚れのもとが付着します。ここに光が当たると、光触媒が力を発揮します。汚れ物質を二酸化炭素と水に分解してしまうのです。

つまり、壁に光触媒を塗っておくだけで自然と浄化されるのです。

光触媒は窓ガラス、キッチンやトイレの壁、テントなどいろいろなところに利用されています。光触媒を用いることで、清掃回数を減らすことができるのです。

汚染物質を分解するはたらきがある光触媒は、空気清浄機などでも利用されています。

●薄い水の膜を作る

ものの表面に水がつくと、普通は水滴になります。これは、水分子はものの表面にはくっつこうとせず、水分子どうしで集まろうとするからです。

しかし、光触媒は水との親和性が非常に高い物質です。これを超親水性といいます。

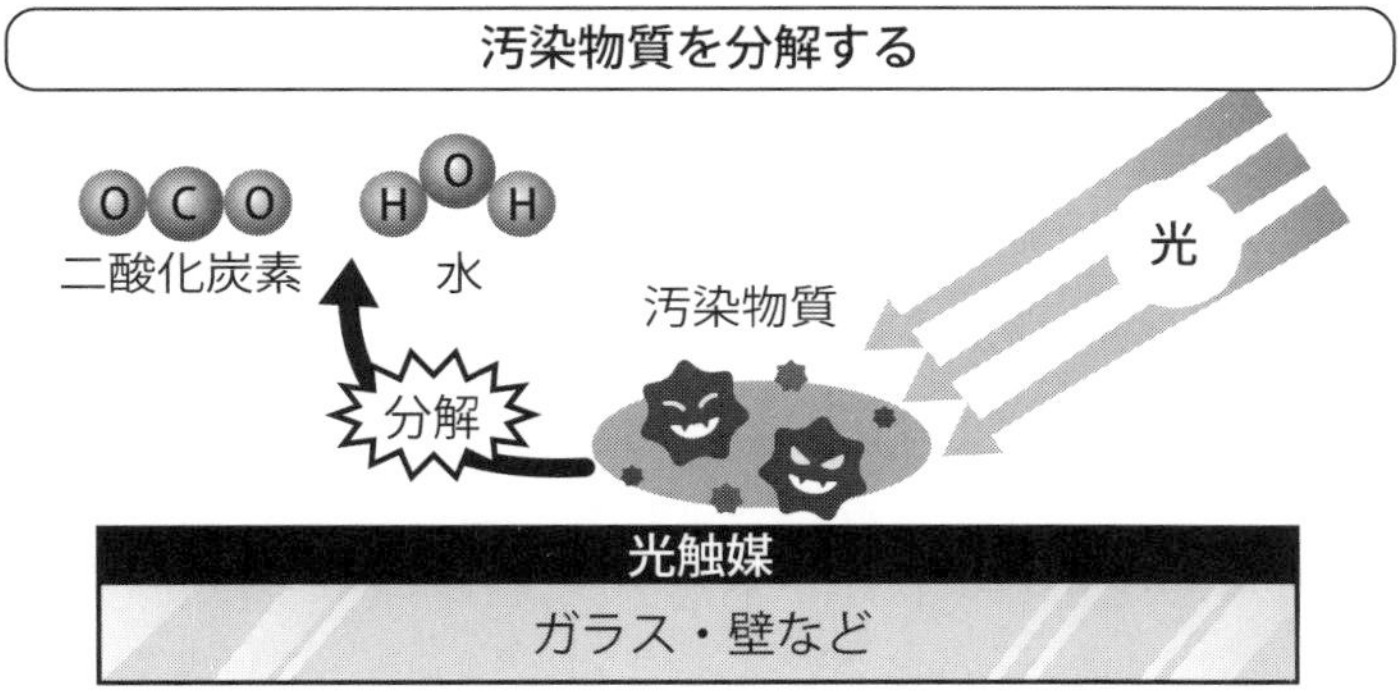
汚染物質を分解する
OCO
二酸化炭素
HOH
水
光
汚染物質
分解
光触媒
ガラス・壁など

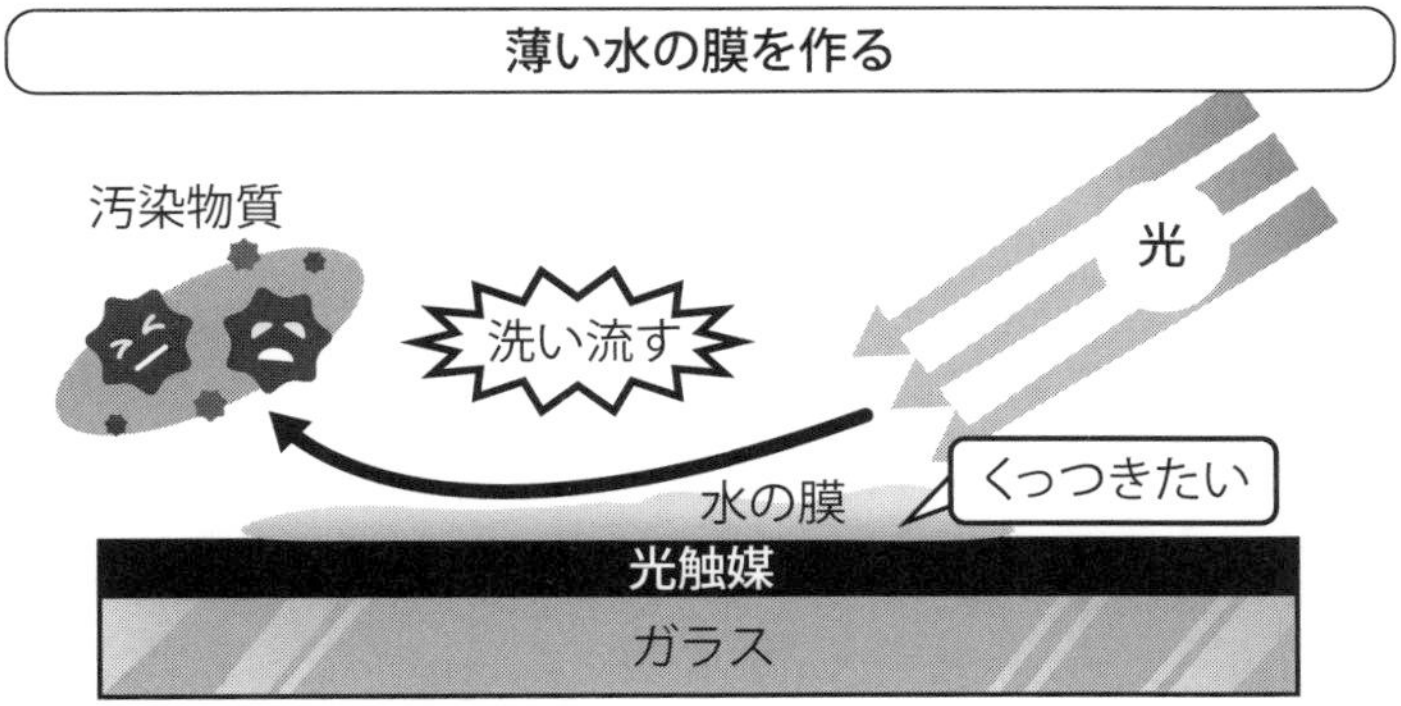
薄い水の膜を作る
汚染物質
光
洗い流す
水の膜
くっつきたい
光触媒
ガラス

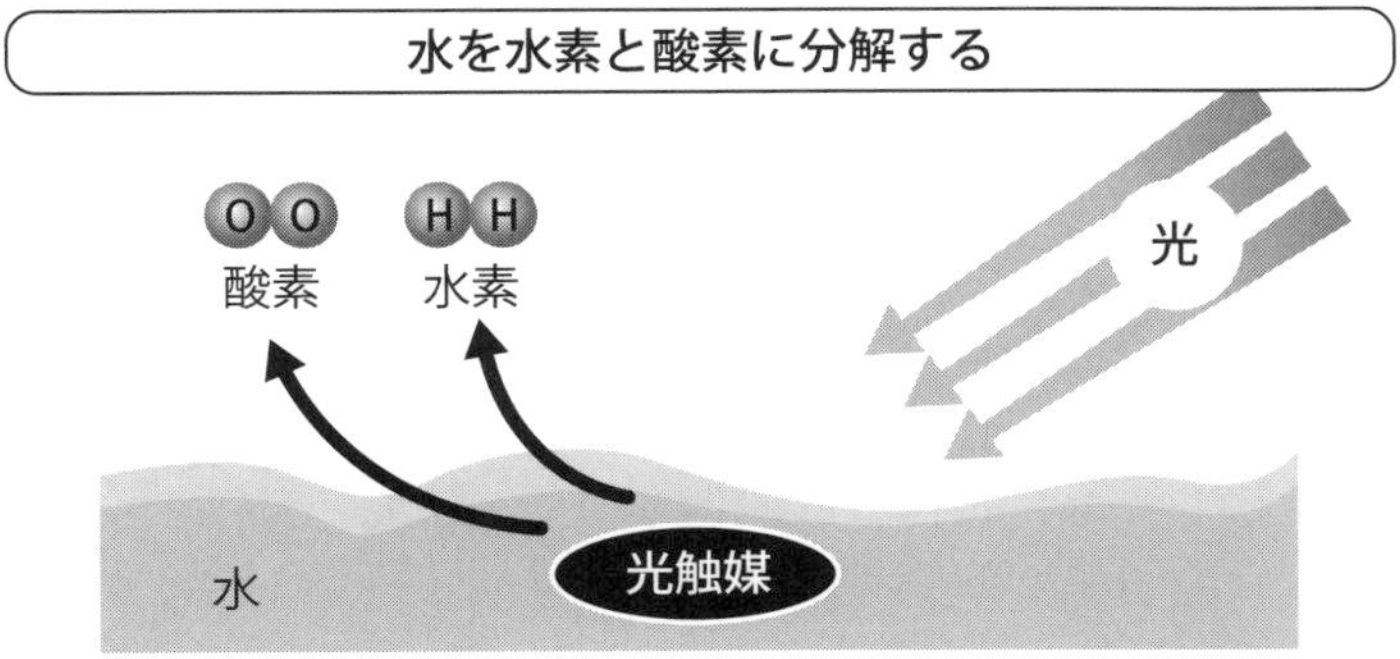
水を水素と酸素に分解する
OO
酸素
HH
水素
光
光触媒
水

光触媒の超親水性のため、水分子は水分子どうしで集まろうとせず光触媒にくっつこうとします。その結果、水は水滴にならず光触媒の表面に薄い膜を作るようになります。

例えば、光触媒が加工されている外壁に雨が降ると、雨水が薄い膜を作ります。これが汚れの内側へ入り込むことで、汚れを洗い流してくれるのです。

●水を水素と酸素に分解する

光を照射すると、光触媒は光のエネルギーを利用して水を水素と酸素に分解します。

今回紹介する人工光合成では、光触媒のこのはたらきが利用されます。

この反応をもとに、どのようにして光合成を実現するのでしょう？

人工光合成の進めかた

植物が行う光合成は、次のように整理できます。

太陽光のエネルギーを使って、水と二酸化炭素から酸素とデンプンなどの有機物を作り出します。植物はこのようにしてエネルギー源を得ているわけですが、私たちにとってもたいへんありがたい反応です。温暖化の原因となる二酸化炭素を消費してくれるからです。

人工光合成は、これを真似したものといえます。**原料は水と二酸化炭素**であり、**生み出されるのは酸素と有機物**なのです。

ただし、生み出される有機物はデンプンで

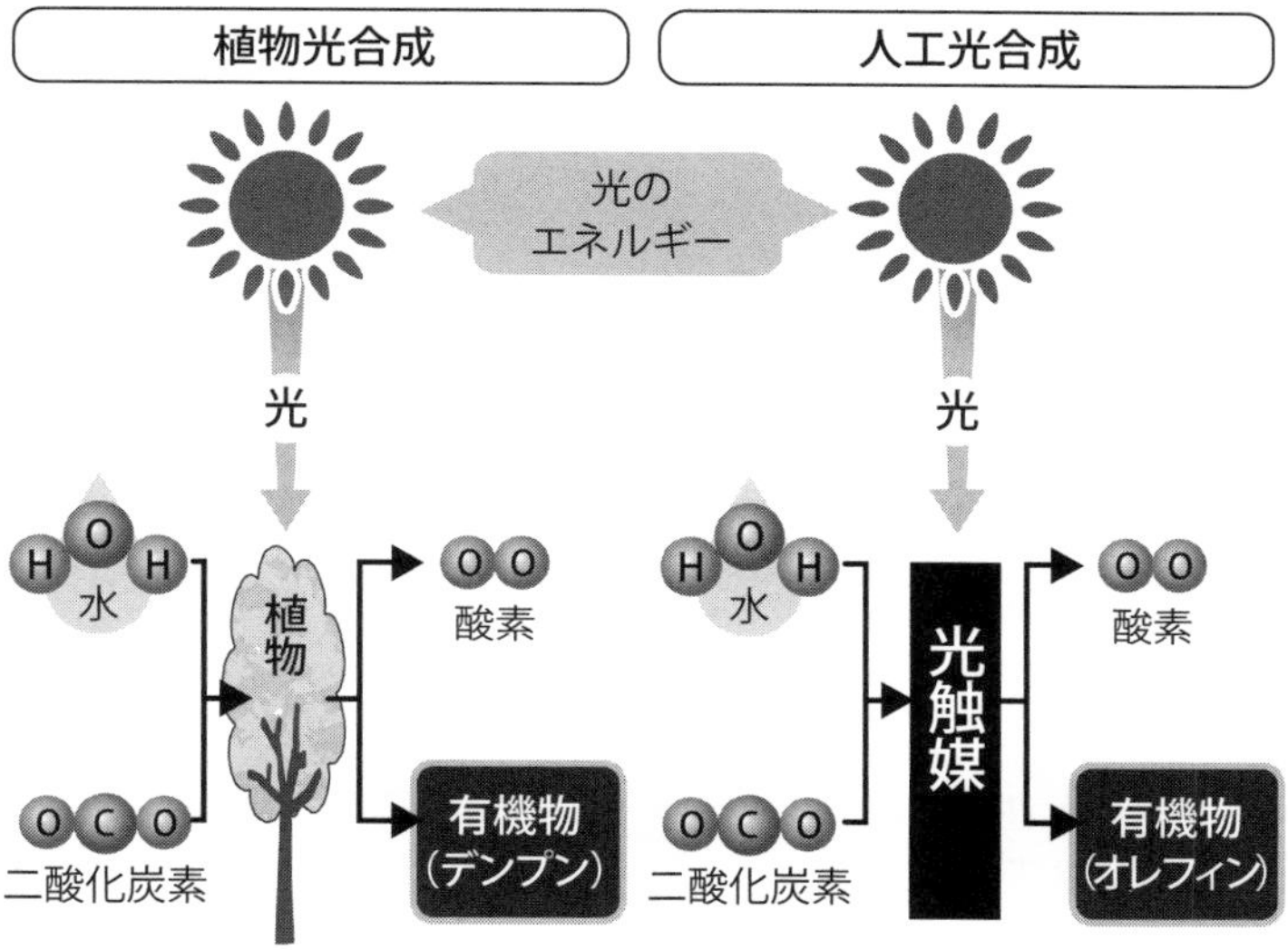

はなく、**オレフィン**と呼ばれるものです。

オレフィンというのは、エチレン・プロピレン・ブテンといった物質の総称です。これらは、プラスチックなどの原料となる物質です。つまり、人工光合成ではプラスチックの原料を生み出すことができるということです。

さて、どうしてこのようなことが人工的に再現できるのか、くわしく見てみましょう。

人工光合成では、光触媒を使うと書きました。光触媒は、水を水素と酸素に分解するのに利用します。

人工「光合成」ですから光のエネルギーを利用します。それは、光触媒が水を分解するはたらきの促進に使われるのです。

作られた水素と酸素は、分離膜というものによって分けられます。分離膜は、水素と酸素の分子の大きさの違いを利用するものです。

水素は、酸素よりもサイズが小さい分子でできています。分離膜には、水素分子は通すけれども酸素分子は通さないような大きさの穴が開いています。そのため、水素分子は分離膜を通過でき、酸素分子は通過できなくなるのです。

分離された水素は、二酸化炭素と混合されます。二酸化炭素は工場や発電所で大量に排出されますので、これを利用します。

ここへ合成触媒という化学合成を促すものを加えると、水素と二酸化炭素の合成反応が起こります。そうして、オレフィンが作られるのです。

以上のような流れで、人工光合成は進みます。

エネルギー効率は向上中

太陽光のエネルギーだけを使用して、発電所や工場で排出される二酸化炭素を回収しながらプラスチックの原料を合成できるのですから、まさに夢のような技術です。

実際に人工光合成の実験は成功していますが、実用化はこれからです。**エネルギー効率**という問題がクリアできていないからです。

人工光合成を工業プロセスの一部として成り立たせるためには、コストの問題をクリアしなければなりません。人工光合成を低コストで実現するには、エネルギー効率を高める必要があります。

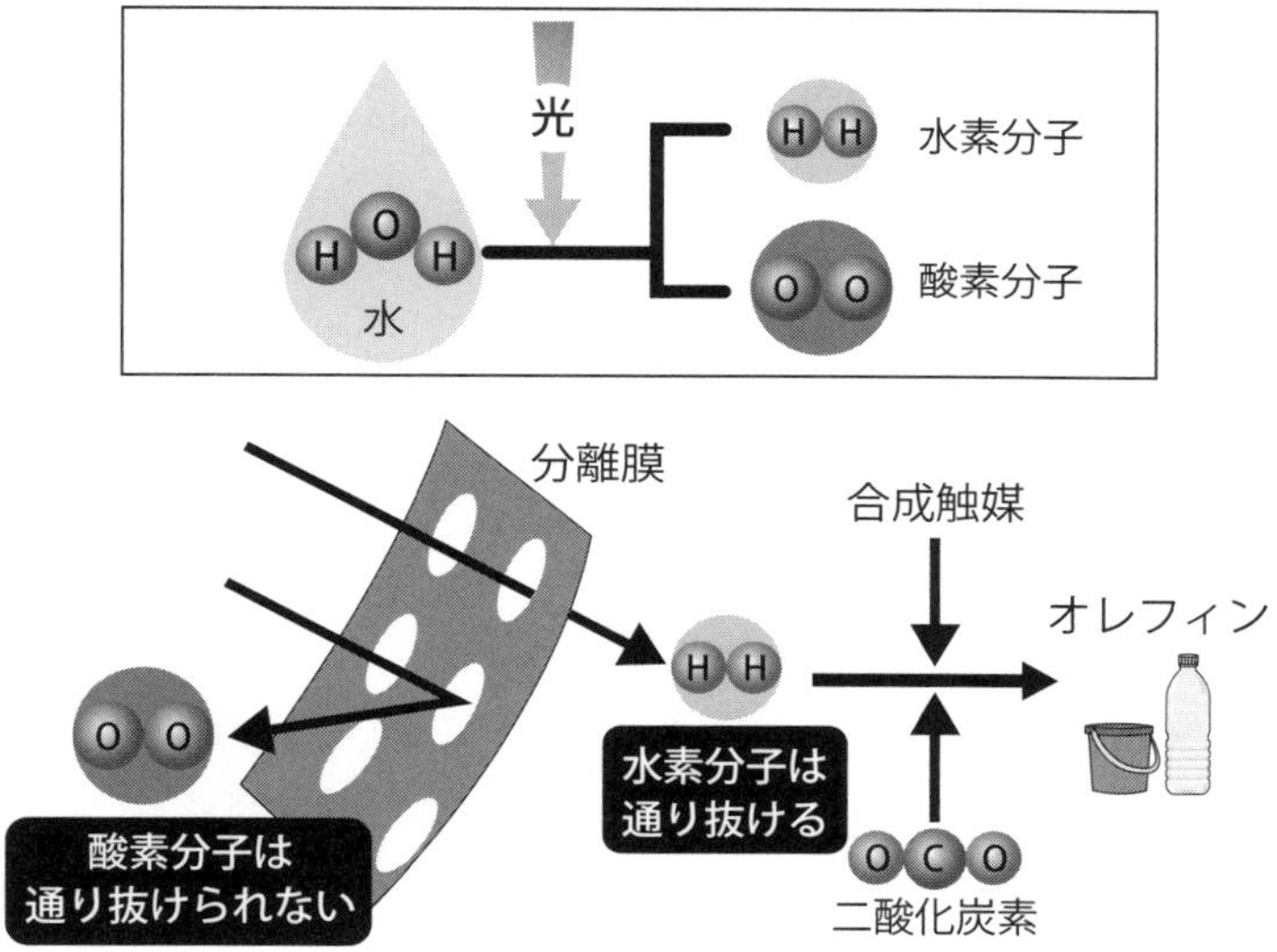

植物が行う光合成では、太陽光エネルギーの0・2〜0・3パーセントほどが利用されます。

植物の場合はこのくらいでも問題ありませんが、人工光合成ではこれよりずっと高いエネルギー効率が求められるのです。

現在の人工光合成の研究では、よりエネルギー効率を高めることが追求されています。トヨタ自動車グループの豊田中央研究所は、人工光合成において世界最高水準となる**7・2パーセントのエネルギー変換**を達成しました。それまでの人工光合成のエネルギー変換効率を劇的に向上させる成果です。

人工光合成の実用化の水準は、10パーセントとされています。エネルギー効率が高められ、実用化される日が楽しみです。

リチウムイオン電池が実現させたモバイル時代

スマホやパソコンなどに必須のアイテム

２０１９年のノーベル化学賞は、リチウムイオン電池を開発した吉野彰《あきら》さんら３名に贈られました。

さて、皆さんはリチウムイオン電池がどのようなところで使われているか、ご存知でしょうか?

じつは、リチウムイオン電池は私たちにとってとても身近なものです。

スマートフォンやパソコンのバッテリーは、リチウムイオン電池でできているのです。デジタルカメラでも、リチウムイオン電池が使われています。

また、**電気自動車のバッテリー**もリチウムイオン電池です。さらに、蓄電池として利用

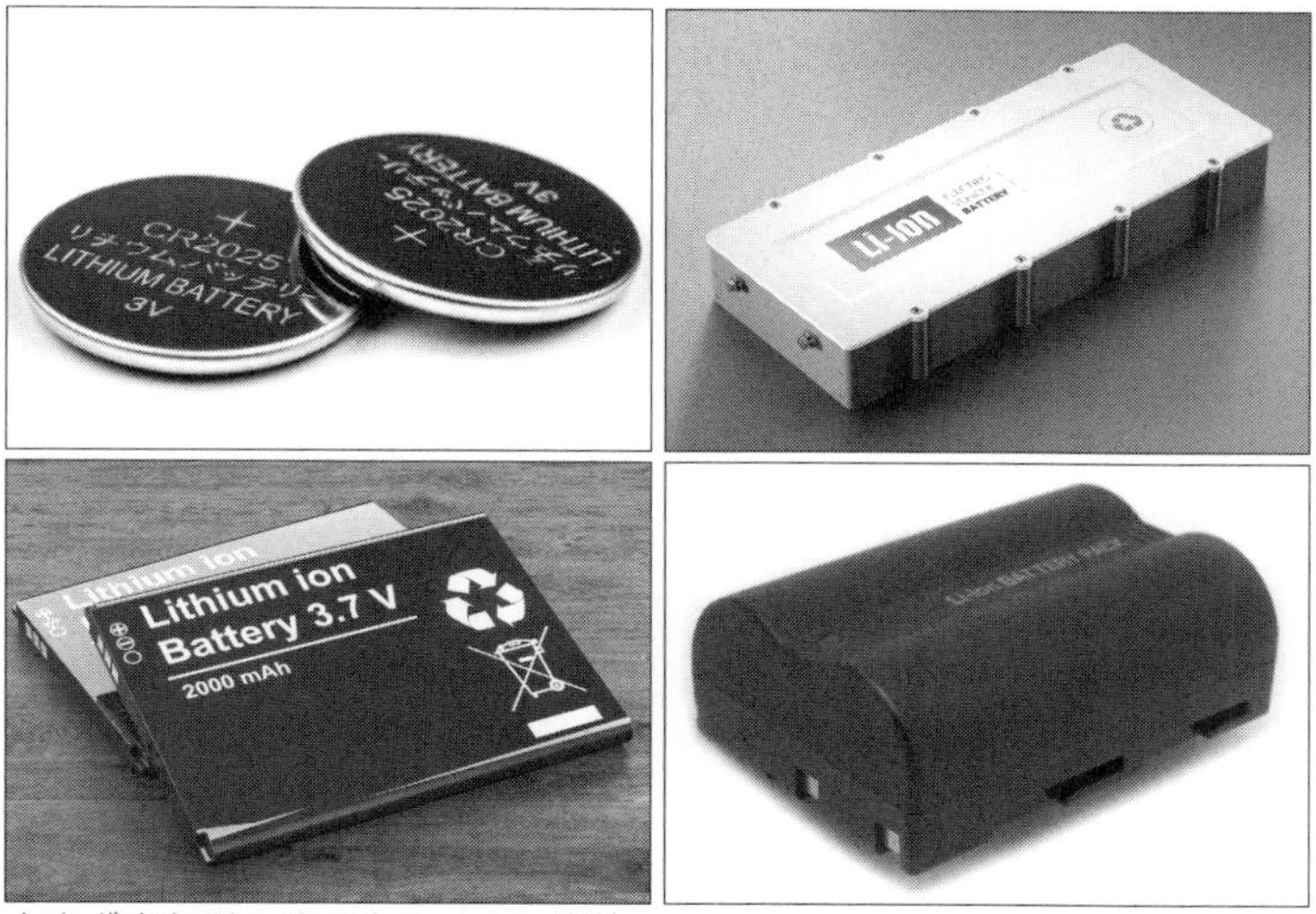

さまざまな形のリチウムイオン電池

されることも増えています。

２０２０年のリチウムイオン電池の世界市場は、５兆円近くに達しています。今後、特に電気自動車の普及にともなって、著《いちじる》しく成長していくと予想されています。

どうして、リチウムイオン電池はこれほど多用されているのでしょう?

その理由は、リチウムイオン電池の優れた性能にあります。

まずは、**軽い**という特徴があります。

電池には、乾電池・コイン型電池・鉛蓄電池(自動車のバッテリー)などさまざまな種類があります。その中で、同体積・同質量から取り出すことができるエネルギーはリチウムイオン電池が最大なのです。だから、小さくても(軽くても)十分にエネルギーを生み出すことができるのです。

また、充電して繰り返し使うことができます。頻繁に使用するスマートフォンやパソコン・電気自動車の電池を、寿命が来るたびに交換するのは大変です。充電して使えるようにする必要があります。

充電して繰り返し使える電池は他にもありますが、リチウムイオン電池には**充電してもメモリ効果が起こらない**という優れた特性もあります。

メモリ効果とは、「放電しきらないうちに充電すると、電圧が下がってしまう現象」のことです。昔の携帯電話では、このようなことがありました。バッテリー残量が0に近づいてから充電する方がよいと言われたのは、このためです。リチウムイオン電池なら、バッテリー残量を気にせず充電を繰り返すことができます。

さらに、リチウムイオン電池は**寿命が長く、電圧が高い**という点でも優れています。

乾電池の電圧は約1・5ボルトですが、リチウムイオン電池の電圧は3・7ボルトほどあります。

このように、多くの利点を持つリチウムイオン電池だからこそ、世界中で多用されているのです。

リチウムイオン電池の構造

さて、リチウムイオン電池は図のような構

リチウムイオン電池の構造

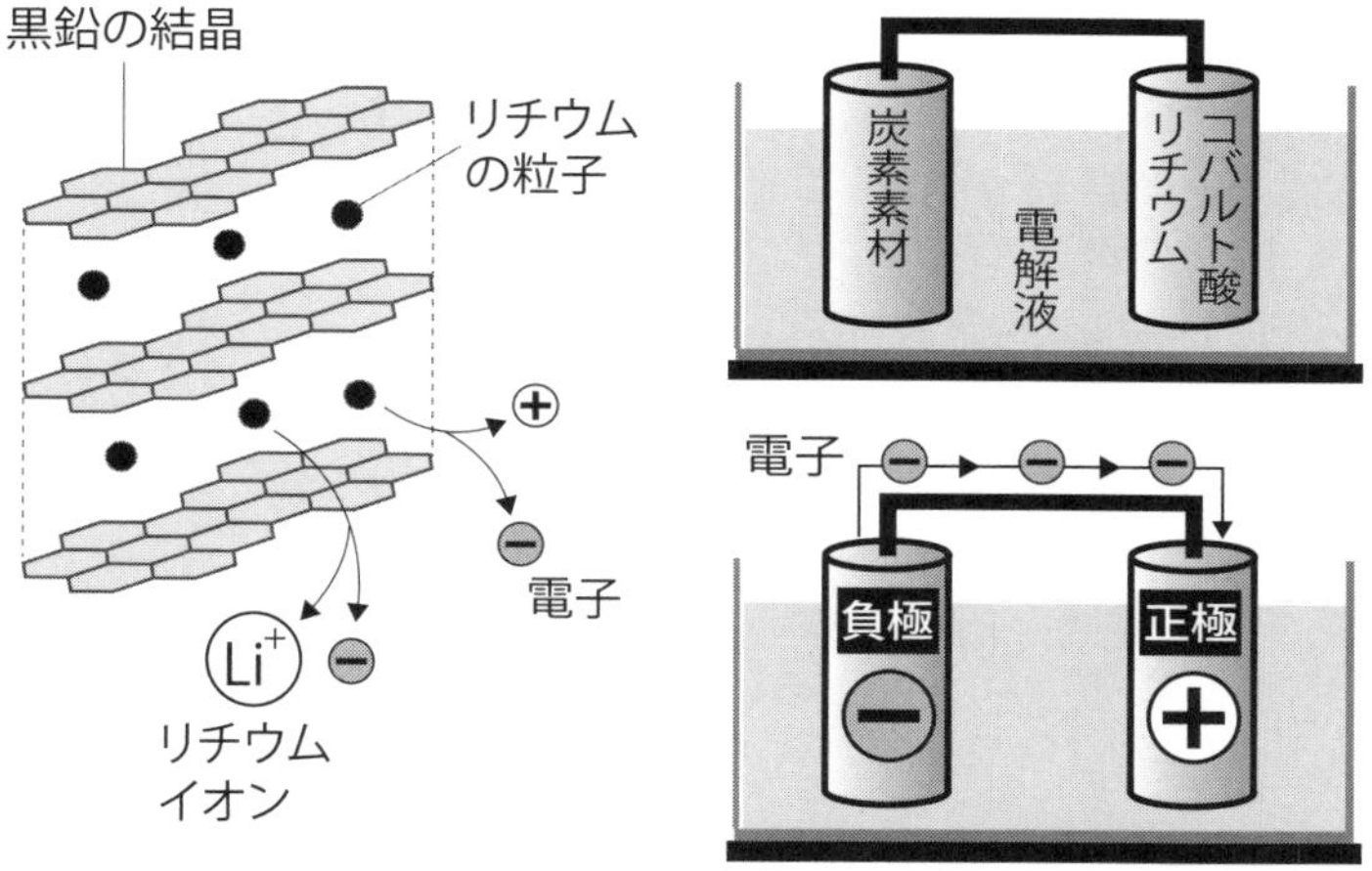

造をしています。

電池には、正極（＋極《プラス》）と負極（－極《マイナス》）があります。電池は、負極が電子（マイナスの電気を持つ粒子）を放出し、正極で電子を受け取ることで電気を流します。

リチウムイオン電池の負極には、リチウムを含む黒鉛の結晶が使われています。黒鉛の結晶は層状になっており、その間にリチウムの粒子が含まれているのです。

リチウムイオン電池が放電するときには、黒鉛の結晶中に取り込まれているリチウムが、電子を出します。それと同時に、リチウムがイオンとなって放出されます。

リチウムは、マイナスの電気を持っている電子を放出することで、プラスの電気を持つようになるのです。

このように、電気を持った状態になった粒子をイオンといいます。

負極から放出されたリチウムイオンは、電解液と呼ばれる正極と負極の間を満たしている液体中を泳いでいきます。そして、正極へたどり着きます。

正極には、コバルト酸リチウムというリチウムの化合物が使われています。これが、電子を受け取るとともに流れてきたリチウムイオンを取り込むのです。このようにして、電気の流れが生まれます。

ところで、リチウムイオン電池を作るには、当然リチウムが必要となります。

リチウムは、埋蔵量が少ない**「レアメタル」**と呼ばれる金属の1つです。

資源の8割は南米に集中していて、特にボリビアにあるウユニ塩湖には世界の埋蔵量の半分近くのリチウムが眠っているといわれます。

リチウムイオン電池の利用が拡大する現在、その資源の確保も重要な課題となっているのです。

リチウムイオン電池が世界を救う

世界人口は増加を続けています。それにともない、使用される自動車も増えています。

まだまだ世界の自動車の多くはガソリン車で、二酸化炭素の排出が避けられません。このままでは、地球温暖化は深刻さを増すばか

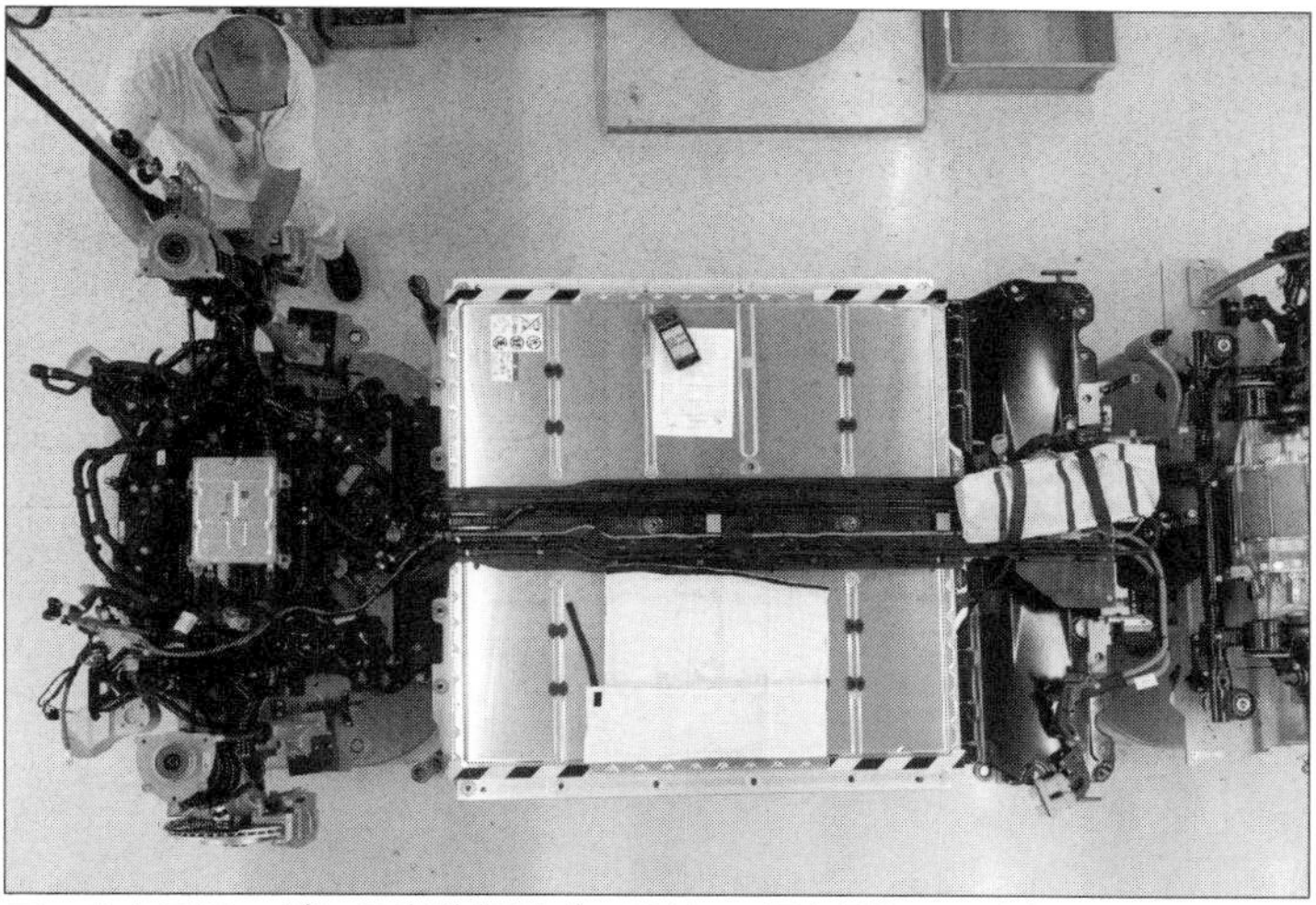
フォルクスワーゲンの自動車用バッテリー（写真提供：pa/時事通信フォト）

りでしょう。

そんな中、ガソリン車の使用に規制をかける国が増えています。ガソリン車に代わって電気自動車を普及させることで、温暖化を抑えていこうとしているのです。

電気自動車の普及に欠かせないのが、充電池です。電気自動車の構造自体は、複雑ではありません。電気の力を使ってモーターを回転させ、車輪を回すのです。

電気自動車で一番必要とされるのは、エネルギー効率がよく、1回の充電で長持ちする充電池なのです。もちろん、安全であることが大前提です。

リチウムイオン電池は、このような性質を持っています。未来を担う充電池として、研究は今も続いています。

300億年で1秒も狂わない光格子《ひかりこうし》時計

なぜ正確な時計が必要なのか?

現代生活は、時計なしには成り立たないでしょう。「○時に△△さんと約束」「◇時に見たい番組が始まる」という感じで、時間を見ながら生活しています。

日常的に目にする時計ですが、時計が数秒狂っているということは珍しくありません。最近は電波時計が普及しているため正確な時計に接することも多くなりましたが、多少の狂いであれば通常の生活に支障はないでしょう。

しかし、場合によっては厳密な正確さが求められることがあります。例えば、ＧＰＳ（global positioning system）です。

私たちがスマートフォンやカーナビで正確

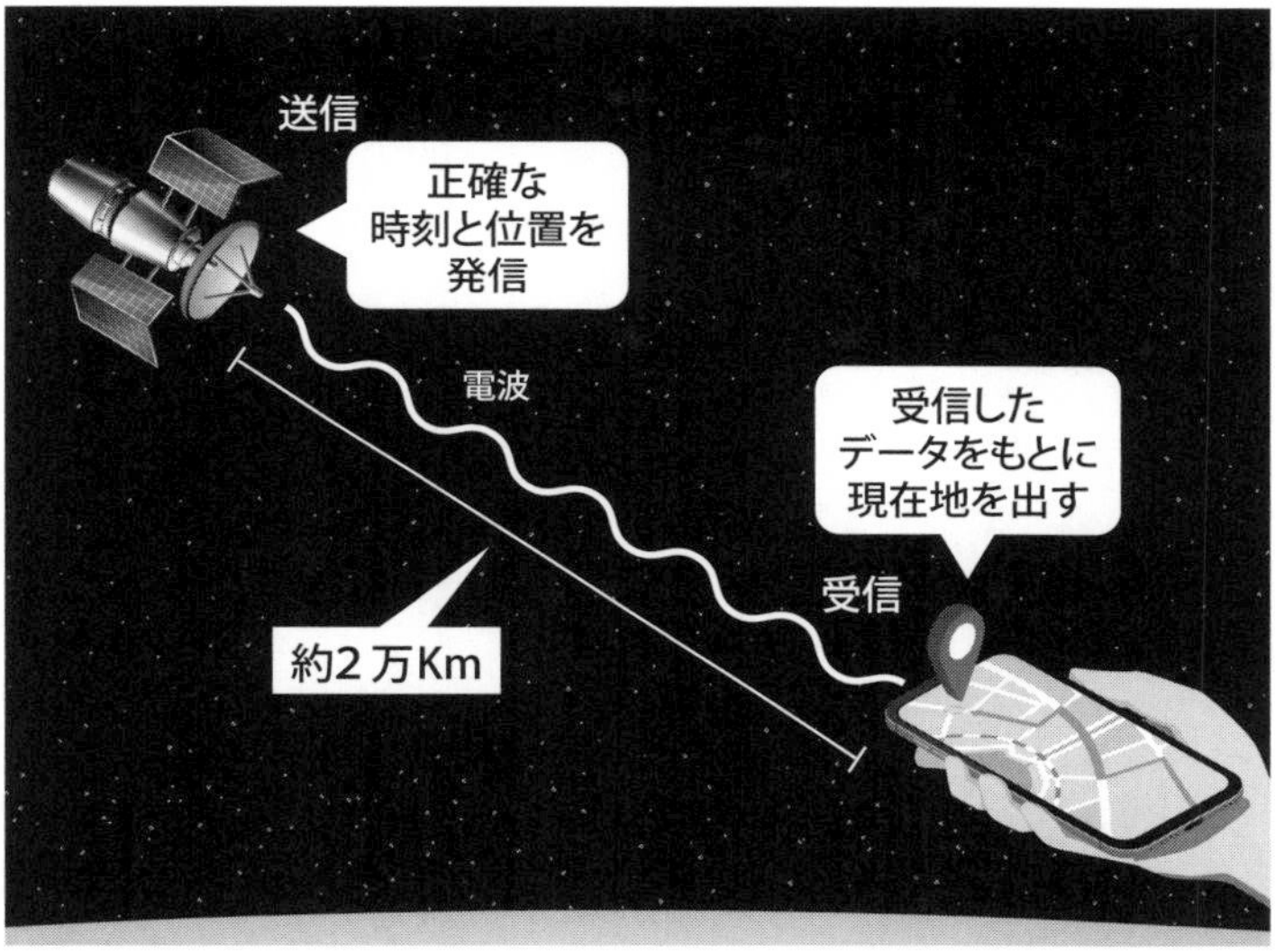

な現在地を知ることができるのは、GPS機能が搭載されているからです。スマートフォンやカーナビがGPS衛星と電波のやりとりをすることで、現在地を知ることができるのです。

スマートフォンやカーナビには、電波の受信機がついています。これが、**地上約2万キロメートルに打ち上げられているGPS衛星から発せられた電波を受信する**のです。

電波が進む速さは、正確に光の速さ（秒速約30万キロメートル）に一致します。ですので、電波がGPS衛星で発信されてから受信機に届くまでにかかる時間が分かれば、GPS衛星からの距離が分かるのです。複数のGPS衛星と電波のやりとりをして距離を測ることで、現在地を割り出しているのです。

つまり、表示される現在地の正確さを向上させるには、**電波のやりとりにかかる時間を正確に測定する必要がある**のです。

そのために利用されているのが、**「原子時計」**です。

原子時計は、日常的に使われている時計よりもはるかに正確な時計です。これがGPS衛星に搭載されていることで、現在地がかなり正確に求められることは皆さんも実感していることと思います。

セシウムを使った原子時計

原子時計には、**セシウム**という原子が使われています。セシウム原子は、周波数が91億9263万1770ヘルツの電磁波を吸収します。

周波数とは「1秒間に振動する回数」ですので、1秒間に91億9263万1770回振動する電磁波ということです。

セシウム原子は正確に91億9263万1770ヘルツの電磁波を吸収し、電磁波の周波数がわずかにずれただけで吸収しなくなるのです。

このことから、逆に**「セシウム原子が吸収する電磁波が91億9263万1770回振動するのにかかる時間」**が「1秒」と決められているのです。

これが、現在の1秒の定義です。

「1秒」の長さは、もともとは1日（地球が1

最初の原子時計（1955年）

回自転するのにかかる時間）から決められました。１日は60×60×24＝８万６４００秒なので、「１日の長さの８万６４００分の１」が１秒というわけです。

しかし、１日の長さは季節や潮の満ち引きなどによって変化することが分かってきました。そこで、１９５６年に地球の自転ではなく公転をもとに１秒を決めるよう変更されました。「１年の３１５５万６９２５・９７４７分の１」が１秒となったのです。

そして、１９６７年にはさらに正確な原子時計をもとに１秒が定義され、現在に至るのです。

原子時計は非常に正確で、**３０００万年経っても1秒も狂わない**ほどです。ものすごい正確さですが、現在ではそれをもはるかに上回る正確さを持つ時計が開発されているのです。
「光格子時計」です。

ストロンチウムを使う光格子時計

東京大学の香取秀俊教授が開発した光格子時計は、**３００億年経っても1秒も狂わないほど正確**です。光格子時計の正確さは、原子時計をはるかに凌《りょう》駕《が》するのです。

宇宙誕生はいまからおよそ１３８億年前と考えられていますので、宇宙誕生から現在までの間に1秒も狂わないということです。

光格子時計では、**ストロンチウム原子**を使います。

ストロンチウム原子は４２９兆２２８０億４２２万９８７３ヘルツの電磁波を吸収します。ですので、「ストロンチウム原子が吸収する電磁波が４２９兆２２８０億４２２万９８７３回振動するのにかかる時間」を「1秒」と決められるのです。

この仕組みは、セシウム原子時計と変わりません。しかし、光格子時計では**ストロンチウム原子を動かないようにする**、という工夫が加えられているのです。

セシウム原子時計では、気体状態のセシウムを使います。気体状態では、セシウム原子は動いてしまいます。すると、吸収する電磁波の周波数がわずかにずれてしまうのです。

ここに、原子時計の精度の限界がありました。

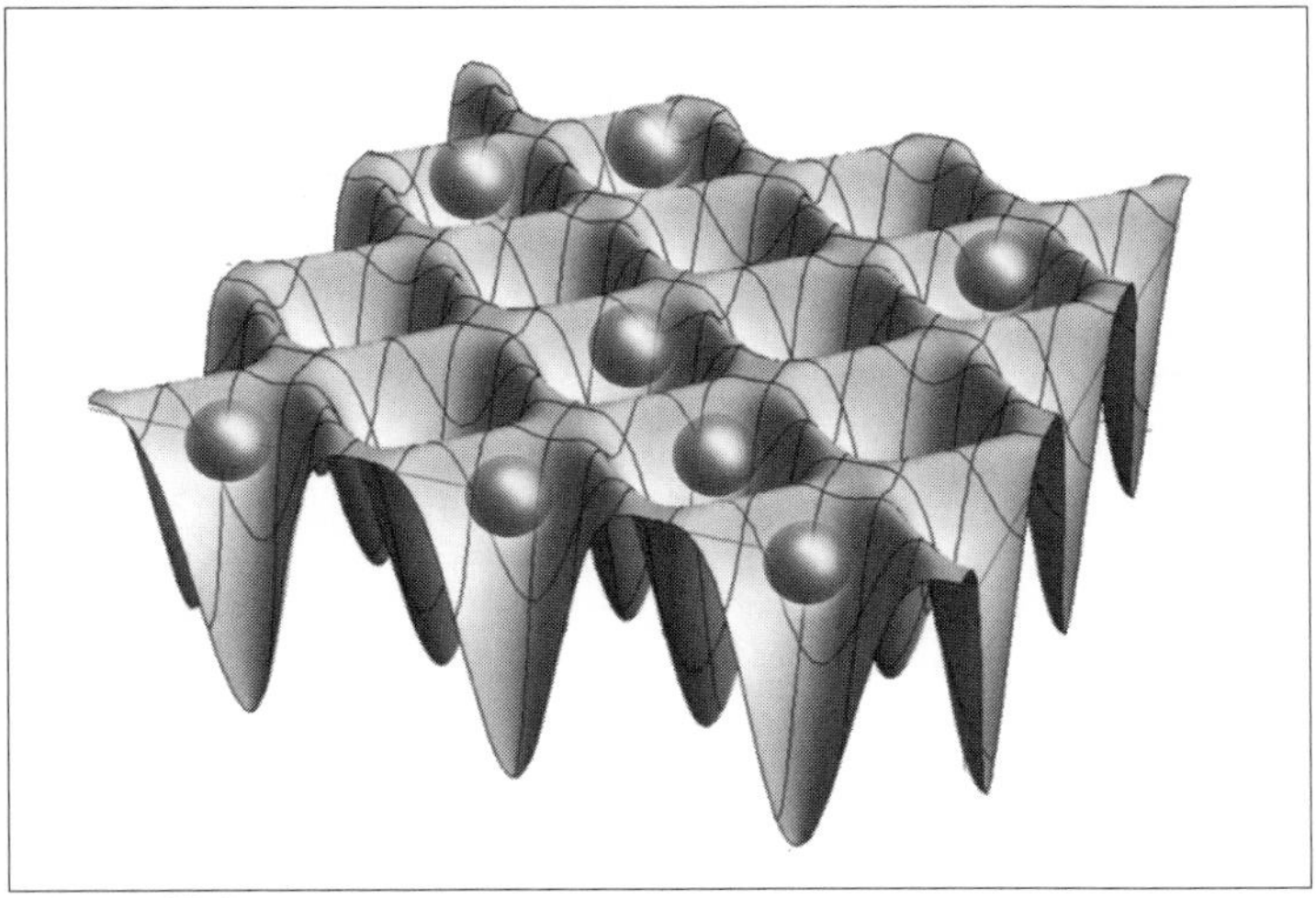

光格子の模式図（©2015 香取秀俊）

光格子時計では、レーザー光を使って原子の容れ物である**「光格子」**を準備します。これはちょうど卵パックのようなもので、それぞれの容れ物に１つずつ原子が収まるようになります。

ストロンチウム原子をこの中へ閉じ込めることで、原子が動かないようにできるのです。そうすることで、吸収する電磁波の周波数を正確に測定できるようになるのです。

光格子時計では、１００万個ものストロンチウム原子を光格子に集めます。そうすることで、吸収する電磁波の振動数を１００万個分を一気に測定できるようになるわけです。１００万個の測定値の平均値をとることで、原子の吸収する周波数をより正確に求められるようになるのです。

もともと、これほどの正確な時計を実現するには、原子が吸収する周波数の測定を100万回行う必要があると考えられていました。

しかし、それには気が遠くなるような時間がかかってしまいます。香取教授は、「それなら原子を100万個集めて一気に測定すればよいだろう」と考えたのです。

なお、原子の容れ物（光格子）を作るレーザー光の波長は、ある特定の値《あたい》に設定されます。これは、レーザー光の波長が特定の値であれば、原子が吸収する電磁波の周波数に影響を与えなくて済むからです。

逆に言えば、特定の値以外の波長のレーザー光では、原子の吸収する周波数が変わってしまい、正確な測定ができなくなってしまうのです。

この波長を発見した香取教授は、「魔法波長」と名づけました。

相対性理論の証明もできる？

これほどに正確な光格子時計は、場所による「時間の進み方」の違いを明らかにしました。**「場所によって時間の進み方が違う」**といわれて何のことかと思われるでしょうが、これは事実なのです。

例えば、同じ地球上でも標高が高くなるほど時間が速く進むようになります。それは、標高が高くなるほど地球から離れ、重力が小

香取教授のつくった光格子時計（©2015 香取秀俊）

さくなっていくためです。

重力が小さいところほど、時間は速く進むのです。

これは、アインシュタインが一般相対性理論によって明らかにしたことです。

ただし、その違いはごくごくわずかです。私たちが気づくことなどありません。しかし、きわめて正確な光格子時計を使うと、その違いさえも検出できてしまうのです。

２０１６年、香取教授らの研究チームは東京の本郷にある東京大学と、埼玉県和光市にある理化学研究所にそれぞれ光格子時計を置きました。

そして、東京大学の方が理化学研究所よりもほんのわずかに時間がゆっくり進んでいることを観測したのです。

理化学研究所は、東京大学より標高が15メートルほど高いところにあります。その分、重力が小さいのです。重力が小さいため、時間が速く進んでいます。

こんなことは、光格子時計を使わなければ確かめることはとても不可能です。

２０１８年には、東京スカイツリーの地上４５０メートルのところと一番低いところにそれぞれ光格子時計を置いて比較する実験も行われました。

このときにも、地上４５０メートル地点の方が時間が速く進んでいることが測定されました。その差は、１日あたり10億分の４秒、1年だと１００万分の1.５秒です。

従来は、時間の進み方の違いは宇宙空間を利用して確かめられていました。宇宙空間まで出れば地上との重力の差が大きくなり、測定しやすくなるのです。それが、光格子時計の誕生により、地上にいながら測定できるようになったというわけです。

光格子時計の活用で可能になること

地上におけるわずかな時間の進み方の違いを測定できる光格子時計は、もはや「時計」というよりは**「時空計」**といえるかもしれません。

重力による時空の歪みが時間の進み方を変えるのですが、光格子時計はどのくらい時空が歪んでいるか測定してしまうからです。

光格子時計は、**地上にいながら相対性理論**

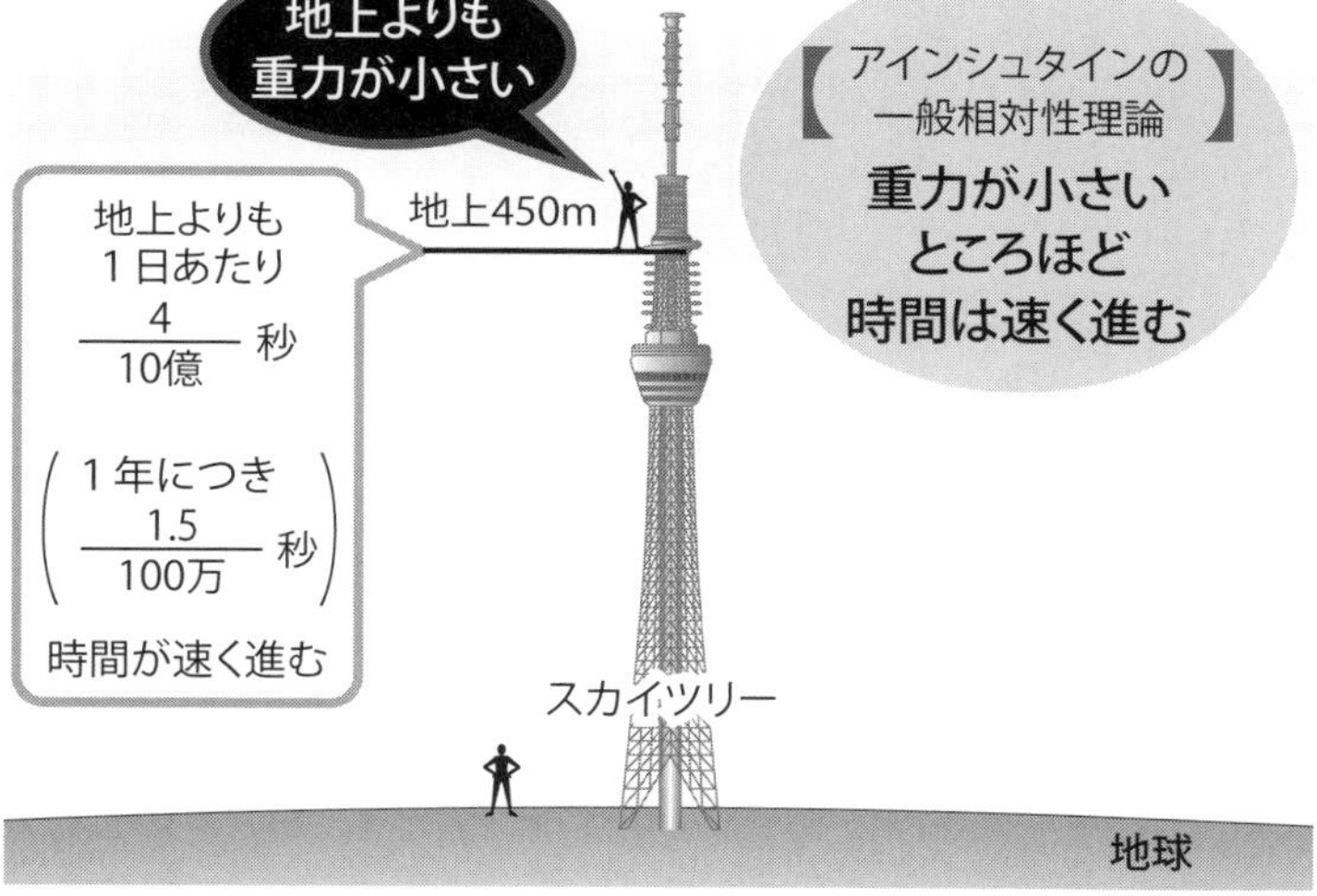

を証明できる道具ともいえます。

そして、光格子時計は実際の生活にも役立てられると考えられています。

例えば、噴火の前に火山がわずかに持ち上がる変化が起こることが分かっています。光格子時計を山腹へ設置しておけば、1センチメートルという精度で高さの変化を測定できます。光格子時計によって、噴火の前兆をとらえられるようになるのです。

あるいは、地下に石油が埋蔵されているところでは、他の場所に比べて重力がわずかに小さくなっています。石油の密度が、岩石などに比べて小さいからです。

このわずかな重力の違いを光格子時計で検出して、地下に眠っている資源を見つけることも可能になるかもしれません。

見たいものだけを光らせて観察する

特定のタンパク質だけを光らせる

生物の身体は、たくさんの細胞が集まってできています。一人の人間は、およそ37兆個もの細胞の集まりです。

私たちの身体がどのような仕組みで機能しているのか、あるいは病気がどのように起こっているのかを知るには、細胞内でどのようなことが起こっているかを知る必要があります。特に重要なのが、**タンパク質のはたらき**を知ることです。

タンパク質には「栄養や酸素を運ぶ」「身体を動かす」「成長を促す」「免疫をつかさどる」などの重要なはたらきがあります。

このようなタンパク質が、細胞内でどのようにはたらいているかを知りたいというわけ

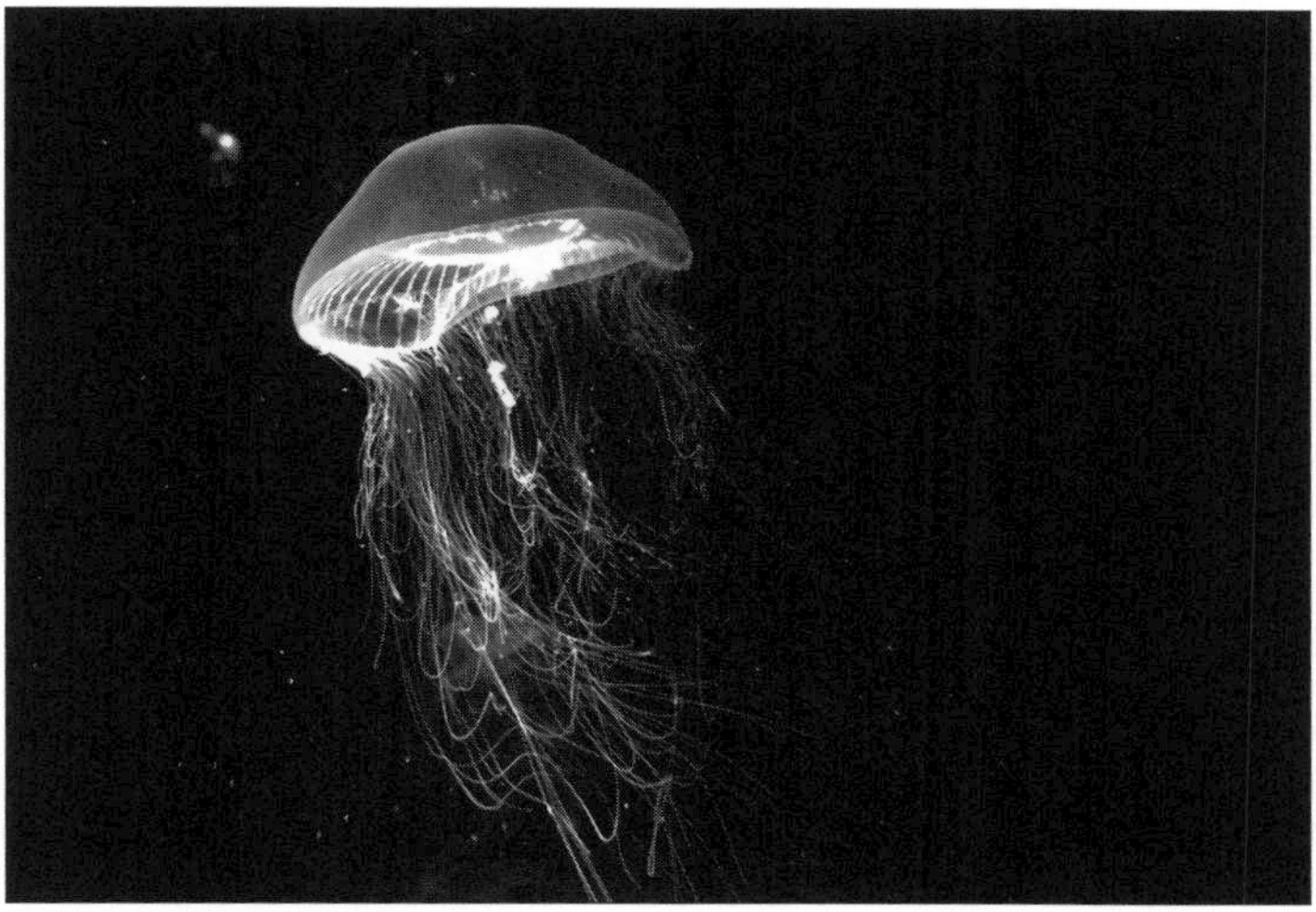

蛍光タンパク質発見のもととなったオワンクラゲ（©Totti/CC BY-SA 4.0）

です。

ところが、1つひとつのタンパク質分子はあまりに小さく、顕微鏡などを使っても容易に観察することはできません。そのため、細胞内で起こっていることが分からないのです。

実際、細胞内の出来事を観察する技術は長い間存在しませんでした。これを可能にしたのが、**蛍光タンパク質**というものなのです。

蛍光タンパク質とは、光るタンパク質のことです。蛍光タンパク質を利用すると、**観察したいタンパク質だけを光らせることができる**ようになります。そして、その光を追跡することで細胞内でのタンパク質の動きが分かるようになるのです。

一体どのようにして、目的のタンパク質を光らせるのでしょう?

光るクラゲから発光物質を抽出する

蛍光タンパク質を最初に発見したのは、２００８年にノーベル化学賞を受賞した下村脩《おさむ》さんです。

下村さんは、１９６１年の夏からワシントン大学フライデーハーバー研究所で、**オワンクラゲの発光**に関する研究を始めました。

オワンクラゲは、光るクラゲです。下村さんは「なぜオワンクラゲは光るのか？」を研究したのです。

下村さんはオワンクラゲの中に発光する物質があるはずだと考え、抽出に取り組みました。その過程で、**イクオリン**という物質が発光に関係していることを突きとめたのです。

そして、あるときイクオリンを含む溶液を研究所の流しに捨てると爆発的に青く光るという体験をしました。

じつは、研究所の流しには普段から海水が流れ込んでいて、海水中のカルシウムイオンが存在していたのです。イクオリンはそのカルシウムイオンと反応して青く光ったことが分かりました。

このようなことがあって、発光のもとになる物質が見つけられました。

しかし、オワンクラゲが放つのは緑色の光であり、青い光は出しません。オワンクラゲが緑色に光る理由は未解明だったのです。

その理由が明らかになったのは、１９７４年のことです。下村さんは**緑色蛍光タンパク**

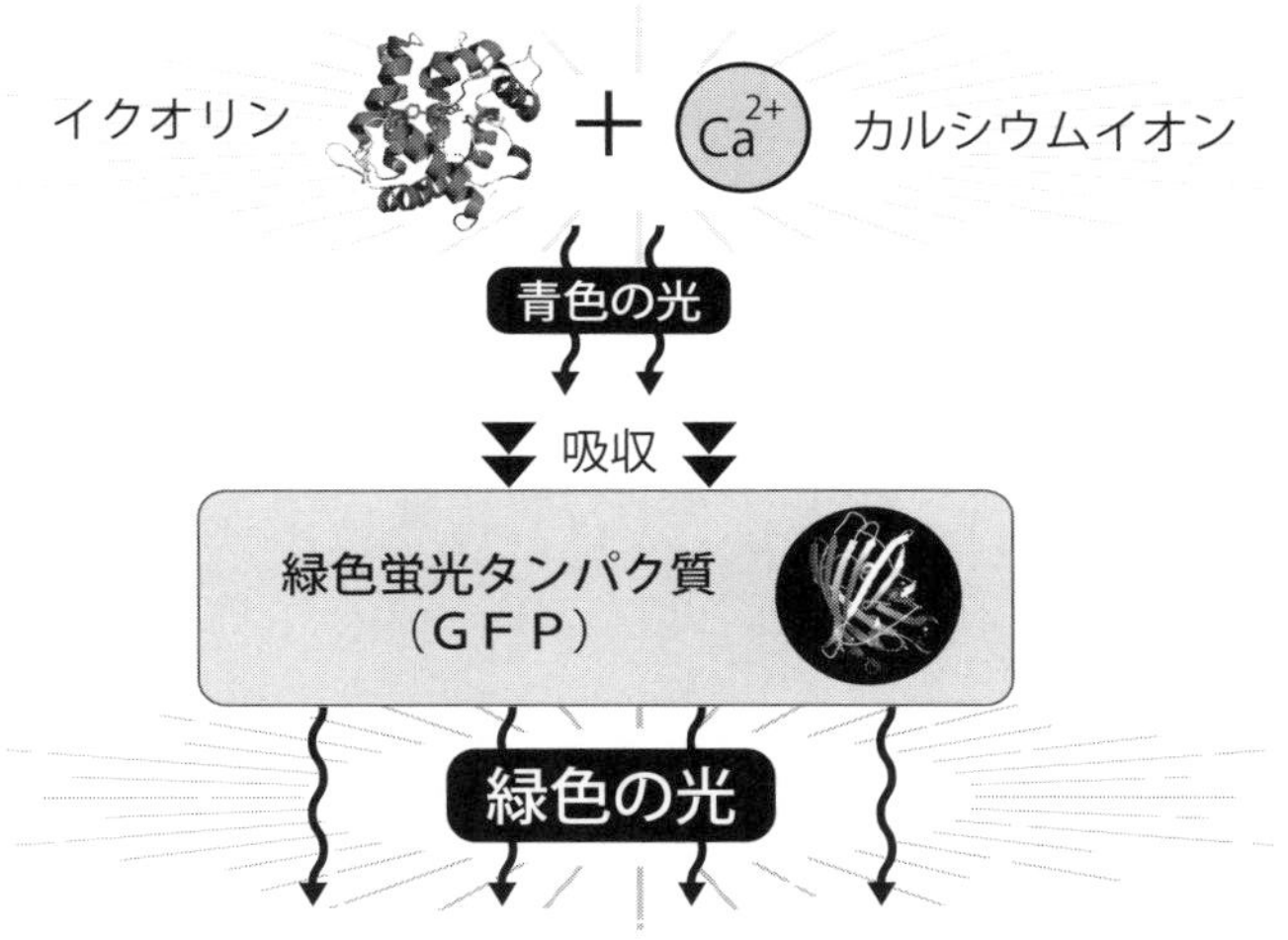

質（GFP）と呼ばれる物質を発見しました。これが、イクオリンがカルシウムイオンと反応して発する青色の光を吸収します。そして、代わりに緑色の光を発するのです。

下村さんへのノーベル化学賞は、GFP発見の功績に対して授与されました。博士が研究のために採取したオワンクラゲは、85万匹にもなるというから驚きです。

人間や植物の病気の研究などでも活躍

多くの研究を経て、生物の体内にいろいろな色で光るタンパク質を作ることができるようになりました。その成果はどのように活用されているのでしょう。

冒頭でも説明したように、タンパク質を光らせることで細胞内での動きを見られるようになります。そのことが、例えば薬の開発に役立てられています。

特に、**がんに対する薬**です。

蛍光タンパク質を利用することで、がん細胞がどのように動いているか、体内でがん細胞がどのように広がっていくかを見ることができます。さらに、抗がん剤ががん細胞やその近くにある正常な細胞にどのようにはたらくかも見られるのです。

こういった様子を確認することが、なるべく正常な細胞に影響せず、がん細胞だけを狙い撃ちするような薬の開発に役立ちます。

光るタンパク質は、**植物の病気予防の研究**にも活用されています。

植物には、ウイルスが感染することがあります。そこで、ウイルスの遺伝子にＧＦＰの遺伝子を挿入してウイルスの動きを追跡する研究が行われています。

ウイルスが光るようになり、顕微鏡でウイルスの細胞内での動きを見られるのです。

実際に、この方法によってジャガイモなどの穀物に感染したウイルスのはたらきが分かってきました。

穀物に感染したウイルスは、細胞内からタンパク質を細胞の表面へ運び出します。そして、その細胞と隣の細胞をつないでいる小さなトンネルを通ってタンパク質を行き来させます。そうして、隣の細胞もウイルスに感染するようになるのです。

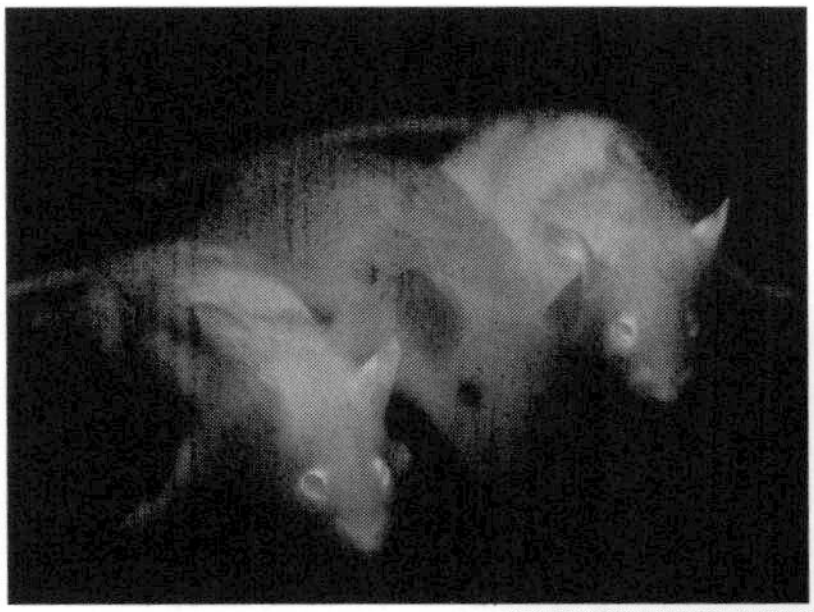

左：GFPにより、紫外線の照射で体の一部が光るようになったマウス

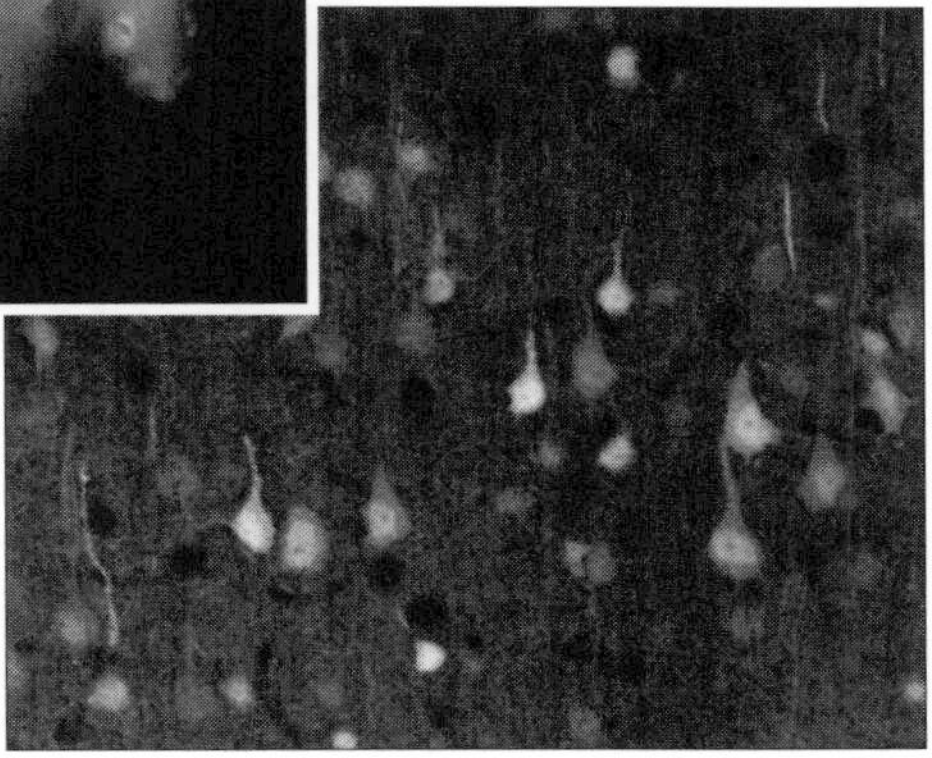

右：ＧＦＰの遺伝子を挿入されたマウスの脳細胞の写真（©Stephen J Smith）

このような知見は、ウイルスへの感染から穀物を守る薬を開発することに役立ちます。ウイルスが細胞内から運び出そうとするタンパク質を破壊する薬や、タンパク質が運び出されるのを防ぐ薬が考えられます。

さらに、ハーバード大学の研究チームは蛍光タンパク質を使ってマウスの脳細胞を約90種類の色で光らせることに成功しました。いろいろな色のＧＦＰの遺伝子を作り、それらをマウスの脳細胞の遺伝子に挿入したのです。

個々の脳細胞を別の色に光らせることで、脳細胞どうしがどのように結合しているかが見えてきました。そして、健康なマウスと病気のマウスで脳細胞の様子を比較することが、アルツハイマー病やパーキンソン病の原因の解明に役立つと期待されています。

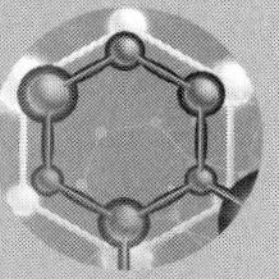

物質を自在に合成するクロスカップリング

新たな物質を合成する技術

現代生活の豊かさは、たくさんの化学物質が存在するおかげで成り立っています。医薬品、化粧品、繊維、染料、ゴム、プラスチック……と挙げればきりがありません。

これらには天然の植物や動物から取り出される物質も利用されていますが、多くが合成物質です。

物質を合成することは、容易ではありません。通常、ある物質と別の物質を反応させ（反応①）、反応①で作られた物質をさらに他の物質と反応させ（反応②）……というように何段階もの反応を経て合成されます。

物質を合成する一連の反応を、１つの容器の中で一気に進めることができたらとてもラ

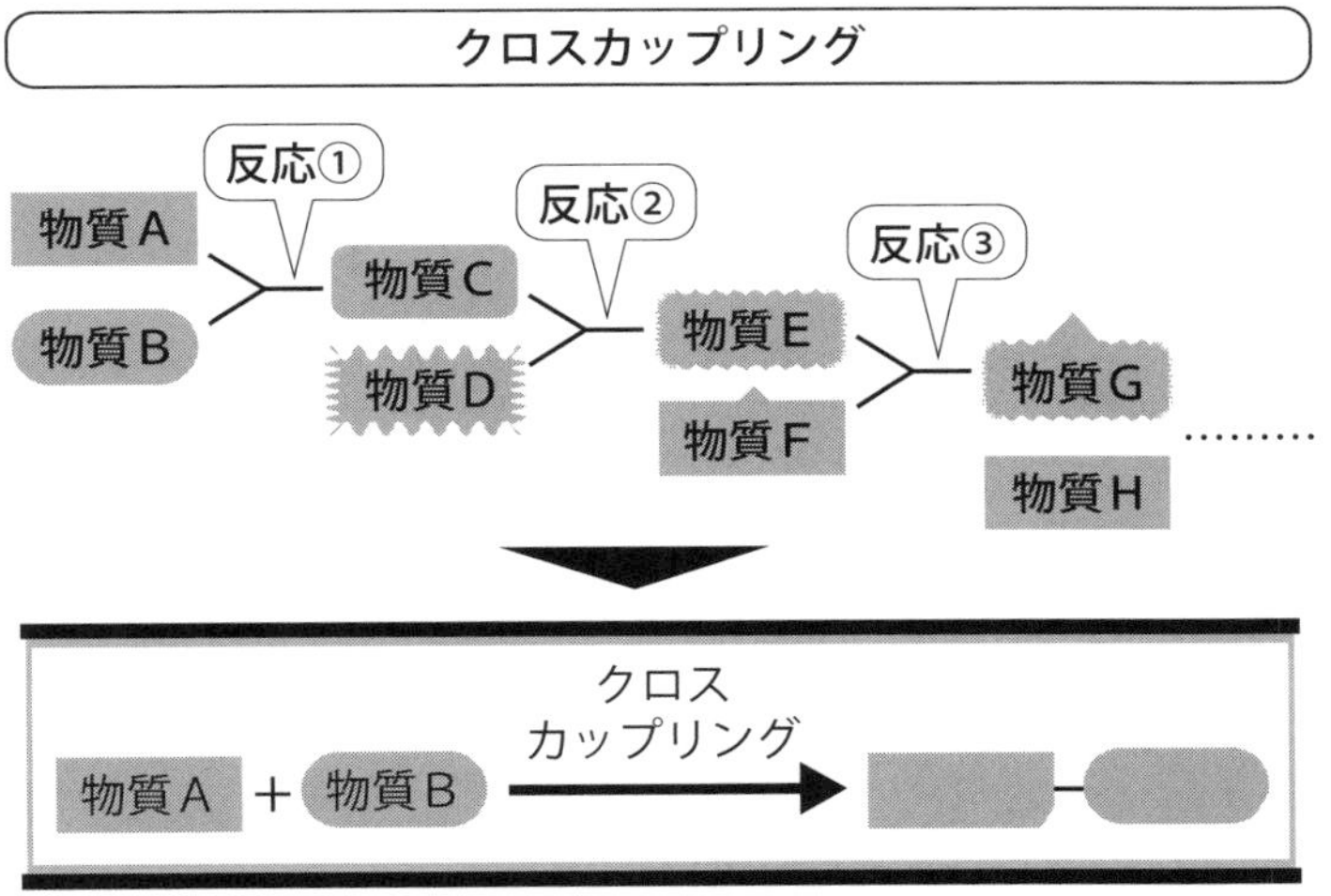

一連の反応を一気に進められる

クになります。

じつは、それを可能にする技術の1つが**「クロスカップリング」**なのです。

現在までに、多くのクロスカップリング反応が発見されています。その中でも大きな貢献をした日本の鈴木章《あきら》さんと根岸英一さんは、2010年のノーベル化学賞を受賞しています。

クロスカップリングとは、どのような反応なのでしょう。

異なる物質どうしを「カップリング」する

新しい化学物質を作るとき、すでに存在す

る物質どうしをくっつけるという方法があります。２つの物質をつなぐことを「カップリング」といいます。

特に、新たな物質を生み出すには**２つの異なる物質をカップリング**する必要があり、これを「クロスカップリング」と呼ぶのです。「クロス」は、「異なるものどうしの混合」という意味です。

従来、異なる物質どうしを結びつけて新たな物質を生み出すには、何時間もかかる実験を行う必要がありました。そして、それにもかかわらず最終的に得られる目的の物質はほんのわずかというのが当たり前だったのです。

これが、クロスカップリング技術の誕生によって劇的に変わりました。一気に大量の物質を生成できるようになったのです。

カップリングに必要な「触媒」とは

ここで、１９７９年に開発された「鈴木-宮浦クロスカップリング」を例に、クロスカップリングについて少しくわしく説明します。前述の鈴木さんとともに研究に励んだ宮浦憲夫さんの名前もつけられています。

鈴木-宮浦クロスカップリングは、図のような反応です。複雑な化学式が登場しますが、２つの物質にはそれぞれ六角形で示された部分があります。

六角形の角にはそれぞれ炭素原子が存在しています。そして、その炭素原子に結合しているものが取り除かれ、炭素原子どうしが直

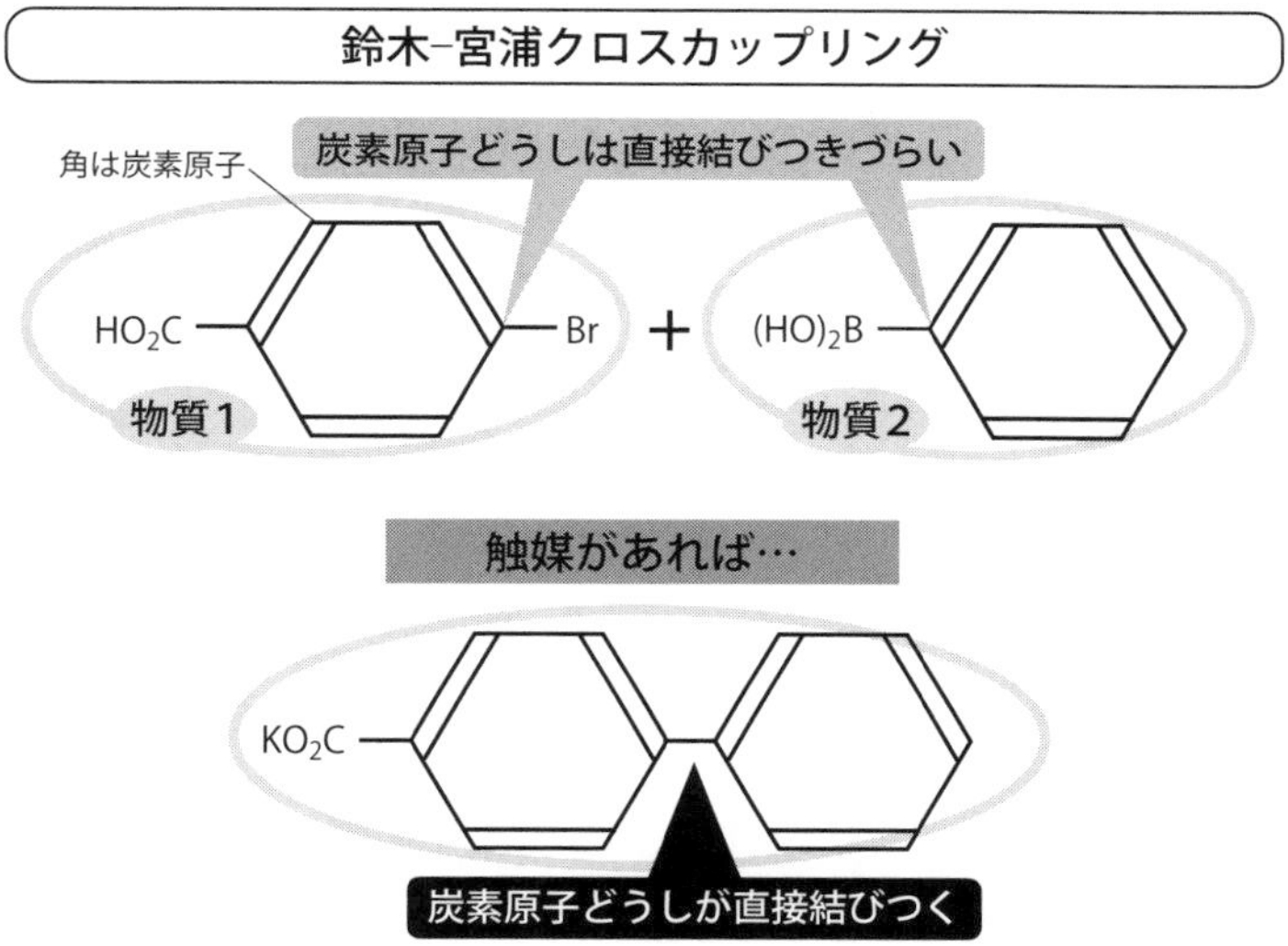

接結びつくようになるのです。このようにして、新たな化合物が誕生します。

この反応は、単に2つの物質を混ぜ合わせるだけでは起こりません。**触媒**が必要となります。触媒とは、「自分自身は変化せず、他の物質の反応を助けるもの」のことです。

上の反応では、パラジウムという金属から作られる触媒が利用されます。そのはたらきは、203ページの図のようにたとえることができます。

パラジウム触媒は、それぞれの物質をつかみ、炭素原子に結合しているものを切り取ります。そして、切り取った部分どうしを結びつけるのです。

このときパラジウム触媒自体に変化は起こりませんから、1つの反応を終えたら次の反応を起こすようになります。これを繰り返すため、反応が次々と進むのです。

さらに、鈴木-宮浦クロスカップリングではアルカリ性の物質を加えることも必要となります。アルカリ性の物質には、物質にくっついている$(OH)_2B$という部分を取れやすくするはたらきがあるからです。アルカリ性物質を加えることで、パラジウム触媒のはたらきが促進されるのです。

鈴木-宮浦クロスカップリングはどこがすごいのか

鈴木-宮浦クロスカップリングは、あくまでもクロスカップリング反応の一例です。これまで、多くのクロスカップリング反応が発見されてきました。

ただし、初期に発見されたクロスカップリング反応で使われたのは、マグネシウムやアルミニウムなどの金属の化合物でした。

これらは、水に触れるとすぐに分解してしまうなど不安定な性質を持っています。そのため、反応過程で水に触れさせないなど、デリケートな扱いが必要となります。

このような**不便さを解消**したのが、鈴木-宮浦クロスカップリングです。

鈴木-宮浦クロスカップリングでは、金属ではないホウ素の化合物を用います。これは、水や空気に触れても反応することがないため、それらのことを気にせず反応させられるのです。さらに、ホウ素の化合物には**毒性がほと**

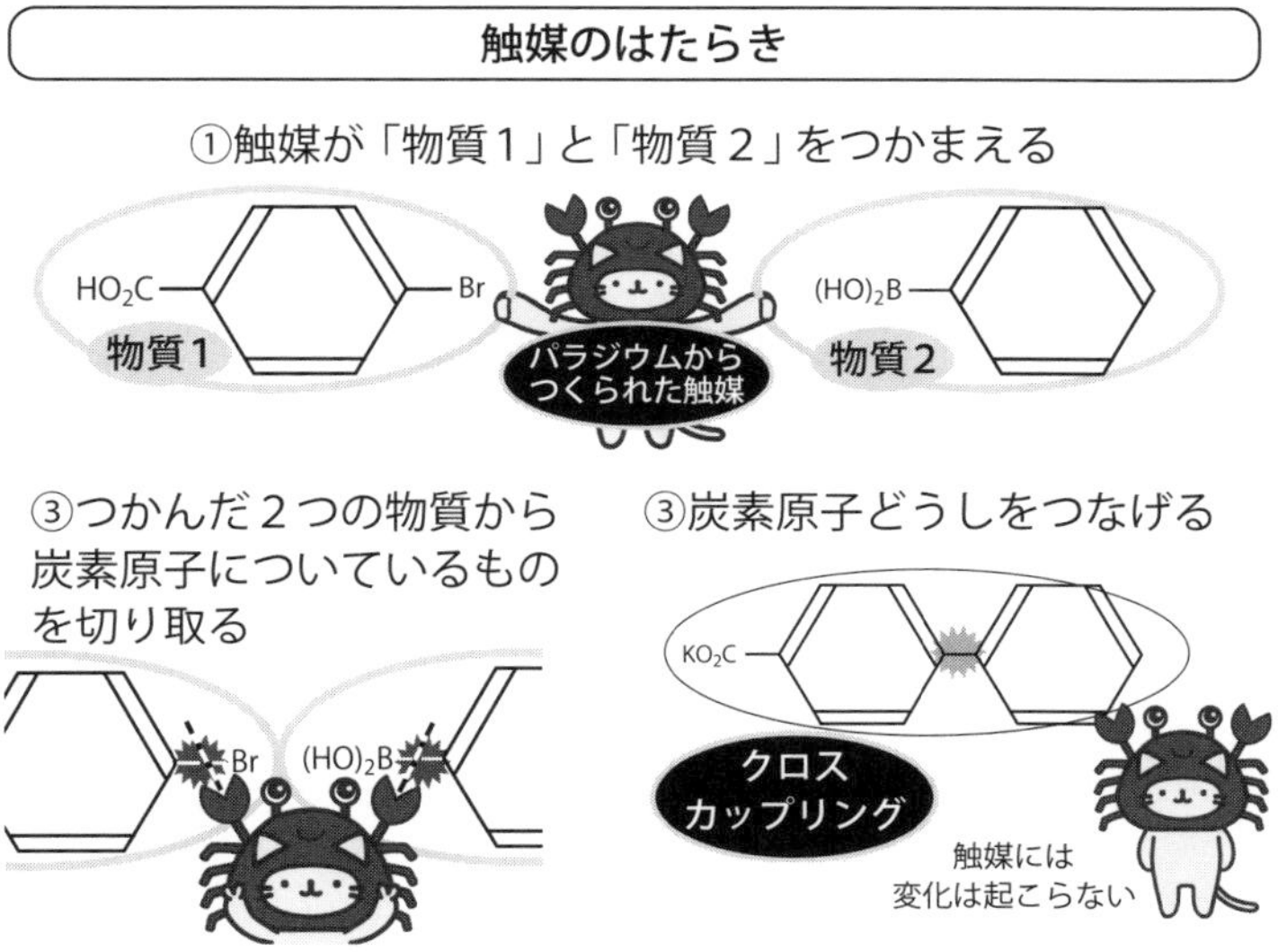
触媒のはたらき
①触媒が「物質1」と「物質2」をつかまえる
HO$_2$C
Br
物質1
パラジウムから
つくられた触媒
(HO)$_2$B
物質2
③つかんだ2つの物質から
炭素原子についているもの
を切り取る
Br
(HO)$_2$B
③炭素原子どうしをつなげる
KO$_2$C
クロス
カップリング
触媒には
変化は起こらない

んどありません。他のクロスカップリング反応で用いられる物質には、毒性があることもあります。

鈴木-宮浦クロスカップリングでは、副産物として作られる物質も含めて無害となります。この特徴は、医薬品を作るときにとても役立ちます。

液晶ディスプレイから薬品まで

数多く発見されたクロスカップリング反応は、私たちが利用している物質を作るのに役立てられています。

例えば、テレビ・パソコン・スマートフォ

ンなどで用いられる**液晶ディスプレイ**です。

液晶ディスプレイでは、ガラス基板の間に液晶分子が封入されています。電気の力によって液晶分子の向きが変わり、これによってバックライトの光量が調節されています。この液晶分子を合成するのに、鈴木-宮浦クロスカップリングが利用されているのです。

例えば、液晶分子で世界２位のシェアを持つチッソ株式会社では、液晶分子の６割を鈴木-宮浦クロスカップリングによって作っているそうです。

鈴木-宮浦クロスカップリングは、有機ＥＬディスプレイの材料分子を合成するのにも利用されます。有機ＥＬは、電気のエネルギーを利用して光を発する物質です。

多くの医薬品も、クロスカップリング反応によって作られています。

アメリカのメルク社の主力商品の１つである血圧降下剤ロサルタン（日本では「ニューロタン」として販売）は、鈴木-宮浦クロスカップリングによって作られています。その量は、年間に約１億トンというから驚きです。

さらに、多くの農薬もクロスカップリング反応で作られます。ドイツのＢＡＳＦ社が開発した「ボスカリド」という農薬は、鈴木-宮浦クロスカップリングによって作られています。

このように見てくると、私たちの生活がクロスカップリング反応によって支えられていることが分かります。

クロスカップリング反応の研究は、現在も続いています。その中では、**触媒をより扱いやすくする**ことも追究されています。

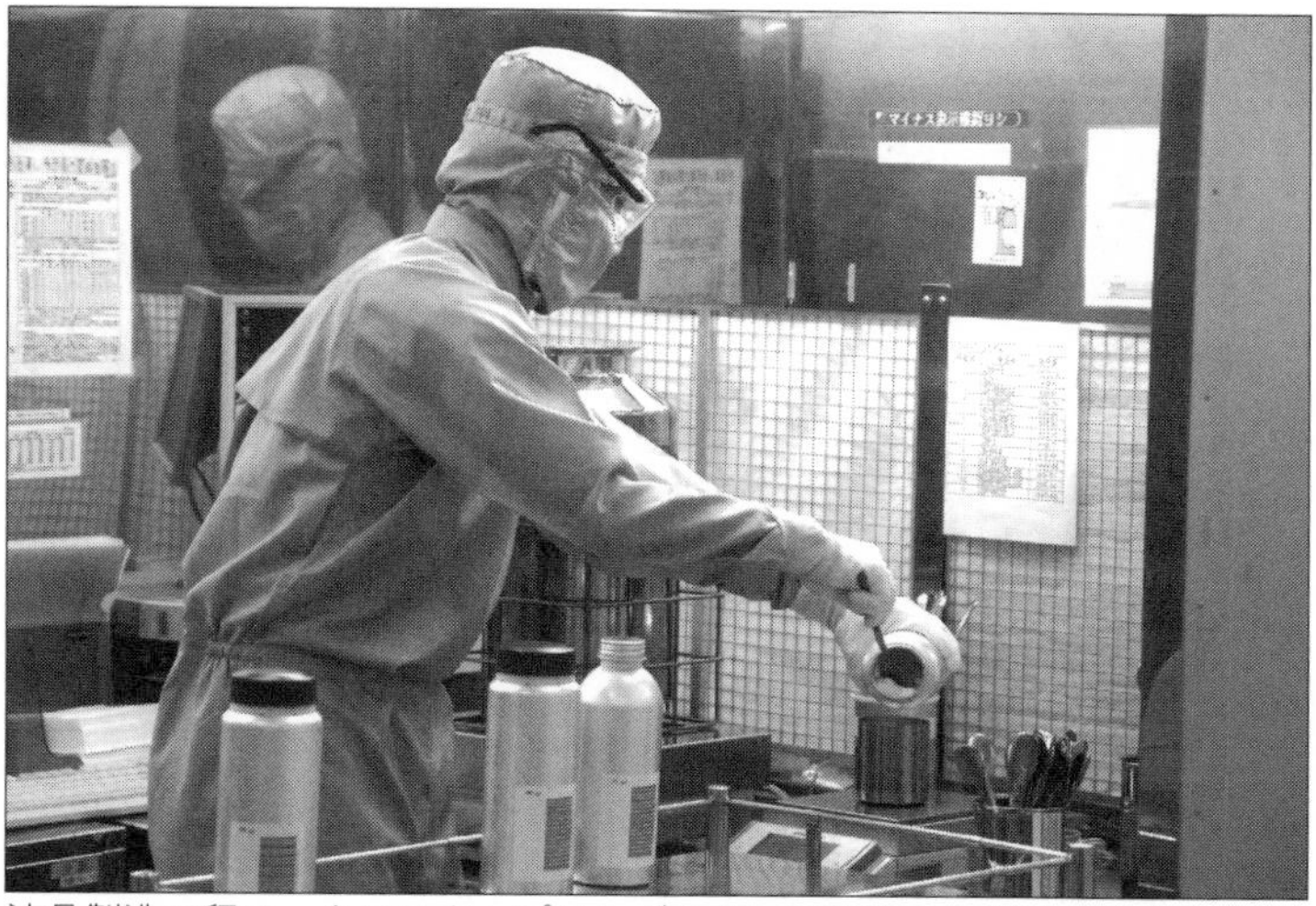

液晶製造工程で、クロスカップリングを使って製造した粉状の有機化合物を計量する職員（写真提供：共同通信社）

現在は、触媒を反応溶液に溶けこませて使う場合がほとんどです。そのため、反応が終わった後にフィルターなどを利用して触媒を分離する必要があるのです。

そこで、触媒を別の物質に固定しておき、反応が終わった後に容易に回収できるような工夫が研究されています。

また、触媒をより安価なものに代替することも研究されています。例えば、鈴木-宮浦クロスカップリングではパラジウム触媒が必要ですが、パラジウムは非常に高価です。より安価なニッケル触媒を用いて鈴木-宮浦クロスカップリングを起こせないか、研究されているのです。クロスカップリング反応がますます発展することで、私たちの生活はより豊かになると期待できます。

【画像クレジット】

・カバー

©elman Keles/istock,©Sharomka/Catsense/Shutterstock.com,©kjpargeter,macrovector

・アイコン

©antonioli,kjpargeter

・本文

・p13 ©NASA/JPL-Caltech
・P37 右 ©macrovector
・P39 ミラ ©Margarita Karovska (Harvard-Smithsonian Center for Astrophysics) and NASA
・P67 EreborMountain/Shutterstock.com
・P71 ©Mitsu/istock
・P73 ©all_is_magic/Shutterstock.com,©mr.suphachai praserdumrongchai/istock.com
・P78 図 ©Ico Maker/Shutterstock.com
・P82 図 ©vinap/istock
・P83 ©vinap/istock.com
・P84 下 ©gmast3r/istock.com
・P101 ©starline/freepik
・P108 ©ttsz/istock
・P115 ゾウリムシ ©Picturepest/CC BY 2.0/ ミドリムシ ©schmidty4112
・P119 ©metamorworks/istock
・P131 ビスマス ©Savannah River Site/ 亜鉛 ©Mike Beauregard
・P177 右上・Petmal/ 右下・MousePotato/ 左上・pixinoo/ 左下・AlexLMX/istock.com
・P195 イクオリン ©Yikrazuul/CC BY-SA 3.0
・P197 マウス ©Ingrid Moen, Charlotte Jevne, Jian Wang, Karl-Henning Kalland, Martha Chekenya, Lars A Akslen, Linda Sleire, Per Ø Enger, Rolf K Reed, Anne M Øyan and Linda EB Stuhr: Gene expression in tumor cells and stroma in dsRed 4T1 tumors in eGFP-expressing mice with and without enhanced oxygenation. In: BMC Cancer. 2012, 12:21.

【著者紹介】

三澤信也（みさわしんや）

長野県生まれ。東京大学教養学部基礎科学科卒業。長野県の中学、高校にて物理を中心に理科教育を行っている。

著書に『こどもの科学の疑問に答える本』『【図解】いちばんやさしい相対性理論の本』『【図解】いちばんやさしい最新宇宙』『東大式やさしい物理』（以上小社刊）、『入試問題で味わう東大物理 』『分野をまたいでつながる高校物理』（オーム社）等がある。

また、ホームページ「大学入試攻略の部屋」を運営し、物理・化学の無料動画などを提供している。

http://daigakunyuushikouryakunoheya.web.fc2.com/

図解 いちばんやさしい最新科学

2021年8月18日　第1刷

著　者　三澤信也

発行人　山田有司

発行所　株式会社　彩図社《さいずしゃ》

〒170-0005 東京都豊島区南大塚3-24-4MT ビル
TEL:03-5985-8213
FAX:03-5985-8224

印刷所　シナノ印刷株式会社

URL:https://www.saiz.co.jp
https://twitter.com/saiz_sha

 ISBN978-4-8013-0532-8 C0040